Rita Hampp

Das Rosenhaus am Merkur

ROMAN

Silberburg-Verlag

Rita Hampp, Jahrgang 1954, arbeitete nach dem Jurastudium zwanzig Jahre lang als Redakteurin bei der Main-Post in Würzburg, zuletzt als Rechts- und Gerichtsberichterstatterin. Während eines mehrjährigen Aufenthalts in den USA widmete sie sich dem freien Schreiben. Seit 2000 lebt sie in Baden-Baden. Sie hat bereits mehrere Kriminalromane veröffentlicht.
www.Rita-Hampp.de

Für Onkel Fritz
in memoriam

1. Auflage 2012

© 2012
by Silberburg-Verlag GmbH,
Schönbuchstraße 48,
D-72074 Tübingen.
Alle Rechte vorbehalten.
Umschlaggestaltung:
Christoph Wöhler, Tübingen.
Coverfoto: © chinaface – istockphoto.
Lektorat: Bettina Kimpel, Tübingen.
Druck: Gulde-Druck, Tübingen.
Printed in Germany.

ISBN 978-3-8425-1181-1

Besuchen Sie uns im Internet
und entdecken Sie die Vielfalt
unseres Verlagsprogramms:
www.silberburg.de

Rita Hampp

Das Rosenhaus am Merkur

Eins

» *Gelosa smania – deluso amore ...* « – Clara konnte nicht anders. Wenn Pavarotti seine Arien aus der Traviata schmetterte, musste sie einfach mitsingen. Sie kannte die Worte seit der Kindheit auswendig, auch wenn sie sie nur sinngemäß verstand. So ganz genau musste der Text auch nicht sitzen, denn die Klänge aus Jans Anlage übertönten sowohl das Geräusch der Dunstabzugshaube als auch ihren eigenen Katzengesang.

Aus dem Augenwinkel kontrollierte sie die sanft köchelnde Weißweinsoße und die Schüssel mit dem Rucola-Salat, während sie frische Salbeiblättchen zerzupfte, die sie auf dem ausgerollten Nudelteig verteilte, und sich zwischendurch eine Haarsträhne aus dem Gesicht strich. Küchen-Rushhour. So liebte sie das. Sie musste sich beeilen. Gleich war es halb sieben und bis dahin musste sie noch den Wein öffnen, zwei Gläser füllen und versuchen, schnell die gröbste Unordnung zu beseitigen, sonst ...

» *Ma é tempo ancora* «, schwappte es aus dem Lautsprecher und sie trällerte aus vollem Hals mit, als die Musik plötzlich abbrach.

»Meine Güte, man hört dich bis ins Treppenhaus. Und wie sieht es hier aus!« Hinter ihrem Rücken durchschnitt Jans Stimme die Stille.

In Claras Magen verkrampfte sich etwas, das sie nicht wahrhaben wollte. Nicht heute Abend, nicht schon wieder!

Sie holte tief Luft, drehte sich zu ihm um und hob die Arme. »Hallo Schatz, ich habe dich gar nicht kommen hören. Der *Pinot Grigio* liegt noch im Kühlschrank«, ergänzte sie und versuchte, entspannt zu lachen, während sie hinter sich etwas von der Arbeitsplatte griff. »Hier, fang! *Tartufo Bianco di Alba*, frisch eingeflogen!«

Jan legte die kleine Knolle naserümpfend auf den Tresen. »Dieses Chaos! Du weißt, dass ich das nicht mag!«

»He, du bist eine halbe Stunde zu früh!«

»Willst du mir jetzt vorschreiben, wann ich meine Wohnung betreten darf?«

Wieder meldete sich dieses Ziehen in Claras Magen. Wie lange ging das schon mit seinen Launen? Eigentlich hatte es vor ein paar Monaten schon angefangen, kurz nach ihrem Einzug in sein Super-Designerloft nahe der Frauenkirche. Aber sie war doch auf sein Drängen gekommen, hatte alles zurückgelassen, ihre süße kleine Wohnung im Glockenbachviertel, ihre durchgesessenen Möbel, die sie verschenkt hatte, sogar ihre ausgewählten Lieblingsbücher, die seitdem in fünf Umzugskisten im Keller lagerten, weil sie nicht zu der großflächigen zeitgenössischen Kunst an den unverputzten Betonwänden passten.

Jan hatte inzwischen auf dem Barhocker am Küchentresen Platz genommen und fummelte an seinem i-Phone herum. Er sah unwiderstehlich aus, wenn er die dunklen Haare zurückgegelt hatte und sich wie jetzt auf seiner Stirn eine steile Falte bildete. Dank Überstunden und vielen Abenden im Fitnessstudio hatte er in den letzten Wochen abgenommen, so dass er trotz seiner Fünfundfünfzig zehn Jahre jünger wirkte. Seine schwarzen Augen funkelten allerdings zornig, als sie sich mit ihren trafen.

Clara umrundete den Tresen, wischte sich die Hände an dem kurzen, engen Rock ab, nahm sein Gesicht in die Hände und begann, es mit kleinen Küssen zu bedecken, wie er es liebte.

»Einen für den schlechten Tag, einen für das Novemberwetter, einen für den Stau, einen für die böse Clara und einen für all die anderen Gründe, die einem schlechte Laune ...«

Diesmal endete ihr Spiel allerdings nicht wie sonst in Gekicher und wildem Geknutsche oder gar mehr, sondern in einem »Sei nicht so kindisch« und einem zurückgebogenen Kopf.

Clara schluckte und ließ die Hände sinken. »Dann ein Glas Wein?«

Sie ärgerte sich, weil sich ihre Stimme so bettelnd anhörte. Was sie hier veranstaltete, um ihn aufzuheitern, grenzte fast an Demütigung! Vor allem, weil Jan immer öfter als mürrischer Sieger aus diesem Treiben hervorging. Trotzdem versuchte sie es wieder. Sie waren doch keine Kinder mehr und hatten sich vor einem halben Jahr bei vollem Bewusstsein und nach jahrelanger Prüfung endlich zusammengetan. Auf sein Drängen!, sagte Clara sich wieder vor. Was war denn nur los mit ihm?

»Komm, Schatz, erzähl. Du hast Ärger gehabt im Büro, stimmt's? Aber heute ist Freitag. Wochenende! Entspann dich! Ich habe ...«

Sein i-Phone klickte leise und er starrte auf das Display, als verheiße es ihm ewige Glückseligkeit.

»... Salat vorbereitet, und anschließend gibt es selbst gemachte Salbeipasta *alla casa* unter einer dicken Schicht von Trüffelspänen ...«

Früher hätte Jan spätestens jetzt seinen Spruch von der »besten Köchin unter der Sonne Münchens« gebracht, doch jetzt rollte er mit den Augen.

»Clara, lass gut sein. Du weißt doch, dass ich gleich wegmuss.«

»Was? Am Freitag? Aber wohin?«

»Tu nicht so, als hättest du es vergessen. Ich habe es dir schon etliche Male gesagt.«

»Aber ...« Clara zwinkerte ratlos.

Kein Wort davon war wahr, sonst hätte sie sich nicht solch eine Mühe mit dem Einkaufen und Kochen gegeben. Es würde allerdings nur wieder neuen Streit geben, wenn sie ihm das vorhalten würde. Allmählich kam auch ihr die gute Laune abhanden.

Jan rumorte bereits hinter der halbhohen schlichten Schrankwand, die den Schlafbereich vom Rest des großen Raums abschirmte.

»Wo ist das Hemd mit den lila Streifen?«

»In der Wäscherei.«

Sein Gesicht kam zum Vorschein, krebsrot. »Sag mal, was tust du eigentlich den ganzen Tag außer kochen?«

Vor Claras Augen begann es zu flimmern, automatisch fuhren ihre Hände in die Hüften und es half nichts, sich innerlich langsam Zahlen aufzusagen.

»*Basta*«, murmelte sie leise zu sich, um sich zu fangen.

»Wie bitte? Du sagst *basta* zu mir? Gute Güte, wenn du wüsstest, wie mir dein Pseudo-Italienisch auf die Nerven geht! *Basta, pasta, tartufo* ... du kannst die Sprache doch gar nicht. Lass es also sein! Beginn, dich vernünftig zu verhalten. Altersgerecht.«

Clara schnappte nach Luft. »Altersgerecht? Und was ist mit dir? Du bist genauso alt wie ich. Aber seit Wochen lässt du deine schlechte Laune an mir aus wie ein kleines Kind und ich ...«

»Du wirst theatralisch. Das steht dir nicht.«

Jan brachte einen kleinen Louis-Vuitton-Koffer zum Vorschein. »So, und nun bussi, ich muss los. Bin schon zu spät.«

Clara zeigte auf den Koffer. »Wohin gehst du? Wann kommst du? Ich dachte ... ist das denn kein geschäftliches Abendessen?«

»Siehst du, jetzt ist es dir eingefallen – jedenfalls fast. Du weißt, dass ich über Nacht in der *Post* bleibe. Die Besprechung wird dauern, und ich werde danach wohl um ein, zwei Bier nicht herumkommen. Da fahre ich die Strecke von Sauerlach nicht mehr heim. Das haben wir schon tausendmal durchgekaut.«

»Stimmt doch gar nicht.«

»Schätzchen, es ist zu spät zum Diskutieren. Und entschuldige wegen meiner Bemerkung vorhin, du weißt schon, darüber, wie du den Tag verbringst. Das war gemein von mir. Wir sollten nicht immerzu streiten. Komm her, Süße, gib Onkel Jan einen Kuss. Mmmmh, einen richtigen ... mmmmh ...«

Er hatte seinen Koffer abgestellt und fuhr mit seinen Händen langsam über ihre Brüste, während seine Zunge mit ihrem Ohr spielte. Er wusste, wie empfindlich sie an dieser Stelle war. Ihre Haut begann zu prickeln, erregt sah sie ihm in die Augen, öffnete den Mund ... aber Jans Hände rutschten zu ihrem Po und gaben ihr einen Klaps.

»So, ich muss dann!«

Ein letzter Blick auf die Armbanduhr, dann der Griff zum i-Phone ...

»Du kannst so nicht gehen!«, hörte sie sich rufen. »Verdammt, Jan, bleib hier! Du kannst mich so nicht abfertigen. Was ... was bildest du dir ein, du verdammter ...«

Doch er hörte es nicht mehr, wortlos war er vorbeigegangen, sein Blick hatte sie nur kurz und entsetzlich gleichgültig gestreift, dann war er zur Tür hinaus.

Alles in Clara erkaltete in diesem Augenblick, ihre Erregung, ihr Ärger, ihre Lust, ihre Hoffnung ...

»*Basta*«, wiederholte sie noch einmal leise. »*Basta*, du Idiot!«

Sie sollte es wirklich langsam kapieren: Es war alles anders geworden, seitdem sie hier war. Bei ihm einzuziehen und sich in seine Abhängigkeit zu begeben, war der größte Fehler gewesen. Er behandelte sie nur noch wie ein ausgesessenes Möbelstück, ohne Respekt, ohne Freude, ohne Wert.

So ging das nicht weiter. Das durfte sie sich nicht gefallen lassen. Vielleicht sollte sie sich wieder eine eigene Wohnung suchen, demnächst müsste ja der Verlag den Vertrag für das neue Kinderbuch unterschreiben, dann würde sie schon über die Runden kommen. Vielleicht würde eine räumliche Trennung ihre Beziehung wieder entspannen. Vor ihrem Einzug war es ja auch fünf Jahre gutgegangen. Wenn sie ganz ehrlich war, passte sie ebenso wenig in diese nüchterne Umgebung wie ihre Kochbücher oder ihr kleiner verbeulter Aluminiumkocher, der einsam neben der hochmodernen Espressomaschine stand, oder wie ihre abgestoßene Emaillepfanne, die sie nun trockenrieb und in den Schrank aus matt schimmerndem Edelstahl einräumte.

Um Fassung ringend begann sie aufzuräumen. Stück für Stück kämpfte sie sich durch ihr Schlachtfeld, schnitt die Nudeln zu *Tagliatelle*, die sie vielleicht morgen zubereiten würde, knabberte am Salat und räumte die Zeitungen weg, die Jan entgegen seiner Gewohnheit auf dem Tresen zurückgelassen hatte. Dabei rutschte ein Computerausdruck heraus, den sie zunächst nur kurz überflog, bevor sie ihn noch einmal las, jetzt gründlicher.

Er hatte über Weihnachten ein Doppelzimmer gebucht, im Hotel *Dei Dragomanni*, Venedig, direkt am *Canal Grande*, wie auf dem Zettel stand.

Venedig! Clara entfuhr ein leiser Glücksschrei. Sie sah sie schon vor sich, die maroden Paläste an den Kanälen, die Gondeln, die übervollen Marktstände, die fröhlichen Menschen, sie roch förmlich das brackige Meerwasser, den Duft von Espresso und frischem Fisch, von Seetang und Wind, von Basilikum und reifen Zitronen und erdigen Trüffeln ... Als wäre sie schon einmal dort gewesen. Endlich, endlich würde sie es sehen, endlich würde sie *bella Italia* betreten! Lange genug hatte Jan sich ja wegen ihrer unerfüllten Italiensehnsucht lustig gemacht. Und jetzt, wo sie sich in einer Krise wähnte, genau jetzt würde er ihr ihren größten Wunsch erfüllen.

Sechs Tage, bis zum neunundzwanzigsten Dezember, würden sie dort verbringen, über dreitausend Euro kosteten allein Übernachtung und Frühstück, ganz abgesehen von Flug und Verpflegung. Großzügig war er ja immer gewesen. So durfte sie auch hemmungslos mit seiner Kreditkarte bezahlen, was sie aber – außer für den Kauf von ganz besonderen Delikatessen – niemals ausnutzte, auch wenn er ab und zu an ihrer Frisur und an ihrer bequemen Kleidung herummäkelte und sie zu Gerhard Meir und in die Maximilianstraße schicken wollte.

Fassungslos vor Glück studierte sie noch einmal die Buchungsbestätigung. Italien! Seit ihrer Kindheit hatte sie immer nach Italien fahren wollen, es aber nie geschafft, und das war ein falsches Thema, wie Clara an dem glühenden Punkt merkte, der sich in ihrer Brust zusammenzog. Sie wollte nicht über ihre Vergangenheit nachdenken, schon gar nicht über ihre traurigen Jahre in Baden-Baden im Schatten ihrer kalten Mutter.

Clara legte den Ausdruck zurück auf den Tresen und schämte sich ein bisschen, als sie an die Szene zurückdachte, die sie Jan vorhin hier in der Küche gemacht hatte. Wie hatte sie nur so aufgebracht sein können, so ungerecht! Dabei hatte sie wahrscheinlich nur ihre verletzten Kindheitsgefühle auf Jan übertragen. Vielleicht hatten sie deshalb in letzter Zeit so viele Missverständnisse und Dispute gehabt, weil sie alles an ihm falsch interpretierte. Aber das war jetzt vorbei, hier hielt sie den Beweis in der Hand, dass alles gut werden würde und dass er sie liebte und verstand und immer noch ihre geheimsten Träume erfüllen wollte.

Fast bedauerte sie, dass sie sich nun um ihre Weihnachtsüberraschung gebracht hatte, andererseits war sie aber auch froh zu wissen, dass sie Jan etwas bedeutete, dass er also nicht vollkommen entnervt und enttäuscht von ihr war, wie sie es die letzten Wochen und Monate angenommen hatte.

Sie wollte ihn anrufen und sich mit ihm aussöhnen, doch leider hatte er sein Handy ausgeschaltet.

Also musste ihre beste Freundin sich anhören, was geschehen war beziehungsweise geschehen würde.

»Doppelzimmer in Venedig? Für euch beide?«, wiederholte Simone merkwürdig reserviert.

»Stell dir vor, ja! Das ist so lieb von ihm! Du kennst ja meinen Italienspleen. Und ich dachte schon, Jan würde ... also, ich meine, Jan hätte ...«

Clara stockte, weil ihr das Schweigen am anderen Ende seltsam vorkam. Vielleicht sollte sie sich eine Schilderung des jüngsten Streits verkneifen. Immerhin war es ja Simone gewesen, die ihr von Anfang an zum Zusammenziehen geraten hatte, und in letzter Zeit war sie manchmal richtig komisch, wenn sie von dem ewigen Gezänk hörte.

»Was meintest oder dachtest du?« Immer noch klang Simone sonderbar, fast abwesend, doch dann ging Clara auf, warum dem so war.

»Oh Simone, gib es zu!«

»W... was??«

»Du hast es von Anfang an gewusst. Vielleicht hast du es ihm sogar vorgeschlagen.«

»Äh, wie bitte? Was meinst du jetzt genau?«

»Mensch, hörst du mir überhaupt zu? Wir reden von Jans Weihnachtsüberraschung für mich! V-e-n-e-d-i-g!«

»Ach so, ja das. Toll. Du, sorry, ich krieg gleich Besuch. Kannst du mich morgen wieder anrufen?«

»Natürlich. Kein Problem. Und ich, ich verwöhne mich jetzt! Ich bereite mir ein wunderbares Omelett mit Trüffeln zu. Wenn dein Besuch nicht zu lange bleibt, kannst du gerne ...«

Aber Simone hatte schon aufgelegt, und das trug nicht unbedingt zu Claras Seelenfrieden bei.

Zwei

Eine Nacht kann lang werden, wenn man sich grübelnd im Bett herumwirft, alte Steine umdreht und sein Leben neu plant. Um sechs Uhr hatte Clara genug. Sie wollte mit Jan reden und sich entschuldigen, sofort! Und da Jan Frühaufsteher war und immer noch sein Handy ausgeschaltet hatte, wählte sie, noch im Nachthemd, die Nummer der Sauerlacher *Post* und ließ sich von der Rezeption mit seinem Zimmer verbinden.

Es klingelte nur ein paar Mal.

»Ja-aaa?«

Die verschlafene Frauenstimme, die sich meldete, kam Clara irgendwie bekannt vor. Aber das konnte nicht sein.

»Oh, da hat man mich falsch verbunden. Entschuldigung«, sagte sie schnell. »Ich wollte das Zimmer von Herrn Bader.«

»Passt schon. Schnuffibär? Für dich!«

»Nein, nein, ich meinte Herrn Jan Bader.«

»M-hm. Moment.«

Clara konnte sich vor Schreck nicht rühren. Ihre Hand krampfte sich um den Hörer des schnurlosen Apparats und sie stand auf, weil sie auf keinen Fall mehr auf der Bettkante sitzen konnte. Sie hörte Wassergeräusch, Schritte, die näher kamen, dann die bekannte Stimme.

»Hallo?«

»Jan?«

»Oh.«

Die Pause dehnte sich auf beiden Seiten wie das Tor zur Hölle. Clara wurde es kalt und heiß zugleich. Benommen ging sie zur großen Glastür, die auf die Dachterrasse hinausführte und die sich lautlos öffnen ließ. Noch lag die Stadt im Dunkeln, die Luft roch nach Schnee, viel zu unschuldig für das, was sich hier gerade abspielte.

»Jan?«, fragte sie noch einmal, weil sie es nicht glauben wollte. »Wer ist die Frau in deinem Zimmer?«

»Ähm, du, das kann ich dir erklären.«

»Ja, bitte!«

»Also, jetzt ist das etwas ... also, es ist spät geworden gestern und ... ach Scheiße. Was rufst du mich überhaupt hier an? Ist was passiert?«

»Jan, fang nicht wieder einen Streit an, nur weil du mir nicht antworten willst! Sag mir, was los ist. Und zwar nicht am Telefon, sondern persönlich. Komm bitte her, oder ...«

»Oder was? Drohst du mir? Womit denn? Wer fängt denn immer mit dem ewigen Genörgel an?«

»Jan, ich möchte eine Erklärung, wer morgens um halb sieben bei dir im Bett liegt. Ist das zu viel verlangt?«

»Du willst wissen, wer? Kannst du dir das nicht denken?«

»Jan, bitte nicht am Telefon.«

»Ich kann es dir gerne sagen, wenn du es unbedingt hören willst. Ja, ich sag es dir, damit das Theater endlich ein Ende hat. Das ist ja alles nicht mehr zum Aushalten.«

»Sei still!«, schrie Clara und stürzte hinaus an die frische Luft, weil sie sonst erstickt wäre.

Unten glänzte der Asphalt, ein Auto versuchte einzuparken, der Besitzer vom Zeitungskiosk gegenüber schob das Gitter vor seiner Ladentür hoch. Banale Alltagsdinge, die ihr jedoch fast surrealistisch vorkamen und die sie nur am Rande wahrnahm.

Jans weiche Stimme mit dem bayerischen Akzent, in der immer ein leises Lächeln mitschwang und die in jeder anderen Situation hinreißend, jetzt jedoch absolut unerträglich war, kroch weiter aus dem Hörer. »Ich hätte es dir längst sagen sollen, ich weiß. Tut mir leid, wenn du das jetzt auf diesem Wege erfährst ...«

»Still! Ich will nicht! Nicht so! Nicht am Telefon! Komm her, du Feigling!«

»Nicht in diesem Ton!«

»Ich diskutiere das nicht am Telefon, *basta*!«, brachte sie gerade noch mit aller Würde heraus, dann drückte sie das Gespräch weg.

Ihr war schlecht, sie hatte das Gefühl, als habe ihr jemand Pudding in die Knie gespritzt, aber es wurde ihr keine Sekunde gegönnt, um die Nachricht zu verdauen, denn schon klingelte der Apparat in ihrer Hand wieder.

Er betrog sie und wollte sie am Telefon abspeisen? Das war doch das Aller-, Allerletzte!

»Nein!«, hörte sie sich wie von Ferne schreien. »Neiiiin!«

Dann holte sie aus und warf den Apparat in die Tiefe. Sie konnte weder sehen noch hören, wie und wo das Teil auf der Straße auftraf und in tausend Teile zersplitterte, doch das war egal, es hatte einfach nur gutgetan. Kindisch war das und fast hörte sie Jans Spott hinter sich, doch als sie fröstelnd in die Wohnung zurückkehrte, war niemand da, und das würde auch so bleiben. Unwiederbringlich. Für immer.

Zitternd lehnte sie sich an die Betonwand und betrachtete den kahlen Raum, in dem sie sich nie richtig wohlgefühlt hatte. Den würde sie nicht vermissen, wohl aber die Abende in seiner Gesellschaft, das gemeinsame Kochen, die herzhaften Diskussionen, den herrlich selbstverständlichen, heiteren, unbeschwerten, gleichberechtigten Sex, die faulen, kuscheligen Sonntage, die Spaziergänge im Englischen Garten oder an der Isar, schlicht die alltägliche Zweisamkeit. Damit war jetzt also Schluss.

Wie in Trance bereitete sie sich mit ihrem kleinen Kocher einen Espresso zu, bärenstark und bitter, dann holte sie die Zeitung herein, die der nette Nachbar aus dem Stock unter ihnen immer vor die Tür legte. Sie konnte jetzt nichts lesen, auch nichts denken. Gar nichts.

Langsam sank sie auf die schwarze Ledercouch und fror noch mehr.

Aus. Aus. Aus.

Mehr konnte sie nicht denken.

Stunden saß sie erstarrt und hielt die Stille aus, dann zog sie sich an und wartete weiter, störrisch, gegen jede Vernunft. Er würde nicht kommen. Aber das wollte sie nicht wahrhaben. Nicht jetzt.

Irgendwann schaffte sie es, ihr Handy aus der Handtasche zu holen und Simone anzurufen.

Die reagierte erneut unnatürlich. »Hast du sie am Telefon erkannt?«, fragte sie gepresst.

Und in diesem Augenblick fiel in Claras Kopf das Puzzle zu einem Bild zusammen. Simones Abwehr, die seltsam vertraute Frauenstimme – das war doch nicht möglich?

»Sie ... sie klang wie ... also, so ähnlich wie Britta.«

Stille.

»Simone?«

Stille.

»Simone? Sag, dass das nicht wahr ist. Nicht Britta!«

»Bin ich froh, dass du es jetzt weißt. Dieses Versteckspiel ...«

»Du ... du hast die ganze Zeit gewusst, dass Jan mit deiner Nichte ein Verhältnis hat?«

Stille.

»Oh mein Gott! Simone! Doch nicht Britta!«

Das Bild eines fröhlichen blonden Teenagers stieg in ihr auf. Wann hatte sie das Mädchen zum letzten Mal gesehen?

»Sie ist doch noch ein Kind!«, stammelte sie und ließ sich auf die Couch zurückfallen.

»Sie ist fünfundzwanzig.«

»Dreißig Jahre jünger als er!«

»Ja.«

»Aber warum? Simone, wieso hast du mir nichts davon gesagt? Du hast doch mitbekommen, welche Schwierigkeiten wir in letzter Zeit hatten und wie ich mich geplagt habe. Wie lange geht das überhaupt schon?«

»Seit meiner Silberhochzeit.«

»Seit Mai? Und du rätst mir noch im Juni, zu Jan zu ziehen und alles aufzugeben? Du weißt selbst am besten, wie teuer München ist. So eine Wohnung wie die im Glockenbachviertel zu dem Preis kriege ich nie mehr.«

»Ach, hör auf!«

Clara verschlug es allmählich die Sprache. »Sag mal, ist dir eigentlich klar, was gerade passiert ist? Kannst du mich bitte mal fragen, wie es mir geht?«

»Das gilt genauso für mich. Meinst du vielleicht, es war toll für mich, dich sehenden Auges in dein Unglück rennen zu lassen? Hast du dir mal überlegt, wie es mir ergangen ist, weil ich dir nichts sagen durfte?«

»Das ... das glaub ich jetzt nicht. Du bist das Opferlamm? Oder was willst du mir sagen?«

»Ich will dir sagen, dass ich als deine Freundin eine schwere Zeit durchgemacht habe und dass ich dir jetzt ...«

»Freundin? Schöne Freundin! Vielen Dank aber auch. Auf so jemanden kann ich wirklich verzichten.«

Stille.

Clara wartete verzweifelt auf ein Wort der Entschuldigung; ein einziges, winziges würde reichen!

Im Hintergrund war das Schnappen eines Feuerzeugs zu hören, dann meldete sich Simones kühle Stimme wieder. »Bitte, ich werde dich nicht hindern aufzulegen. Du kannst dich ja wieder melden, wenn du dich beruhigt hast!«

Clara zwinkerte heftig und war versucht, sich in den Arm zu kneifen oder sich nach einer Kamera umzusehen. Das war alles so aberwitzig, so absurd! Das geschah ihr doch nicht wirklich!

Jan, Britta, Simone ...

Warum nur? Warum?

Langsam rutschte sie von der kalten, glatten Couch auf den ebenso kalten, glatten Parkettboden und blieb dort stocksteif sitzen, während sie versuchte, das Geschehen zu begreifen.

Hatten Jan und sie nicht immer und immer wieder darüber diskutiert, wie lächerlich es war, wenn Männer ihre altgedienten Partnerinnen gegen blutjunge Freundinnen austauschten? Sie hatte seine Worte noch gut im Ohr: »Bei dir muss ich mich nicht verstellen. Wir haben die gleiche Wellenlänge, die gleichen Ansichten. Das ist eben der Vorteil, wenn man gleich alt ist. Was haben die alten Säcke nur mit diesen jungen, dürren Trophäenfrauen? Wenn ich ›1968‹ sage, wissen wir beide aufs Stichwort, was ich meine. 1968 – da waren diese Küken noch nicht mal geboren. Über was unterhalten die sich überhaupt?«

So hatte Jan noch im Juni geredet. Und jetzt? Jetzt war er selber solch ein »alter Sack« und sie das Auslaufmodell, eingetauscht gegen ein blutjunges Ding.

Ausgerechnet Britta! Ihre ersten drei Kinderbücher hatte sie dem einstigen süßen Fratz gewidmet, und Britta hatte die Geschichten geliebt. Früher. Tja. Jetzt liebte sie Jan.

Claras Blick fiel auf die Glasvitrine, in der sie sich spiegelte, und biss sich auf die Lippen. Was für eine alte, schwarze Unglückskrähe sie geworden war! Ihre schwarzen Kräusellocken standen ihr störrisch wie Draht vom Kopf ab, der Lippenstift auf ihrem Clownmund war verschmiert, unter den schwarzen Augen klebten verwischte Klümpchen von Wimperntusche und in ihrem schwarzen kurzen Wollrock, dem schwarzen Rollkragenpullover und der schwarzen Strumpfhose war sie ein Trauerbild zum Davonlaufen. Kein Wunder, dass Zucker-Britta mit ihren Bonbonfarben und ihrer Unkompliziertheit leichtes Spiel bei Jan gehabt hatte.

»Schluss damit«, murmelte sie und stand ächzend auf. Auf dem blanken Fußboden zu sitzen war wirklich nicht altersgerecht! Alles tat ihr weh!

Sie stemmte die Hände in die Hüften und zwang sich, ihre Lage nüchtern zu betrachten. Sie sollte froh sein, dass endlich Klarheit bestand. Jetzt wusste sie, dass all diese sinnlosen Streitereien gar nichts mit ihr zu tun gehabt hatten. Das half. So war die Lage, sie konnte sie nicht ändern und dass Jan auf Tauchstation blieb, bedeutete, dass auch er nichts tun wollte, um sie zu halten. Es wurde also Zeit, den Tatsachen ins Auge zu sehen und sich Gedanken über die Zukunft zu machen.

Am besten, er würde bleiben, wo der Pfeffer wuchs, zumindest bis sie eine neue Unterkunft hatte. Er hatte mehr Geld als sie. Sollte er sich doch ein Zimmer nehmen oder gleich bei seiner Britta unterkriechen. Hoffentlich hatte sie nur eine kleine, vollgestellte Einzimmerwohnung! Da würde ihn schon bald das Grausen einholen und ihn hierher zurücktreiben. Tja, aber wohl nicht in ihre Arme. Wenn er kam, würde er diese kühle, aufgeräumte Offenheit für sich allein haben – im besten Fall. Clara Funke, seine abgelegte Lebensabschnittsgefährtin, würde da nur stören.

Als Erstes brauchte sie also eine neue Bleibe, und zwar schnell. Am besten schon morgen. Aber wo? Oder bei wem? Simone schied aus, andere Freunde oder Bekannte waren nicht so eng, dass sie bei ihnen wohnen wollte, und ein Hotel war zu teuer. Beim Stichwort Hotel fiel ihr die Buchung in Venedig ein. Wahrscheinlich war die gar nicht für sie, sondern für Britta gedacht gewesen. Mistkerl! Wann hatte er es ihr gestehen wollen? Am Tag vor Heiligabend mit gepackten Koffern?

Ach, es brachte doch nichts, wenn sie sich mit solchen Gedanken zerfleischte. Wahrscheinlich wartete unten im Briefkasten schon eine Nachricht ihres Verlags samt sattem Vorschuss, dann war sie zumindest finanziell erst einmal unabhängig. Schon bereute sie, dass sie Jans Werben dermaßen nachgegeben hatte, dass sie sogar ihren Beruf vernachlässigt hatte.

»Wenn du bei mir lebst, brauchst du dir nie mehr Sorgen um Geld zu machen. Hör auf, Bücher zu schreiben, davon wirst du nie reich – und das bei der Zeit, die du dafür investierst, das lohnt sich nicht«, hatte Jan ihr gepredigt, und irgendwann hatte sie ihren Laptop zugeklappt und sich die Freiheit eines Jahrs unbezahlten Nichtstuns gegönnt. Wenigstens hatte sie, als es ihr langweilig wurde, im Sommer den vor Monaten beendeten »Troll mit den grünen Haaren« weggeschickt, und an und für sich hätte der Verlag längst antworten müssen.

Clara musste sich zusammenreißen, um hinunter zum Briefkasten zu gehen. Sie hoffte inständig, im Treppenhaus oder im Lift nicht dem fröhlichen Volker aus dem zweiten Stock zu begegnen, über den sie sich die ganze Zeit lustig gemacht hatten, weil er seit Kurzem eine Freundin hatte, die zweiundzwanzig Jahre jünger war als er, die ihn in enge Jeans und spitze Schuhe zwängte und in ohrenbetäubende Konzerte mitschleppte, von denen er Kopfschmerzen bekam. Volker war Psychologe von Beruf und hatte in letzter Zeit öfter zweideutige Anspielungen über untreue Partner fallen gelassen, die plötzlich Sinn machten. Ausdiskutieren wollte sie das ausgerechnet heute aber nicht mit ihm.

Aber wer schlich schon erst in der Nachmittagsdämmerung zum Briefkasten! Sie war allein, als sie den großen Umschlag herausfischte, ihn ahnungsvoll hin- und herdrehte. Dicke Umschläge – die kannte sie noch aus der Zeit vor vielen Jahren als Anfängerin, als sie ihre unverlangt eingesandten Manuskripte zurückbekam. Aber seitdem sie Clara Freudenreich war, die erfolgreiche Münchner Kinderbuchautorin, war ihr das nicht mehr passiert. Ihr Verlag hatte den »grünen Troll« im Gegenteil sogar explizit haben wollen.

Jetzt bedauerte sie, dass sie am Morgen die Zeitung ungelesen auf den Küchentresen gelegt hatte. Wenigstens das Horoskop hätte sie ansehen sollen, dann wüsste sie, ob ihre Hände nun zu Recht zitterten oder ob es nur die seit Stunden strapazierten Nerven waren, die gerade mit ihr durchgingen.

Im Aufzug hielt sie es nicht mehr aus und riss den Umschlag auf. Tatsächlich! Man hatte das Manuskript abgelehnt. Die Verkaufszahlen seien in letzter Zeit zurückgegangen, man wolle ihre Serie daher einstellen, wünsche ihr aber auf dem weiteren Weg alles Gute, bla, bla, bla ...

Wie viel Geld hatte sie noch? Sie hatte meistens mit ihrem eigenen gezahlt, weil sie sich geniert hatte, Jans Kreditkarte zu benutzen, was natürlich im Nachhinein dumm gewesen war. Hinzu waren all die Geschenke für ihn gekommen, die sich natürlich an seine Maßstäbe angepasst hatten, Designerkrawatten für hundertfünfzig Euro, eine teure Glasskulptur, die ihm gefallen hatte, und natürlich die Einkäufe fürs tägliche Leben. Irgendwann hätten sie schon ihre Bestände zusammengelegt und geteilt, davon war sie ausgegangen, so hatte Jan es ihr versprochen, erst recht, nachdem sie auf sein Zuraten vor drei Monaten Gerhard gegenüber auf jeglichen Unterhalt auch in Zeiten der Not verzichtet hatte, vierzehn Jahre nach der Scheidung. Als Rechtsanwalt hatte Gerhard das natürlich gleich notariell beglaubigen lassen, typisch. Wenn nun die Einnahmen für die Bücher ausblieben, dann war sie schlicht und ergreifend pleite.

Irgendwie schaffte sie es in die Wohnung, an den kalten Küchentresen, dann schloss sie die Augen und holte tief Luft. Ein bisschen viel für einen Tag! Das konnte doch den stärksten Gaul umhauen. Wohnung weg, Mann weg, Freundin weg, Job weg, Geld weg. Und jetzt?

Sie wusste es nicht, aber ihr war klar, dass sie irgendetwas tun musste, sonst würde sie durchdrehen. Scheinbar wie von selbst zog sie die Zeitung zu sich und schlug die gewohnte Rubrik auf, obwohl sie ja ahnte, was ihr blühte: *Eine überraschende Mitteilung macht Sie betroffen, nicht alles läuft bei Ihnen nach Plan. Es könnten finanzielle Einbußen drohen.*

Volltreffer!

Drei

»Verrat mir, was ich tun soll! Gib mir einen Wink!«, rief sie halb verzweifelt, halb ironisch dem unbekannten Astrologen zu, der immer alles besser wusste als das Leben. Dann schob sie frustriert die Zeitung beiseite.

Ein Zettel kam darunter zum Vorschein. Da war es wieder, dieses verdammte Schreiben, über das sie sich gestern noch so gefreut hatte! Hotel *Dei Dragomanni*. Venedig. Der Preis war laut Anhang bereits von Jans Kreditkarte abgebucht.

Nachdenklich starrte Clara auf das Papier. Venedig! Man musste ja nicht fliegen. Sie kannte die Strecke auswendig, so oft war sie sie als Kind mit dem Finger auf der Landkarte nachgefahren. Von München über Innsbruck über den Brenner, und dann: *Bolzano*! *Verona*! *Padova*! Und schließlich *Venézia*! Rialtobrücke, *Piazza San Marco, Palazzo Ducale, Academia di belle Arti, Lido, Murano* ...

Britta würde gelangweilt sein, so oft hatte Simone sie in den Ferien dorthin mitgeschleppt, von Clara aus der Ferne glühend beneidet.

Das war nicht gerecht.

Und hier war die Buchungsnummer. Ob sie ...?

Clara wurde es heiß. Was ihr da durch den Kopf schoss, war nicht legal. Oder nur halb. Denn bis vor wenigen Stunden war sie ja davon ausgegangen, dass sie die Hälfte des Zimmers belegen würde. Im Prinzip gehörte es ihr fast.

Und gerechter wäre es auch.

Sie könnte sich für den Weg Zeit lassen. Sie könnte ein paar nette Weingüter im Veneto ansteuern. Sie konnte sich erkundigen, ob sie irgendwo günstig in einem *rustico* über den Winter unterkommen könnte, um ein neues Buch zu schreiben, eines für einen neuen Verlag, eines, das die Bestsellerlisten stürmen würde, für das sie einen saftigen Vorschuss kassieren würde ...

Ja! Ja, ja, ja!

Venedig! Das Schicksal wollte es so!

Die Umbuchung war mit wenigen Klicks und Eingaben geändert, die Bestätigung trudelte binnen zehn Minuten ein, kein Mensch wunderte sich, dass die Änderung an einen anderen E-Mail-Account ging als die Buchung selbst. Mit der richtigen Reservierungsnummer war das offenbar kein Problem.

Clara klopfte das Herz bis in den Hals, wie früher, wenn sie etwas Verbotenes im Keller der elterlichen Villa angestellt hatte. Egal. Betrug verdiente Halbbetrug! Es würde Jan nicht umbringen, und er würde schön blamiert sein, wenn er vor Ort erfuhr, dass das Zimmer umgebucht worden war und er ausgerechnet am Tag vor Weihnachten ein neues Quartier für sich und die sicher quengelnde Britta suchen musste.

Allerdings wollte sie ihm eine Chance geben. Sie würde auf ihn warten, bis dieser Tag zu Ende war, bis Mitternacht, Glockenschlag! Wenn er bis dahin nicht kam, war die Sache beendet und sie würde fahren. Das Hotel erwartete ihre Ankunft Mitte der nächsten Woche.

Sie würde Laptop und warme Sachen mitnehmen, der Rest hatte Zeit. Oder nicht? Wenn sie sich ihren Traum erfüllen konnte und ein abgeschiedenes Landhaus fand, das – zur Not mit einem Vorschuss von Jans Kreditkarte, als Wiedergutmachung für seelische Grausamkeit – bezahlbar war, dann würde sie nicht mehr in diese Betonwände zurückkehren. Ihr alter Volvo Kombi war groß genug, da würden die paar Habseligkeiten, die sie hierhergebracht hatte, hineinpassen. Beim Umzug hatte der Laderaum auch für eine einzige Fuhre ausgereicht. Fünf Bücherkisten, zwei Koffer, ein Karton Küchenutensilien, ein paar Aktenordner und ihr Laptop – erstaunlich, wie wenig man wirklich brauchte.

Das Wichtigste war natürlich Jans Kreditkarte, oh ja. Er hatte sie ihr ja monatelang regelrecht aufgedrängt. Sie würde nicht mit Geld um sich werfen, lieber würde sie jeden Euro fünfmal herumdrehen, ehe sie einen von ihm nahm, aber für die nächsten Monate würde sie davon leben können, wenigstens so lange, wie sie die Unterstützung dringend brauchte. Eine Beruhigung, mehr nicht. Sie konnte in Italien arbeiten. In einem Restaurant vielleicht. Spontan!, sagte sie sich vor. Sei einmal im Leben spontan!

Sie hatte fast alles im Auto, als der Zeiger an der Frauenkirche sich langsam der Zwölf näherte. Ein paar Minuten noch, dann würde der schwärzeste Tag ihres Lebens vorbei sein. Mehr Unglück war nicht in einen einzigen Tag hineinzupacken.

Vier Minuten noch.

Ihr Handy begann zu klingeln.

Sie ignorierte es. Wie konnte Jan es wagen. Er wusste, dass sie nicht abnehmen würde! Er sollte herkommen, verdammt, und ihr seine Verlogenheit ins Gesicht sagen!

»Feigling!«, schrie sie das Telefon an, aber irgendwie klang es wirklich etwas theatralisch.

Ihre Wut war bereits zu einem guten Teil verraucht, sie musste sich mit der Situation abfinden, ändern konnte sie sie ja nicht. Und die Aussicht auf Italien half über den Schmerz hinweg. Ihr ganzes Leben hatte sie davon geträumt, jetzt endlich wurde es wahr!

Eigentlich wäre es bedauerlich, wenn Jan ihr im letzten Moment noch einen Strich durch die Rechnung machen würde.

Sie hatte die Mailbox ausgeschaltet, deshalb klingelte das Handy und klingelte ... Beim achten Ton warf sie einen Blick aufs Display. Eine unterdrückte Nummer. Anonyme Telefonate konnte Jan nicht ausstehen. Also war es nicht er.

Wer dann? Ein Callcenter etwa?

Um Mitternacht anzurufen war absolut ungehörig. Damit versetzte man seine Mitmenschen in Angst und Schrecken. Damit machte man keine Scherze!

Energisch drückte sie auf die Empfangstaste. »Hören Sie gut zu«, wollte sie losfauchen, doch ihre Stimme machte nicht mit.

Es kam nur ein rostiges Krächzen aus ihrem Hals und sie musste sich mehrfach räuspern, um die Kehle freizubekommen.

Der Anrufer nutzte die Pause. »Spreche ich mit Clara Funke? Der Tochter von Katharina und Friedrich Funke aus Baden-Baden?«

Kein bayerischer Akzent, kein einschmeichelndes leises Lachen. Diese Stimme klang jung, sympathisch und sehr ernst.

Clara griff sich an den Hals und wanderte durch die Wohnung, um sich zu beruhigen, doch es gelang ihr nicht. Ihr Herz begann zu rasen. Die letzte Katastrophe des Tages kündigte sich an, das spürte sie.

»Worum geht es?«, fragte sie mit trockenem Mund und setzte sich vorsichtig aufs Bett, auf Jans Seite, die sie vor Stunden abgezogen hatte.

Warum eigentlich? Es war doch sein Bett und seine Wohnung. Sie hatte hier nichts mehr verloren.

Ihre Gedanken wussten nicht, wohin sie laufen sollten. Es strengte sie zu sehr an, dem zu folgen, was der Fremde am anderen Ende ihr mitteilte.

»Das, das glaub ich nicht«, stotterte sie schließlich. »Wiederholen Sie das bitte.«

Unbeirrt redete der Unbekannte weiter, wie aus weiter Ferne. Träumte sie? Ja, das konnte nur ein Alptraum sein.

»Meine Mutter liegt im Krankenhaus und will mir dringend etwas Wichtiges sagen? Meine Mutter? Mir? Ausgerechnet mir? Hören Sie, Sie müssen sich irren. Von wem sprechen Sie? Das kann nicht meine Mutter sein. Sie verwechseln mich.«

»Es tut mir sehr leid, Frau Funke. Es ist wirklich ernst. Entschuldigen Sie die späte Störung, es war schwierig, Ihre

Handynummer herauszufinden, und nun wollte ich nicht länger warten.«

Zerstreut betrachtete sie sich im Schlafzimmerspiegel. Sie war nicht schön im klassischen Sinn, für ein Model war sie zu klein und zu – naja – drall, und ihre schwarzen Haare waren nicht glatt und cool genug, sondern waren einfach nur ein gekräuselter Schrecken. Engelshaar hatte ihr Vater es immer genannt – »eigenwillig wie dein Charakter«. Und Jan? Merkwürdig. Er hatte sich fast nie über ihr Aussehen geäußert. Für ihn war sie immer die »klügste und schlagfertigste Frau, die ich kenne« oder er betete sein bekanntes Sprüchlein von der »talentiertesten Kinderbuchautorin und besten Köchin unter der Sonne Münchens« herunter. Pah!

Für eine schier unendliche Zeit konnte sie nichts anderes tun als die Frau im Spiegel anzustarren. Bis zu dieser Sekunde hatte sie sich eingebildet, niemand würde ihr ihr Alter ansehen. Erst letzte Woche hatte jemand sie auf Anfang vierzig geschätzt und sie hatte ihn nicht verbessert, sondern sich diebisch gefreut. Aber nun? Waren die weißen Fäden in ihren Locken letzte Woche auch schon da gewesen? Ihr Hals zeigte Knitterfalten, ihre sonst glänzenden Kohleaugen steckten matt in ihrem Gesicht und ihr Mund hatte sein Lächeln verloren. Ein schwarzes Häufchen Unglück. Ja, das war sie.

»Wie erreiche ich Sie? Wer sind Sie überhaupt? Morlock, sagten Sie? Aus Baden-Baden? Sind Sie verwandt mit … Hallo? …«

Die Leitung war tot.

Sie war allein.

Mutterseelenallein.

Das war doch alles grauenhaft! Konnte sie nicht bitte aufwachen und nichts war geschehen? Vielleicht hatte sich jemand nur einen schlechten Scherz erlaubt. Das sollte sie als Erstes klären.

Mit zitternden Fingern ließ sie sich über die Auskunft mit der Klinik in Baden-Baden verbinden. Dort bestätigte man ihr, dass eine Katharina Funke tatsächlich Patientin war. Näheres ließ sich allerdings nicht herausfinden. Sie möge bitte tagsüber anrufen, beschied man ihr kurz angebunden.

Wie erschlagen blieb sie auf der Bettkante sitzen. Warum verband man sie nicht mit ihrer Mutter? Wie ernst war es? Weshalb hatte man sie in die Klinik gebracht? Sie war doch immer gesund gewesen. Es konnte nichts Schlimmes sein. Es *durfte* nichts Schlimmes sein. Alles in ihr drängte sie, sofort loszufahren, nach dem Rechten zu sehen und ihrer Mutter beizustehen. Dann jedoch gewann ganz langsam ihr Verstand die Oberhand. Wie Sodbrennen stieg altbekannter Groll in ihr hoch. Was hatte ihre Mutter jemals für sie getan? Nichts! Liebe, Sorge, Geborgenheit, Verständnis, Vertrauen, Zärtlichkeit – all das, was einem landläufig zum Begriff Mutterliebe einfiel, hatte sie sich in Märchen erfinden müssen, niemals aber am eigenen Leib gespürt. Warum also hinfahren? Es würde keinen Sinn machen. Ihre Mutter würde den Kopf wegdrehen und sie fortschicken, kühl und verächtlich.

Doch da tauchte das Bild ihres Vaters auf und damit einher unendliche Zärtlichkeit. Er war einundneunzig, geistig zwar außerordentlich rege, aber körperlich ein Wrack. Ihm musste sie helfen. Er kam ohne ihre Mutter gar nicht zurecht in dem großen Haus.

»Ach Paps«, entfuhr es ihr, und die Frau im Spiegel zeigte ein kleines, wehmütiges Lächeln. Sie liebte ihn, wie sie es schon als kleines Mädchen getan hatte: vorbehaltlos, schrecklich, inniglich. Wie hatte er sich bemüht, die Gefühlskälte ihrer Mutter auszugleichen, hatte Zeit für sie gehabt, hatte versucht zu vermitteln und ihr eingeredet, ihre Mutter habe sie sehr lieb, könne es nur nicht zeigen. Das hatte sie schon als Kind nicht glauben können, und auch jetzt zog sich ihr Magen zusammen, wenn sie an ihre Mutter dachte. Diese Frau brauchte ihre Hilfe nicht. Diese Frau konnte unmöglich nach ihr gerufen haben, ausgerechnet nach ihr, der ungeliebten, missratenen Tochter, die in ihren Augen alles falsch machte, seit ihrer Geburt.

Es war ja typisch, dass sie die Nachricht ihrer Mutter ausgerechnet in dem Augenblick erreichte, in dem sie sich endlich, endlich ihren Kindheitstraum Italien erfüllen wollte!

Ein glühender Ball knotete sich in ihrer Brust zusammen, explodierte und jagte wie ein gewaltiges Feuer durch ihre Blutbahnen und trieb ihr im gleichen Augenblick den Schweiß aus allen Poren. Liebe Güte, was war das? Jetzt wurde sie auch noch krank! Das ging nicht. Sie konnte und wollte sich nicht in Jans Wohnung hinlegen und auskurieren müssen. Wenn Jan wider Erwarten nach Hause käme und sie im Bett vorfände, ausgerechnet – nein, das war undenkbar! Fieber hin oder her.

Verwirrt hechelte sie und fächelte sich mit den Händen Luft zu. Dann öffnete sie die Tür zur Dachterrasse und ließ einen Schwall Winterluft herein. Es roch immer noch nach Schnee, dicke Wolken hingen über der Stadt. Unten in den Schaufenstern erlosch eine vorzeitige Adventsbeleuchtung nach der anderen. Erst vorgestern hatten Jan und sie noch eine herrlich hitzige Debatte darüber geführt, wie die Adventszeit aus lauter Geschäftemacherei immer weiter vorgezogen wurde. So einig waren sie sich gewesen – und wie unbedeutend war das jetzt.

Angstvoll lehnte Clara die Stirn an das kalte Fensterglas und zwang sich, noch einmal tief durchzuatmen. So ging es ihr besser, merkwürdig, wie schnell das gekommen war und wie rasch es wieder verflog. Wenn ihre Wäsche nicht klitschnass und eiskalt auf der Haut kleben würde, könnte sie denken, sie habe sich diesen Fieberanfall nur eingebildet.

Was blieb, war die Sorge um ihren hilflosen Vater. Sie konnte nicht nach Italien. *Arrivederci*, Venedig! Ihre Mutter hatte ihr mal wieder alles verdorben.

Ein letzter Blick in die Runde, während sie etwas wehmütig die geänderte Buchungsbestätigung und Jans Kreditkarte auf den Tresen legte. Beides würde sie nun nicht mehr brauchen.

Der kleine Espressokocher sprang ihr ins Auge, der Messerblock und natürlich ihre Pfanne. Diese Stücke hatten sie durch die Studentenjahre, ihre Ehe, ihre Scheidungszeit und nun als Beinahe-Lebensabschnittsgefährtin von Jan begleitet. Undenkbar, sie in München zurückzulassen. Alles andere aber war ersetzbar.

Vier

Müde wie sie selbst hing der Mond als blasser Halbkreis am Himmel, dessen tiefes Schwarz sich allmählich in Anthrazit und dann in bleischweres Grau auflöste. Seit Karlsruhe führte die Autobahn fast schnurgerade durch das flache Rheintal und durchschnitt tief verschneite Felder. Links konnte man die Hügelketten des Schwarzwalds mehr erahnen als erkennen, doch ein erster schmaler, orangeroter Hauch in den Wolken kündigte an, dass es nicht mehr lange dauern würde, bis die Sonne sich über die Gipfel gekämpft hatte.

Clara gähnte herzhaft und kurbelte das Fenster ihres betagten Volvos herunter. Der Fahrtwind strömte wie eine kalte Dusche in das überheizte Wageninnere. Die zweite Nacht ohne Schlaf, wenn man das Nickerchen bei Kirchheim/Teck nach dem stundenlangen Stau wegen querstehender Lastwagen am Albabstieg nicht mitzählte. Bei Pforzheim war die Autobahn wegen mehrerer Glätteunfälle gesperrt gewesen. Jetzt war es bereits nach sieben und sie kam ihrem Ziel endlich näher.

Krampfhaft riss sie die Augen weit auf und versuchte sich zu konzentrieren, so schwer ihr das auch fiel. Nicht mehr lange und sie würde sich hinlegen und ausruhen können. Hier war schon die Autobahnkirche, gleich danach kam die Rastanlage und dann hatte sie den längsten Teil ihrer Reise geschafft. Vorn konnte sie das Schild zur Ausfahrt »Baden-Baden/Paris« erkennen, das sie immer wieder aufs Neue amüsierte, weil es suggerierte, Frankreichs Hauptstadt sei nur einen Katzensprung entfernt.

Doch schon entglitt ihr die Konzentration wieder, sie betätigte Bremse, Blinker und Gaspedal wie eine Schlafwandlerin, während ihre Gedanken anderen Wegen folgten.

Merkwürdig, sie hatte ihre Mutter noch nie krank erlebt. Schmerzen, Schwäche, Trauer – das existierte einfach nicht für diese harte Frau, auch keine Freude. Nichts. Nur Disziplin, Strenge, Kälte, manchmal Zorn.

Liebe? Ein Fremdwort, das sie allerhöchstens im Zusammenhang mit ihren blöden Rosen benutzte. Ach, Clara wollte nicht weiter darüber nachdenken. Das waren unnütze, uralte Erinnerungen. Sie war längst erwachsen, da brauchte man die Kindheit nicht mehr, um Schuldzuweisung für alles zu betreiben, was im Leben schiefgelaufen war.

Wieder versuchte sie, ihre Kräfte zur Konzentration zu mobilisieren, damit sie nicht vollends vom eintönigen Motorengeräusch und der unendlichen Müdigkeit eingelullt wurde. Sie musste wach bleiben! Am besten war es, den Rest des Weges wie eine Fremde zu betrachten. Links auf dem Berg tauchten im Morgendunst die grauen eckigen Ruinen des Alten Schlosses der Markgrafen zu Baden auf, dann passierte sie die gewöhnungsbedürftigen ufoähnlichen Gebilde des neuen Einkaufszentrums. Weiter vorn stieg neben dem zerzausten Merkurberg die Sonne als von Dunstwolken verschleierte weiße Scheibe auf.

Clara seufzte leise. Sie war beileibe keine Fremde hier. Das Band zur Vergangenheit, diese blinde Vertrautheit, die war über die Zeit erhalten geblieben, und das war doch wohl, was den Begriff Heimat ausmachte, auch wenn sie es jahre-, jahrzehntelang geleugnet hatte.

Selten hatte sie es bei ihren spärlichen Pflichtbesuchen zuhause auch hinunter in die City geschafft, das letzte Mal vor zwölf Jahren, und das hätte sie sich besser ersparen sollen. Sie konnte sich nicht vorstellen, dass sich dort seitdem viel verändert hatte, denn das Pfund, mit dem Baden-Baden wucherte, war doch gerade das historische Stadtbild mit seinem altmodisch-romantischen Flair. Allein der Gedanke an die vertraute Innenstadt machte ihr – trotz des negativen Erlebnisses von damals – Lust, durch die alten Straßen zu schlendern und vielleicht jemanden zu treffen, den sie von früher kannte. Aber wen denn? Alte Freunde? Helmut, der sie verlassen und verraten hatte, war seit Jahren tot. Andere Menschen, die ihr nahestanden, Schulfreunde zum Beispiel, gab es in dieser Stadt nicht. Ihre Mutter hatte nie zugelassen, dass fremde Kinder durch ihren heiligen Garten turnten, aber zu anderen Klassenkameraden hatte sie ihre kleine Tochter ebenso ungern gehen lassen.

Herrje. Was war nur mit ihr los! Diese graue Stimmung kam bestimmt nur hoch, weil ihr gestern Liebhaber, Job und Wohnung auf einen Schlag abhandengekommen waren. Außerdem: Baden-Baden genoss man im Frühling, wenn die Krokusse blühten, bis in den Herbst, wenn die Gingko-Bäume ihr goldenes Laub verloren, nicht aber im trostlosen November.

Der Besucherparkplatz der Klinik war weitgehend leer und noch nicht geräumt. Clara stellte ihren Wagen im vorderen Bereich ab. Ihre Reifen waren so neu nicht, dass sie als geländetauglich durchgehen konnten. In München hatte sie den Wagen nur selten bewegt, zum Glück hatte sie ihn noch nicht abgemeldet, auch wenn sie bereits mit dem Gedanken gespielt hatte. Ein dürrer, mit spärlichen Kerzen beleuchteter Tannenbaum hielt vor dem Eingangsbereich Wache, auch hier bereits eine Woche vor dem ersten Advent.

Wie eine Faust schlug die Einsamkeit ihr in den Magen. Kälte kroch durch das Blech des Autos ins Innere, fraß sich durch ihre Wollstrümpfe, ihren Strickpullover, hinein in ihr Innerstes. Nein, sie würde nicht weinen. Nicht jetzt! Und erst recht nicht wegen Jan. Das war selbstsüchtig und dumm. Ihre Mutter lag in dem Gebäude vor ihr und hatte bestimmt Schmerzen oder es war ihr etwas Fürchterliches zugestoßen, etwas Unbegreifliches, das sie dazu gebracht hatte, nach ihr zu schicken. Nur das war wichtig! Nicht ihr eigener Seelenschmerz.

Was es wohl zu bereden gab? Freundlich unterhalten oder sich eventuell aussöhnen wollte ihre Mutter sich bestimmt nicht mit ihr. Dazu hätte sie ihr ganzes Leben lang

Zeit und Gelegenheit gehabt. Schon als Kind war Clara wie ein hungriges Hündchen hinter ihr hergelaufen und hatte auf ein nettes Wort gewartet oder gehofft, dass sie sie in den Arm nehmen oder streicheln würde, wie andere Mütter es mit ihren Kindern taten. Irgendwann hatte sie die Hoffnung aufgegeben und sich an die Lieblosigkeit von dieser Seite zu gewöhnen versucht, zumal ihr Vater alles getan hatte, um es auszugleichen.

Sie musste sich schwer beherrschen, um nicht umzudrehen und zuerst nach ihm zu sehen. Er würde bestimmt wissen wollen, wie es seiner Frau ging. Also musste sie zuerst zu ihr. Es gab keinen Ausweg und keine Ausrede.

»Sie ist deine Mutter und sie liebt dich« – wie oft hatte er ihr das eingebläut? Und wenn er es ihr noch eine Million Mal sagen würde, würde es trotzdem an ihr abprallen. Aber ein Schuldgefühl hatte er doch in ihrem Innern aufgebaut. Und das meldete sich jetzt und klopfte und pochte in ihren Schläfen. Viel zu lange hatte sie nicht mehr zuhause angerufen.

Clara begann sich über sich selbst zu ärgern. Da saß sie hier in der Kälte, sah zu, wie der Morgen heraufschlich, traute sich weder ans Krankenbett ihrer Mutter noch nach Hause und fühlte sich schlecht, weil sie sich seit Ostern nicht mehr um ihre Eltern gekümmert hatte. Wer hatte denn daran Schuld gehabt? Wer hatte sie denn damals wieder einmal aus dem Haus getrieben?

Gerade mal zwei Stunden hatte es gedauert, bis die mühsame Höflichkeit zwischen ihnen explodiert war. Sie hatte ihre Vorsicht vergessen und ihrem Vater voller Euphorie über ihr neues Buchprojekt berichtet.

»Der Troll mit den grünen Haaren«, hatte Mutter angeekelt wiederholt und mit einer kleinen Silbergabel trockene Kuchenkrümel über den Teller gejagt. »Ein großartiges Projekt für eine kinderlose Kinderbuchautorin.«

Clara war erstaunt gewesen, wie sehr sie diese Verachtung trotz all ihrer Vernarbungen immer noch treffen konnte, und sie hatte sich geärgert, das Thema überhaupt angeschnitten zu haben. Sie hatte doch gewusst, wie ihre Mutter über die Schriftstellerei dachte! Aber nein, wie eine Süchtige hatte sie mal wieder um Anerkennung gebettelt und Verletzung geerntet. Es hörte nie auf, es riss immer wieder dieselben Wunden auf und ließ sie schmerzen und bluten. An Lieblosigkeit konnte man sich nie gewöhnen.

Am liebsten hätte sie auch jetzt kehrtgemacht und wäre geflohen – wenn sie nur gewusst hätte, wohin.

Vor dem Eingang zur Intensivstation musste sie nicht allzu lange warten, ehe man sie hereinließ. Man bestand darauf, dass sie sich Kittel und Mundschutz anlegte, dann durfte sie das Zimmer betreten. Es glich einem blinkenden, piepsenden Maschinenraum. Die Schwester hielt ihr die Tür auf und machte eine Kopfbewegung, aber Clara blieb verunsichert stehen. In den beiden Betten lagen fremde Frauen, die eine mit dunklen Haaren, die andere mit weißen. Mehr konnte sie nicht erkennen, denn die Patientinnen waren bis zum Kinn zugedeckt. Sie rührten sich nicht.

Clara sah noch einmal hin. Sie kannte weder die eine noch die andere. Bestimmt war sie im falschen Zimmer gelandet. Hinter ihr schloss sich leise die Tür, ehe sie sich umdrehen und den Irrtum aufdecken konnte. Langsam trat sie näher an das erste Bett. Die weißhaarige Kranke hatte zumindest eine ähnliche Frisur wie ihre Mutter. Braune Flecken entstellten jedoch ihr Gesicht, die Wangen waren eingefallen und faltig, außerdem war die Frau viel zu klein, um ihre Mutter zu sein. Wie eine vertrocknete Blume, leicht und zerbrechlich und viel zu alt.

Als habe sie ihre Gedanken wie einen Lufthauch gespürt, schlug die Greisin in diesem Moment die Augen auf, blinzelte kurz und hob dann den Arm ein paar Zentimeter, fast unmerklich.

Mit klopfendem Herzen machte Clara einen Schritt vorwärts. War dies ihre Mutter? Wie konnte das möglich sein? Was war mit ihr geschehen? Sie sah entsetzlich aus. Nein, das war *nicht* ihre Mutter!

»Hierher«, befahl die Frau heiser.

Doch, sie war es.

Clara zog einen Stuhl heran und setzte sich vorsichtig auf die Kante. Sie wusste nicht, ob sie ihre Mutter berühren sollte oder durfte. Waren die Flecken ansteckend? Oh Gott, warum hatte sie niemand auf diesen Anblick vorbereitet?

Ihre Mutter fasste das Seitengitter ihres Bettes mit beiden Händen und zog sich ein kleines Stück hoch. Ihre Arme zitterten, dann ergriff das Beben ihren ausgemergelten Körper. Trotz der unübersehbaren Anstrengung flammte ein allzu bekanntes, boshaftes Funkeln in ihren Augen auf.

»Ich weiß selber, dass ich scheußlich aussehe«, zischte sie. »Du musst mir deinen Ekel nicht so deutlich zeigen! Mach ein anderes Gesicht!«

»Entschuldige bitte. Ich …«

»Und hör auf, dich zu entschuldigen. Warum kommst du erst jetzt?«

»Ich …«

»Gib es zu: Dieser Jan war dir wichtiger! Typisch!«

»Oh bitte, nicht jetzt. Lass uns doch einmal, nur ein einziges Mal …« Clara merkte selbst, dass sie zu laut wurde, und verstummte.

Ihre Mutter schnappte nach Luft, ließ sich zurückfallen, suchte mit ihren dünnen Vogelhänden nach dem Notrufknopf, öffnete den Mund weit und röchelte, als bekäme sie keine Luft. Eine Träne stahl sich aus ihrem Augenwinkel, tropfte aufs Kissen und bildete einen Flecken, der sich dunkel ausbreitete wie Blut.

Clara sprang hoch. »Um Gottes willen, was ist denn …«

Der Mund ihrer Mutter formte ein Wort, das sie nicht verstand.

»Was sagst du?«

»Ma...nnnn...« Die Augen der Kranken quollen über, als würden sie von einer unsichtbaren Gewalt von innen nach außen gedrückt. Immer noch stand ihr Mund weit auf. Auf ihren Lippen zersprangen eingetrocknete Hautschichten wie dünnes Eis. Gurgelndes Würgen kam heraus, mehr nicht.

»Mutter, bitte, nun sag schon!«

Die Tür flog auf, ein Arzt drückte Clara beiseite. »Wer sind Sie? Wer hat Sie hereingelassen?«

»Ich bin die Tochter.«

»Gehen Sie nach draußen und warten Sie. Ich muss sie behandeln.«

»Aber sie wollte mir etwas Wichtiges ...«

Ihre Mutter griff nach ihrer Hand, erreichte sie aber nicht, weil der Arzt sie wegzog. Die Lippen formten sich erneut zu »M...a...nnnnn...«

»Sie sehen doch, was los ist. Raus jetzt, bitte!«

»Ich bleibe hier. Sie will mir etwas sagen, sehen Sie das nicht?«

»Später. Schwester Ursel, schnell, hierher!«

Immer mehr Menschen in blauen und weißen Kitteln drängten sich um das Bett. Clara stand abseits und bemühte sich, unsichtbar zu sein, doch es half nichts. Jemand entdeckte sie und schob sie unsanft nach draußen, dann bugsierte jemand anderes sie ganz hinaus, zurück auf den Flur vor die Tür zur Station.

Clara ließ sich auf die Holzbank fallen und lehnte den Kopf an die Wand. Was geschah dort drinnen? Starb ihre Mutter, bevor sie sich ausgesprochen hatten? Sollten tatsächlich Vorwürfe das Letzte gewesen sein, was sie von ihrer Mutter gehört haben sollte? Das wäre doch schrecklich! Niemand sollte so unversöhnt sterben müssen.

Wie hatte nur alles wieder so eskalieren können? Hatte sie sich selbst am Totenbett nicht beherrschen können und ihre Mutter provoziert? Aber nein, so war es nicht gewesen. Ihre Mutter hatte allein bei ihrem Anblick rot gesehen. Hörte das denn niemals auf?

»Ich bin ganz ruhig«, murmelte sie, wie es ihr einmal ein Therapeut beigebracht hatte.

Allmählich verlangsamte sich ihr Puls, und sie konnte wieder klarer denken.

»Ma...nnn...« Was konnte ihre Mutter damit gemeint haben?

Kalter Schweiß ließ Clara das Unterhemd wie eine eisige Umklammerung an Rücken und Bauch kleben, und sie begann zu frieren wie noch nie in ihrem Leben.

Die Minuten tropften dahin. Ob sie klingeln sollte? Vielleicht hatte der Arzt sie vergessen? Sanitäter und weitere Personen in Weiß kamen im Eilschritt heran und verschwanden hinter der Tür, durch die kein Laut drang. Irgendwo in den fernen Gängen der Klinik hörte sie das Quietschen von Gummirädern, das Tacken von Krücken, leises Gemurmel, das sanfte Piepsen von Apparaten, einen lang gezogenen Alarmton. Dann wieder Gummisohlen, auf denen Menschen herbeihasteten. Jemand blieb kurz stehen und musterte sie mitleidig, ehe er die Tür mit einem Code öffnete.

Eingeschüchtert stand sie auf, als sich erneut eine Person näherte.

»Ich bin Frau Funkes Tochter«, begann sie.

Zu spät. Die Ärztin oder Schwester verschwand hinter der Tür.

Angst stieg in ihr hoch. Irgendwann sah sie zur Uhr. Schon nach elf. Sie müsste längst bei ihrem Vater sein. Wie lange hatte er nichts mehr zu essen bekommen? Ob noch die alten Nachbarn nebenan wohnten? Ob jemand von ihnen nach dem Rechten sah? Aber warum sollten sie? Hatte Mutter sie nicht ebenso gleichgültig behandelt und vergrault wie die eigene Familie? Warum also sollte nun jemand zur Hilfe kommen? Oder überhaupt ahnen, dass Hilfe benötigt wurde? Paps würde von sich aus niemanden darum bitten. Er wollte ja nie Umstände machen.

Je länger sie es sich überlegte, umso dringender wollte sie weg von hier, heim zum Vater. Sie konnte ihn nicht einmal anrufen. Das alte Telefon befand sich unten in der Diele, unerreichbar für ihn, wenn er im Schlafzimmer lag.

Unruhig stand Clara auf und begann, den Gang auf und ab zu laufen. Fünfunddreißig Schritte waren es von der Bank bis zur Ecke, zwanzig bis zum Fenster. Weiter wollte sie nicht gehen, sie traute sich noch nicht einmal in den Waschraum aus Angst, den Arzt zu verpassen.

Szenen von früher stiegen in ihr hoch. So lange sie zurückdenken konnte, hatte sich alles im Haus um die Rosenleidenschaft ihrer Mutter gedreht. Im Sommer war sie bei jedem Wetter draußen gewesen, band hoch, schnitt ab, zupfte Unkraut, pflanzte Begleitstauden, wässerte, düngte, spritzte. Im Winter wurden Pläne gezeichnet, Kataloge gewälzt, gab es endlose Gespräche mit Handwerkern. Oft fuhr ihre Mutter für Wochen nach England, um Gärten zu besichtigen und sich mit Gleichgesinnten auszutauschen. Die Tochter, »das Kind«, hatte ruhig zu sein, sich wohl zu verhalten, Gartenfreundinnen Tee einzuschenken, sich brav an langweiligen Gesprächen zu beteiligen, oder – besser noch – nicht aufzufallen.

Der Garten war stets Winterbaustelle gewesen, und schnell wurde er zu klein. Daraufhin begann Mutter, umliegenden Nachbarn Land abzukaufen, die froh waren, ihre unzugänglichen, wertlosen Steilhänge loszuwerden. Terrassen mit Trockenmauern und Teichen, Rosenbögen, Laubengängen, Pavillons, Obelisken, Gewächshäusern entstanden.

Zeitschriften berichteten über die »Rosenkönigin von Baden-Baden«, Fernsehsender schlossen sich an. Die schönsten Momente mit ihrer Mutter waren für Clara gewesen, wenn Fotografen oder Fernsehleute ihre Kameras aufbauten. Dann strich Mutter ihr übers Haar, setzte sich neben sie auf eine Bank, drückte sie für einen kurzen Moment an sich, bis der Auslöser klickte oder die Szene »im Kasten« war. Manchmal wurde sie auch gezwungen, das kratzige Kleid mit den gestickten Rosen anzuziehen und sich an den Flügel zu setzen, als »liebreizendes Fotomotiv«, wie die Erwachsenen entzückt ausriefen. Von den Kämpfen hinter den Kulissen hatte ja niemand auch nur die geringste Ahnung, und Clara widersprach nie, sondern lehnte sich lächelnd an ihre Mutter und genoss es, wenigstens für kurze Zeit deren Duft nach Honig und frischem Grün einzuatmen und eine erstaunlich warme, aber knöcherne Hand auf ihrem Haar zu spüren.

Kaum waren die Fremden weg, wurde auch sie weggeschickt. »Wasch dich, kämm dich, mach deine Hausaufgaben, sei ruhig, deck den Tisch.«

Aber da waren ja noch die Bibliothek und ihr Vater. Ihre kleinen Fluchten, die sie davor bewahrten, seelisch zu erfrieren.

»Frau Funke?«

Clara zuckte zusammen. Sie hatte nicht bemerkt, wie der Arzt aus der Intensivstation gekommen war.

»Kann ich zu ihr?«

»Heute nicht mehr. Sie hat einen Erstickungsanfall gehabt. Sie ist nicht ansprechbar.«

»Aber vorhin wollte sie mir etwas sagen.«

»Das will sie seit Wochen.«

»Seit Wochen? Wie meinen Sie das?«

»Sie liegt seit Anfang Oktober hier. Die Tochter sind Sie? Ja?«

»Seit Oktober? Das ist doch unmöglich!«

»Wollen Sie damit sagen, Sie hätten es nicht gewusst?«

»Ich bin heute Nacht informiert worden und sofort hergekommen.«

»Oh. Nun. Wir haben uns schon gewundert. Sie hat uns keine weiteren Angehörigen angegeben, außer ihrem Ehemann. Er lässt ab und zu auf der Station anrufen. Aber niemand hat sie besucht, keine Menschenseele. Sie war bis heute allein.«

Fröstelnd schlang Clara die Arme um sich und versuchte, ruhig zu bleiben. Das war bestimmt kein Vorwurf. Sie konnte nichts dafür. Sie hatte von nichts gewusst. Wirklich nicht? Hätte sie sich nicht öfter bei ihren Eltern melden müssen, gerade auch wegen ihres Vaters? Er hätte sich über ihren Anruf gefreut, falls Mutter es ihm ausgerichtet hätte. Falls!

»Was hat sie denn?«

»Wenn wir das wüssten. Wir haben Experten aus Heidelberg hinzugezogen, doch wir brauchen mehr Zeit. Es scheint so, als ob in ihrem Körper immer wieder Blutgefäße platzen. Deshalb auch die Flecken im Gesicht. Wir können es nicht stoppen. Dazu kommen diese Erstickungsanfälle.«

»Wird sie wieder gesund?«

»Wir hoffen es. Manchmal geht es etwas besser, und wir können sie zurück auf die normale Krankenstation verlegen, aber dann verschlechtert sich ihr Zustand wieder gravierend. Ein Auf und Ab. Eigentlich eher ein Ab.«

Der Arzt presste seine Handflächen zusammen, während er krampfhaft zu Boden blickte. »Dr. Hoffmann« stand auf seinem Namensschild. Er war relativ jung, aber neben seinem schmalen Mund hatten sich bereits scharfe Falten eingegraben. Trotz seiner hilflosen Aussage wirkte er kompetent, sah jedoch heillos übernächtigt aus.

Mit Mühe unterdrückte auch Clara ein Gähnen. »Dann komme ich morgen wieder. Sie will mir etwas mitteilen. Ich muss wissen, was es ist. Es scheint äußerst wichtig zu sein.«

Fünf

Die Straßen waren immer noch mit einer dicken Schneeschicht bedeckt, obwohl es bereits früher Nachmittag war. Clara blies angestrengt die Wangen auf, als sie die Steigung in Richtung Merkurberg hochzockelte und der Wagen kurz wegrutschte. Die Reifen würden nur noch diesen Winter überdauern, hatte man ihr in der Werkstatt gesagt, und das auch nur mit viel gutem Willen. Dass der Kombi überladen war, machte es nicht einfacher. Ein paar Mal fürchtete sie schon, ihn stehen lassen zu müssen, aber dann ging es doch irgendwie weiter.

Vor der Villa war wenigstens eine Spur geräumt, weil die Stadtbusse dort verkehrten. Nahe dem elterlichen Grundstück parkte ein himmelblauer 2CV, und wie ein Blitz schossen Erinnerungen in ihr hoch. Wurden diese Autos wieder gebaut oder war dies das alte Modell, nur aufpoliert? »Enten« waren schon Kult gewesen, als sie noch Teenager gewesen war. Helmuts Exemplar war langweilig beigefarben gewesen, aber sie sah ihn wieder vor sich, wie er ihr vorführen wollte, dass eine Ente niemals umkippen kann, egal, wie eng oder schnell man sich auch in die Kurve legte. Er hatte Gas gegeben und wie wild gelacht, und sie hatte geschrien und sich an einer Handschlaufe festgeklammert und dann ebenfalls gelacht und mit ihm zusammen in einen Song im Radio eingestimmt. »San Francisco« von Scott McKenzie? Auf jeden Fall etwas aus der Flower-Power-Hippie-Ära.

Im Nu war alles wieder präsent. Clara war versucht, noch ein paar zusätzliche Minuten in den besseren alten Zeiten zu schwelgen, doch ihre Erschöpfung war einfach zu groß. Erinnerungen brachten einem außerdem keineswegs die Jugend zurück, im Gegenteil! Wachte man auf, fühlte man sich noch älter, als man tatsächlich war. Was für Gedanken! Und alles nur wegen eines alten Autos. Wem es wohl gehörte? Einem neuen Nachbarn? Einem chaotischen Lebenskünstler, für den es Ausdruck seiner kreativen Sorglosigkeit war? Himmelblau passte dazu übrigens viel besser als beige.

Ehe nun auch noch all die weniger romantischen Szenen hochkommen konnten, parkte Clara lieber vor dem hohen schmiedeeisernen Tor und stieg aus. Der Gehsteig entlang des Grundstücks war geräumt, sogar der Gartenweg und die Treppe zur alten, rosafarbenen Villa waren schneefrei. Die grünen Fensterläden waren zurückgeklappt, Rauch stieg aus dem Kamin und automatisch machte ihr Herz einen kleinen Satz, als sie das massive Gartentor mit der Schulter aufdrückte. Das war fast wie Weihnachten vor vielen, vielen Jahren. Mit Tannenbaum, Geschenken, den köstlichen Bäckereien ihres Vaters, mit Weihnachtsliedern, die er am Flügel anstimmte ... ach, schön war das gewesen. Es war das Jahr gewesen, in dem ihre Mutter über die Feiertage Gärten in Südafrika besichtigt hatte.

Clara kämpfte sich mit ihrem Koffer die Anhöhe hinauf. Die Villa ihrer Eltern stammte aus dem Beginn des letzten Jahrhunderts und erinnerte mit ihren Säulen, Balkonen, Vorsprüngen und Klappläden an die prächtigen, leicht verlotterten Villen entlang der norditalienischen Seen, die sie in den Bildbänden ihres Vaters bestaunt hatte. Schon längst hätte ein neuer Anstrich notgetan, auch an den Läden blätterte die Farbe ab. Aber so etwas war ihrer Mutter ja nie wichtig gewesen. Hauptsache, ihre Rosen hatten genügend Licht und Wasser.

Der Vorgarten wirkte auf Clara nicht ganz so düster, wie sie ihn sich im Winter vorgestellt hatte. Natürlich drückten die beiden mächtigen Schwarzkiefern links und rechts des Hauses und die langweiligen immergrünen Rhododendren auf die Stimmung. Das Rosenmeer, das den Vorgarten im Sommer romantisch verzauberte, war nun kahl. Trotzdem sah alles so friedlich aus wie in ihren eigenen Kinderbüchern. Der Schnee hatte den beschnittenen Rosensträuchern, Buchshecken und Lavendelbüschen Häubchen aufgesetzt, um ein Vogelhäuschen tummelten sich Spatzen, Amseln, Grünlinge und Distelfinken, als habe sie jemand mit Futter versorgt, und die Sonne schob sich gerade durch einen Spalt der dicken Schneewolken, die den Merkurberg im Hintergrund wie in einen Wintermantel hüllten.

Als Clara die dicke Haustür aus Eichenholz aufschloss, schlug ihr der Geruch nach Kaffee und Sauerkraut entgegen. Sie blieb einen Augenblick in der eisigen Eingangshalle stehen, um sich einzubilden, ihr Vater sei zwanzig oder dreißig Jahre jünger und käme sogleich mit einem Geschirrtuch in der Hand aus der Küche, um sie zu begrüßen und ihr eine süße Leckerei zuzustecken. Er war zur Weihnachtszeit der Plätzchenbäcker der Familie gewesen.

Hirngespinste! Er lag hilflos oben in seinem Schlafzimmer und wartete auf sie. Leise setzte sie ihren Koffer ab, zog die Schuhe aus, stellte sie auf die kalte Heizung und eilte auf Socken die breite Eichentreppe nach oben.

Das Schlafzimmer war leer. Verblüfft musterte sie das gemachte Bett, das gekippte Fenster, den gestreiften Schlafanzug auf der glattgestrichenen Tagesdecke.

»Paps?«

Keine Antwort.

Das Badezimmer war ebenfalls aufgeräumt, aber leer. Er konnte die Treppen nicht allein gehen, das wusste sie. Es gab keine Wunder. Wo also war er?

Ratlos rannte sie die Treppe hinunter. Vielleicht saß oder lag er seit Tagen in der Bibliothek? Oh nein, bitte nicht!

In Panik durchquerte sie die Halle, holte tief Luft, um sich Mut zu machen, und stieß die Tür auf. Warme Luft schlug ihr entgegen, auch wenn kein Feuer im Kamin brannte. Ein Sonnenstrahl schien durch das bodentiefe Südfenster und ließ Staubkörner wie einen feinen Nebel vor den vollgestopften deckenhohen Bücherregalen tanzen. Einen kurzen Moment verharrte sie, ohne sich zu bewegen, mit angehaltenem Atem. Nichts war in diesem riesigen, vier Meter hohen Saal seit Jahrzehnten verändert worden, weder die dunklen Holzvertäfelungen oder die dunkelgrünen englischen Ledermöbel noch die groß geblümten Vorhänge oder die passenden Kissen auf dem breiten Sofa in der Ecke.

Auch ihr Vater saß wie vor zwanzig, dreißig, vierzig Jahren in seinem Ohrensessel und beugte sich über ein Schachspiel. Seine seit einem Unfall steife Hand schwebte, unterstützt vom anderen Arm, über den Figuren. Er sah auf, und seine Hand fiel kraftlos auf die Decke zurück, die seine dünnen Beine umhüllte. Seine Miene wechselte von tiefer Konzentration über Erstaunen zu blanker, kindlicher Freude, und seine blauen Augen strahlten hinter den dicken Brillengläsern, während sich sein schmales, bartloses Haselmausgesicht in abertausende fröhliche Falten legte.

»Bella!«

Paps war der einzige Mensch, der sie so nannte. Sie flog in seine ausgebreiteten Arme und war wieder seine Kleine, beschützt und getröstet.

»Mein Mädchen, du bist hier. So eine Überraschung«, hörte sie ihn seufzen, und es schwang Erleichterung in seiner tonlosen, asthmatischen Stimme mit.

Eine Weile kniete sie vor seinem Sessel, spürte, wie seine Hand sich durch ihr Haar wühlte, und kuschelte sich an seine uralte braune Strickjacke, die Fäden und Knoten zog. Die Wolle roch nach Wärme, herbem Rasierwasser und auch etwas muffig. Aber so hatte sie schon immer gerochen, denn sie durfte nur in Notfällen gewaschen werden. Es gab nur wenige Wünsche, die ihr Vater jemals äußerte, und diese wurden strikt befolgt.

Ihre Finger fanden wie von selbst die Stelle, die sie vor zwei Jahren heimlich gestopft hatte. Mutter hatte für solche »Unsitten« gar kein Verständnis und hatte ihm früher, als Clara die Feiertage noch zuhause verbrachte, alljährlich eine neue Jacke geschenkt, die er auch brav am Heiligen Abend getragen hatte. Am nächsten Morgen aber war er regelmäßig wieder in brauner Krümelwolle erschienen.

Wie es wohl dieses Jahr an Weihnachten sein würde? Würde ihre Mutter dann noch leben?

Clara nahm ihren ganzen Mut zusammen, um ihren Vater über ihren Besuch im Krankenhaus zu unterrichten. Doch bevor sie beginnen konnte, ließ sie ein Geräusch hinter ihrem Rücken zusammenzucken. Jemand hatte die Tür geöffnet!

Erschrocken fuhr sie herum. Ein sehr junger, großer, schlaksiger Mann mit Rollkragenpullover und abgetragenen Jeans starrte ebenso erschrocken zurück. An seinem Kinn hing ein albernes Flusenbärtchen, seine dunkelbraunen halblangen Haare hatte er hinter die Ohren gestrichen. Er hatte ganz offensichtlich vergessen, dass er einen Suppenteller in der Hand hielt, denn der neigte sich in gefährliche Schieflage.

Clara hatte den Mann nie zuvor gesehen. »Wer sind Sie?«, wollte sie rufen, stattdessen brach ein »Vorsicht, die Suppe!« aus ihr heraus.

Der Eindringling grinste spitzbübisch und balancierte den Teller auf das Schachtischchen, legte ihrem Vater eine Serviette auf den Schoß und wischte sich dann die Hand an seiner nicht ganz sauberen Hose ab, bevor er sie ihr hinstreckte.

»Ich bin Gregor«, sagte er und machte einen Diener.

Clara freute sich, wie warm und fest sein Griff war. Junge Leute hatten heutzutage leider oft Hände wie Butter, schlaff und ohne Gegendruck, und seine etwas weiche Erscheinung hatte auf einen von ihnen schließen lassen. Wenn man ihn näher betrachtete, sahen seine grauen Augen uralt aus und um seinen Mund lag ein ernster, trauriger Zug.

Doch das war nebensächlich. Wichtiger war die Frage, wie dieser Kerl hier hereinkam. Er benahm sich, als gehörte er seit Urzeiten in dieses Haus. Wer hatte ihn hereingelassen? Hatte er etwa einen Schlüssel? Und warum rückte er Vaters Jacke zurecht und ordnete die Decke neu? Das war ihre Aufgabe, ihr Vater, ihr Elternhaus. Nur deswegen war sie hergekommen.

Sie stemmte die Hände in ihre Hüften. »Und was machen Sie hier? Wer hat Sie hereingebeten?«

»Gregor hilft uns schon eine ganze Weile, Bella. Er besorgt den Garten, und seitdem deine Mutter krank ist, kümmert er sich auch um mich.«

»Sie sind der neue Gärtner? Haben Sie mich heute Nacht angerufen?«

»Bella, sei nicht so streng mit ihm. Gregor ist ein sehr lieber, netter Junge. Ohne ihn wären wir die letzten zwei Jahre nicht zurechtgekommen.«

»Aber jetzt bin ich da, und ich werde für dich sorgen, Paps. Du müsstest dich doch längst hinlegen. Siehst ganz müde aus. Komm, ich helfe dir hoch.«

Ihr Vater machte eine schwache Abwehrbewegung. »Lass mich erst essen, Kind. Und dann trinken wir alle zusammen einen richtig schönen starken Bohnenkaffee, nicht wahr, Gregor?«

»Sie geben ihm Kaffee? Wissen Sie nicht, dass er es am Herzen hat? Und was riecht da draußen? Sauerkraut? Das darf er nicht, er verträgt nur leichte Kost.«

Clara erschrak selbst, als sie sich so keifen hörte, aber sie konnte einfach nicht aufhören. War das Eifersucht, die in ihr bohrte? Sie versuchte, sie herunterzuschlucken, aber es ging nicht. Vor ihren Augen begann ihr allzu bekannter Jähzorn zu flimmern, höchstes Alarmzeichen. Verzweifelt begann sie zu zählen und innerlich um Ruhe zu flehen. Früher, als sie die Technik noch nicht beherrschte, waren in solchen Augenblicken Teller oder Vasen durch die Luft geflogen. Manchmal taten sie es auch heute noch.

Ihr Vater zupfte sie von hinten am Rock. »Bella!«, flüsterte er ahnungsvoll.

»Das muss jetzt gesagt werden. Hören Sie, junger Mann! Dies ist ein alter und kranker Mensch. Ich finde es verantwortungslos, was Sie da treiben!«

Die Ohren des jungen Mannes färbten sich rot, und seine Augen verwandelten sich in tiefgraue Löcher, aus denen die Freundlichkeit und Nachgiebigkeit verschwand, sein Mund wurde ein dünner Strich. Er machte eine knappe Verbeugung, dann drehte er sich steif um und verließ den Raum, ohne etwas zu sagen.

»Mir ist kalt«, flüsterte ihr Vater in ihrem Rücken. »Geh ihm nach. Sag, dass du es nicht so gemeint hast.«

Doch ehe Clara seinen Rat befolgen konnte, hörte sie schon die Haustür klappen, dann wurde draußen auf der Straße ein Wagen angelassen, die Ente, unverkennbar.

Clara schnappte nach Luft. »Oh Mann! Der dreht sich einfach um und geht. Das ist doch keine Art! Was ist das für ein Kerl?«

»Jetzt setz dich erst einmal und komm zur Ruhe«, bat ihr Vater und deutete auf den Lehnstuhl ihm gegenüber, nahe dem unbenutzten Kamin. »Es ist wunderbar, dich zu sehen. Was ist passiert? Warum bist du hier?«

»Jemand hat mich heute Nacht angerufen und mir gesagt, dass Mutter im Krankenhaus liegt.«

»Lieber Himmel, du Arme. Mitten in der Nacht? Du musst dir schreckliche Sorgen gemacht haben. Probier meine Suppe. Ich habe keinen großen Hunger.«

»Nein, nein, die Suppe ist für dich. Sie sagen, dass Mutter schon Anfang Oktober in die Klinik eingeliefert wurde. Stimmt das? Warum hast du mir nicht Bescheid gegeben?«

Ihr Vater beugte sich über den Teller und aß sorgfältig. Trotzdem tropfte etwas vom Löffel und kleckerte auf die Serviette. Er bemerkte es nicht, sondern machte bedächtig weiter.

»Ich wollte dich nicht beunruhigen. Du hast einen anstrengenden Beruf, für den du alle Kraft brauchst. Was macht dein neues Buch über den ›Troll mit den grünen Haaren‹? Ist es schon gedruckt? Ein köstlicher Titel! Erzähl mir mehr darüber. Schade, dass du uns nie eines deiner Bücher mitgebracht hast.«

»Mutter hätte es nicht gewollt.«

»Nein, nein, das siehst du falsch! Das ist ein Missverständnis.«

Ehe er nun wieder seine Gebetsmühle »Mutter liebt dich doch« drehen konnte, stand Clara lieber auf und räumte den geleerten Teller in die Küche. Am Herd blieb sie verwundert stehen. Das Sauerkraut roch überaus lecker. Sie konnte nicht widerstehen und kostete kritisch. Es war sahnig mild und schmeckte nach Apfel, Wacholderbeeren und einer Spur Lorbeer. In einem anderen Topf stand cremiger Kartoffelbrei bereit, in der Pfanne schmurgelte etwas, das wie Forellenfilet aussah. Gregor, Gärtner und Koch? Und die Küche glänzte noch sauberer als bei Jan.

Ein heftiger Stich in den Magen sagte ihr, dass sie dieses Thema nicht vertiefen, sondern stattdessen besser das Essen mit ihrem Vater teilen sollte. Der Kartoffelbrei hatte genau die richtige Menge Salz, Respekt! Das war eine kleine Kunst. Auch vom Muskat spürte man nur einen Hauch. Allerdings hätte sie unter anderen Umständen einen kräftigen Stich Butter zugefügt, doch das würde ihr Vater nicht vertragen.

Als sie mit den Tellern in die Bibliothek kam, war ihr Vater eingeschlafen. Die dicke Kassengestellbrille hing schief auf seinen übergroßen Ohren und war ihm halb über die Nase gerutscht, auf seiner rosigen Glatze spiegelte sich die fahle Sonne, sein kleiner Mund stand halb offen und entließ kleine gepresste Töne eines chronischen Asthmatikers. Seine Hände gaben selbst jetzt im Schlaf keine Ruhe und huschten über die Wolldecke wie Ameisen.

Clara ging bei diesem Anblick das Herz auf. Nie hatte sie je einen gütigeren, selbstloseren Menschen getroffen als ihn. Nie hatte er sich über die Launen seiner Frau beklagt, immer hatte er versucht, zwischen ihnen beiden zu vermitteln. Ein böses Wort war ihm noch nie entschlüpft. Ungeduld war ihm fremd.

Viel hatte sie nicht von ihm geerbt, leider!

Leise schlich sie mit den Tellern in die Küche zurück und setzte sich an den Tisch. Erst jetzt merkte sie, wie hungrig sie war, und schlang das Essen hinunter. Als der Teller leer war, bedauerte sie ihre Gier und sehnte sich nach dem gewohnten Espresso. Gleich morgen würde sie ihren kleinen Kocher in Betrieb nehmen und die nötigen Utensilien besorgen. In diesem Haushalt gab es ja leider weder eine Maschine noch das richtige Kaffeepulver. Ihre Mutter hatte alles gehasst, was auch nur im Entferntesten mit Italien zu tun gehabt hatte. Dumme Vorurteile, denn sie hatte sich zeit ihres Lebens geweigert, objektive Informationen aufzunehmen, geschweige denn jemals einen Fuß über den Brenner zu setzen.

Clara seufzte leise. Natürlich hatte sie schon aus Opposition heraus von klein auf alles aufgesogen, was es über Italien zu erfahren gab. So hatte, genährt durch ihren Vater, eine unstillbare Sehnsucht von ihr Besitz ergriffen. Merkwürdig, dass auch sie es nie geschafft hatte, ihr gelobtes Land zu besuchen. Immer war etwas dazwischengekommen, zuletzt Jans Vorliebe für die Schweizer Bergwelt, der sie sich brav untergeordnet hatte.

Claras Blick wanderte über das Tal hinüber zum Friedhof mit seinen mächtigen Bäumen. Bislang hatte sie sich nie Gedanken über die Aussicht gemacht, die man von der Rückseite der Villa hatte, aber nun fragte sie sich, wie es ihrem Vater ergehen würde, wenn er irgendwann in der Küche saß und direkt den Ort im Blick haben würde, an dem seine Frau beerdigt sein würde. Das musste doch unerträglich sein! Wahrscheinlich würde er auf dieser Seite des Hauses sämtliche Vorhänge zuziehen und im Dunkeln leben.

Wie würde es überhaupt mit ihm weitergehen? Er konnte unmöglich hierbleiben, allein und unversorgt. Sie würde es aber auch nicht übers Herz bringen, ihn von hier wegzubringen, in ein Pflegeheim womöglich, in dem er keine Ansprache hatte und vereinsamen würde. Aber würde es ihm besser gehen, wenn er hierbliebe? Würden ihn hier nicht seine Erinnerungen an bessere Tage erdrücken?

Genug gegrübelt! Er würde ihr die Frage selbst beantworten, wenn es so weit war. Es war wirklich ein Segen, dass er geistig so auf der Höhe war und sie solche Dinge wie Heimaufenthalt oder ambulante Pflege nicht allein entscheiden musste.

Halb erleichtert holte sie ihre restlichen Sachen aus dem Auto und trug sie ins eiskalte ehemalige Kinderzimmer, das nun als ungenutztes Gästezimmer für Besucher bereitstand, die sowieso nie kamen. Fröstelnd schaltete sie die Heizung auf fünf. Aber bis der Raum einigermaßen warm und bewohnbar sein würde, würden Stunden vergehen, wahrscheinlich sogar ein ganzer Tag. Das Bettzeug war klamm, aber unwiderstehlich. Eine Stunde ausruhen, das erschien ihr plötzlich als der größte Hochgenuss, den sie sich nur vorstellen konnte.

Es war dunkel, als Clara aufwachte. Das Haus war still, ihr Zimmer wie erwartet immer noch kalt. Fröstelnd und mit schlechtem Gewissen, weil sie ihn so lange allein gelassen hatte, schlich sie nach unten zu ihrem Vater in der Bibliothek. Der Raum lag im Dunkeln, aber es war bullig warm.

»Ah, Kind, da bist du ja. Hast du geschlafen?«, hörte sie die tonlose Stimme ihres Vaters.

Mitleid mit dem armen alten einsamen Mann erfasste sie und sie machte sich schnell am Kamin zu schaffen. Viel Holz war nicht mehr da, aber für heute und morgen würde es reichen, ehe sie draußen hinterm Haus Nachschub holen musste. Wieder verschob sie es, ihn über den Zustand ihrer Mutter aufzuklären, sondern machte Abendbrot, saß anschließend bei ihm und starrte schweigend in die Flammen, während sie Rossinis »Barbier von Sevilla« lauschten, eine Aufnahme mit dem grandiosen Hermann Prey sowie mit Teresa Berganza und Luigi Alva, und mit Claudio Abbado als Dirigent. Ihr Vater liebte italienische Opern genauso wie sie. Früher waren sie manchmal zu zweit zu Aufführungen nach Karlsruhe gefahren, sehr zum Unmut ihrer Mutter, die ihnen die Ausflüge ganz offensichtlich missgönnte und die Italiensehnsucht von Mann und Kind mit ärgerlichem Zungenschnalzen kommentierte. Leider hatten sie es nie geschafft, ins Baden-Badener Festspielhaus zu gehen. Es war erst gebaut worden, als sie selbst bereits in München wohnte und ihr Vater zu gebrechlich war, um den Weg dorthin zu bewältigen und dann stundenlang im Zuschauerraum auszuharren. Sie würde ihn ohne Hilfe überhaupt nicht aus dem Haus bekommen.

»Wer ist eigentlich dieser Gregor?«, fiel ihr ein, als Prey sein berühmtes, ansteckend fröhliches »*Largo al factotum*« trällerte.

Ihr Vater schloss die Augen, ein Zeichen, dass er seinem Lieblingsbariton bis zum Ende lauschen wollte. Erst nach dem letzten Ton sah er sie an und ein herzliches Lächeln legte sich wie eine Sonne über sein zerfurchtes Gesicht.

»Deine Mutter hat vor ein paar Jahren eine Anzeige aufgegeben, weil sie einen kräftigen Burschen suchte, der ihr ein paar Rosenbögen in Ordnung bringen sollte. Nach und nach half er auch beim Pflanzen und beim Umgestalten der Wege. Er ist gelernter Landschaftsgärtner, musst du wissen. Schade, dass er nicht in seinem Beruf arbeitet. Er hat den grünen Daumen, und so hat er natürlich sofort das Herz deiner Mutter gewonnen.«

Clara bemühte sich, keine Miene zu verziehen. Das Herz ihrer Mutter gewinnen – das konnte niemand! »Eher wird er ihr Geld gewollt haben, oder? Umsonst hat er es wohl nicht gemacht.«

»Nein, nein, soweit mir bekannt ist, hat er nur ein Taschengeld bekommen. Du weißt ja, in Finanzdingen ist sie eigen.«

»Außer wenn es um den blöden Garten geht!«

»Es ist gut, wenn Menschen eine Leidenschaft haben.«

»Aber dir hat sie deine Leidenschaften ausgetrieben.«

»Nachsicht, bitte. Sie ist deine Mutter.«

»Dann hätte sie sich auch so benehmen sollen.«

Ihr Vater legte den Kopf schief und streckte seine gesunde Hand nach ihr aus. »Bella, armes Kind! Komm her zu mir, willst du? Sie hat es niemals böse gemeint. Raue Schale, weicher Kern. Wir beide haben dich immer sehr geliebt. Meinst du, du könntest mir etwas Rotwein einschenken? Einen Fingerbreit vielleicht?«

Als der Wein in den Gläsern funkelte, rang Clara sich durch, ihren Vater über ihren Besuch in der Klinik zu unterrichten, doch er unterbrach sie, ehe sie richtig anfangen konnte.

»Es geht ihr nicht gut, ich weiß. Gregor hat es mir schon berichtet.«

»Gregor, Gregor! Woher will der das wissen? Niemand hat sie im Krankenhaus besucht! Seit Wochen nicht.«

»Gregor kann nichts dafür. Ich bin es. Ich möchte nicht zu ihr. Ich – ich kann sie nicht leiden sehen. Es würde mir das Herz brechen. Ich möchte sie gern so in Erinnerung behalten, wie sie immer gewesen war: schön und stark. Gregor hat oft vorgeschlagen, mich in die Klinik zu begleiten, aber ich habe es nicht fertiggebracht. Würdest du bitte an den Schrank dort gehen und das kleine dunkelbraune Fotoalbum holen? Das mit den Bildern von unserer Hochzeit? Sieh doch nur, sah sie nicht aus wie ein Engel?«

Clara hatte sich die kleinen Schwarz-Weiß-Fotos mit den gezackten Rändern wohl schon ein Dutzend Mal angesehen und immer versucht, etwas Gutes herauszulesen. Es gelang ihr auch heute nicht. Abweisend streng blickte ihre auf einem zierlichen Stuhl sitzende Mutter in die Kamera, einen dünnen Strauß Nelken auf dem Schoß. Ihre hellblonden Haare hatte sie hochfrisiert, das helle Kleid war hochgeschlossen wie zur wilhelminischen Zeit. Den Mund hatte sie zusammengepresst, als würde sie gleich anfangen zu weinen. Ihrem Vater hingegen sah man das Glück förmlich aus den Augen springen. Stramm und schlank stand er hinter ihr, eine Hand auf ihrer Schulter, mit einem Lächeln, für das es nur das altmodische Wort »beseelt« gab. Es gab keinen Zweifel: Für ihren Vater war dies der schönste Tag seines Lebens gewesen.

»Du hast sie wirklich geliebt, nicht wahr?«

»Ich liebe sie noch und werde sie immer lieben. Sagst du ihr das bitte, wenn du morgen zu ihr gehst?«

Notgedrungen versprach Clara es, aber sie war sich nicht sicher, ob ihr solche Worte über die Lippen kommen würden.

Schon der Gedanke, erneut ans Bett ihrer Mutter treten zu müssen, ließ sie später am Abend nicht einschlafen. Würden sie sich wieder streiten? Oder würde sie endlich erfahren, was ihre Mutter ihr so dringend mitteilen wollte? War es überhaupt wichtig? Was konnte es schon sein? Eine vergessene Rosenbestellung vielleicht oder die Konditionen, unter denen dieser geheimnisvolle Gregor in Haus und Garten arbeitete? Hatte der Kerl überhaupt in den letzten Wochen einen Lohn erhalten? Ihr Vater war bestimmt nicht zur Bank gekommen.

Mit einem Schlag war Clara hellwach. »Ma...nnnn...«, hatte Mutter gestammelt. Wollte sie sie vielleicht vor dem Mann warnen?

Sie musste mehr über diesen Gregor herausfinden! Niemand war uneigennützig gut. Dieser Kerl hatte garantiert üble Hintergedanken, und nur deshalb war er vorhin so schnell verschwunden. Ob er sich heimlich bereichert hatte? Allein der Familienschmuck war doch ein Vermögen wert und hatte früher in einer offenen Schatulle im Elternschlafzimmer herumgelegen. War er noch da?

Am liebsten hätte Clara sofort nachgesehen, aber sie wollte ihren Vater nicht erschrecken. Wenn sie mitten in der Nacht in sein Zimmer rumpelte und die Schmuckkassette untersuchte, würde er womöglich einen erneuten Herzanfall bekommen. Also hieß es warten – nicht gerade ihre Stärke.

Es war erst vier Uhr. Drei endlose Stunden lagen vor ihr, in denen sie sich nur von einer Seite zur anderen werfen und versuchen konnte, weitere böse Gedanken von sich wegzuschieben. Schließlich gab sie es auf und schlich an den kleinen Schreibtisch, holte ihren Laptop und begann das Konzept für ein neues Kinderbuch zu schreiben, das von Haselmäusen und Gartenzwergen handeln sollte und auf jeden Fall ein gutes Ende haben würde. Eine Stunde später kroch sie, als Eisklotz, zurück ins Bett.

Sechs

Als sie aufwachte, war es bereits nach sieben. Das Zimmer hatte sich endlich erwärmt und die Geister der Nacht waren auf- und davongeflogen. Schwungvoll stieß sie die Läden des Giebelfensters auf, um frische Luft hereinzulassen, auch wenn diese eiskalt war. Es war noch dunkel draußen. In der Nacht hatte es wieder geschneit und der Schnee schluckte die Geräusche der Stadt.

Clara drückte die Knie an die heiße Heizung und genoss den Blick von der Straßenseite des Hauses über Baden-Baden. Der Mond sorgte dafür, dass sie die Umrisse der Hügel klar erkennen konnte, die die Stadt umrahmten. Unter sich konnte sie den trutzigen Turm des Markgraf-Ludwig-Gymnasiums ausmachen, in dem sie zur Schule gegangen war, sowie die langgestreckte Zipfelmütze der Stiftskirche und dahinter erkannte sie die angestrahlten Säulen des Spielkasinos. Straßenlampen, Scheinwerfer, Bremslichter und Ampeln garnierten das Bild wie willkürlich verstreutes Konfetti und gegenüber auf dem Florentinerberg war das so genannte Neue Schloss verhüllt wie eine Skulptur von Christo. Laut Claras letztem Wissensstand hatte eine reiche Familie aus Kuwait den ehemaligen Sitz der Markgrafen von Baden gekauft und wollte ihn in ein Luxushotel umwandeln. Das gigantische, hell schimmernde Zelt sollte die sensiblen Arbeiten am Dachstuhl des Gebäudes schützen.

Clara runzelte die Stirn. Was ging sie der Klatsch der Stadt an! Sie hatte mit Baden-Baden nichts mehr zu tun und würde, sobald hier alles geregelt war, wieder nach Hause fahren.

Nach Hause? Wie gestern grub sich eine unsichtbare Faust in ihren Magen. Sie hatte kein Zuhause mehr. Ob Jan und Britta in diesem Augenblick den Hightech-Espressovollautomaten angeworfen hatten? Oder waren sie im Whirlpool oder gar noch im Bett? Bloß nicht darüber nachdenken! Spätestens in einer Woche würde Jan ihre gemeinsamen Gespräche vermissen, ihre Kochkunst und überhaupt alles, was ihnen zusammen Spaß gemacht hatte. Britta konnte noch nicht einmal eine Salatsoße anmachen und über kaum etwas anderes als über Sport und unverständliche Musikrichtungen reden – zumindest war das während der wenigen Gelegenheiten so gewesen, bei denen sie in den letzten Jahren aufeinandergetroffen waren. Das würde ihm schnell langweilig werden. Ja, bestimmt würde er in einer Woche hier vor der Tür stehen. Spätestens. Aber sie würde sich nicht umstimmen lassen. Es war aus, und sie würde ihn nicht zurücknehmen. Selbst wenn er darum betteln würde ...

Ach was – Träume waren das! Die Jugend hatte wieder einmal gewonnen. So war das eben. Das musste sie akzeptieren, *basta*.

Sie schloss das Fenster, zog sich schnell an und unterstützte dann ihren Vater beim Aufstehen. Wie dünn und leicht er war! Nur Haut und Knochen. Es war ihm anzumerken, wie unangenehm es ihm war, sich helfen lassen zu müssen, wie er jedoch gleichzeitig unendlich dankbar war, dass jemand hier war und ihn versorgte. Als sie ihn auf die Beine zog und ihm die Krücken reichte, stöhnte er leise, weigerte sich aber zuzugeben, dass er Schmerzen hatte.

Liebevoll brachte sie ihn ins Bad und wartete ein wenig ungeduldig, bis er signalisierte, allein zurechtzukommen. Dann hastete sie auf Zehenspitzen zur Spiegelkommode im Elternschlafzimmer, auf der wie eh und je das Schmuckkästchen stand. Es war mit dunkelrotem Leder bezogen und hatte die Größe einer Schuhschachtel. Ihr schlechtes Gewissen schlug laut, als sie die Hand ausstreckte. Von klein auf war es ihr strikt untersagt gewesen, diesen Gegenstand zu berühren, nachdem ihre Mutter sie einmal ertappt hatte, wie sie das Märchen von Ali Baba und den vierzig Räubern nachgespielt und den gesamten Schatz im Kinderzimmer unter einem Berg von Kissen vergraben hatte. Dies war das einzige Mal gewesen, dass ihre Mutter eine gewisse Gefühlsregung gezeigt hatte: Sie hatte ihr eine Ohrfeige gegeben und sie ohne Abendessen ins Kinderzimmer gesperrt.

Clara hatte ihre Mutter, eine geborene von Hohenstein, stets glühend um die wundervoll schimmernden und glänzenden Stücke beneidet, die sich seit Generationen in Familienhand befanden und die sie schon als junges Mädchen von ihrer Großmutter geerbt hatte: antik ziselierte Ringe, filigrane Granatbroschen, dicke Perlenketten, Edelsteinarmbänder, mit Brillanten und Saphiren besetzte Ohrringe ... Ihre Mutter hatte sich immer geweigert, die Stücke in einen Safe zu geben.

»Ich brauche sie zu oft«, hatte sie das Thema schroff beendet, als Paps es einmal in Claras Beisein angeschnitten hatte, und es stimmte auch: Sie trug zu jeder Tageszeit Schmuck, selbst zur Gartenarbeit. Manchmal wechselte sie ihn zweimal am Tag, je nachdem, was ihr gerade durch den Kopf ging oder ob Gäste kamen, Reporter vorbeischauten oder Besucher den Garten besichtigen wollten. Nur die dünne, silberne Halskette mit dem kleinen Schlüssel hatte sie niemals abgelegt, selbst nachts nicht.

Hier war sie nun, die Kassette, direkt vor ihr. Wie still es plötzlich war! Wenn sie sich anstrengte, konnte sie im Bad leises Plätschern vernehmen und das entfernte Rumpeln der Heizungsanlage im Keller. Der Wecker auf dem Nachttisch tickte hingegen unerträglich laut; es klang wie: »Tu's nicht. Tu's nicht ...« Draußen fuhr ein Auto vor, der Motor klang dumpf, Reifen knirschten auf einem Stück Harsch. Eine Wagentür klappte, dann hörte sie das Schrappen eines Schneeschiebers.

Das Herz klopfte Clara bis zum Hals. Sollte sie wirklich nachsehen? Es würde leider nicht ausreichen, die Schatulle einfach ungeöffnet hochzuheben, um anhand des Gewichts zu prüfen, ob sie noch voll war, denn unter dem Lederbezug verbarg sich schweres Metall.

Ging es sie überhaupt etwas an, ob der Schmuck noch da war? Doch! Sie musste wissen, ob sie diesem Gregor trauen konnte. Einen besseren Beweis würde sie nicht finden. Trotzdem kam sie sich wie eine Diebin vor, als sie den Deckel endlich zaghaft berührte.

In dem Moment pochte ihr Vater mit der Krücke gegen die Badezimmertür. »Ich bin fertig, Bella, kommst du bitte?«

Ihre Finger zuckten zurück, als hätte sie sich verbrannt. Es war ein Omen, dass Vater sich ausgerechnet jetzt bemerkbar machte, es war nicht der richtige Zeitpunkt, nicht jetzt. Heute Abend vielleicht.

Aberglaube! Sie sollte aufhören, an solche Zeichen zu glauben. Sie würde die Kassette öffnen, sich den Schmuck ansehen und den Deckel wieder schließen. *Basta!*

»Bella?«

»Ich komme!«

Fast schon im Weggehen zuckten ihre Finger zum Deckel und schnalzten ihn hoch. Ungläubig zwinkerte sie, dann zwang sie sich, erneut hinzusehen.

Beim Frühstück nahm sie all ihren Mut zusammen.

»Wo ist eigentlich Mutters Schmuck?«, fragte sie möglichst beiläufig, während sie ihrem Vater Kräutertee eingoss.

Er lächelte hilflos. »Wie meinst du das?«

»Die Kassette ist leer.«

»Hast du nachgesehen? Hm. Vielleicht hat sie ihn irgendwo verwahrt.«

»Weißt du, ob sie ein Bankschließfach gemietet hat?«

»Ach Kind, ich habe mich seit meinem ersten Herzinfarkt gar nicht mehr um finanzielle Dinge gekümmert, muss ich gestehen. Damals hat deine Mutter wochenlang alles allein erledigen müssen und danach hat sie stillschweigend weitergemacht. Ich war ihr sehr dankbar dafür. Früher war es einfacher, Geld zu verwalten. Da konnte man es aufs Sparbuch legen und wusste, es brachte Zinsen. Heute muss man sich mit Aktien, Obligationen, Festgeld, Anleihen, Schuldverschreibungen, Rentenfonds, Wertpapieren und Kurswechseln auskennen und dann auch noch Steuerersparnisse ausloten. Das ist nichts mehr für einen alten Mann, der nur noch seine Ruhe haben will.«

»Paps, mach dich nicht älter, als du bist!«

»Alt werden beginnt damit, freiwillig Verantwortung abzugeben und sich bewusst dafür zu entscheiden, gewisse Dinge nicht mehr lernen zu wollen. So gesehen müsste ich hunderteins sein!«

»Papperlapapp. Du bist vielleicht körperlich schwach, aber um deinen Verstand kann dich jeder beneiden. Weißt du noch, wie wir früher um die Wette Gedichte aufgesagt haben? Wenn wir damit anfangen würden, wären wir heute Mittag noch nicht fertig, und du würdest haushoch gewinnen. Genau wie im Schach.«

»Ja, ja. Die Freuden eines alten Mannes. Die machen dieses Haus aber nicht warm oder bringen den Schmuck zurück. Wo könnte er nur sein? Kannst du deine Mutter nicht einfach fragen, wenn du nachher in der Klinik bist?«

Clara merkte, wie sie rot wurde. Niemals könnte sie ihrer Mutter erklären, dass und warum sie nachgesehen hatte. Es würde wieder Streit geben und das wollte sie nicht. Fieberhaft suchte sie nach einem anderen Thema, aber ihr fiel nichts ein. Sie sehnte sich nach dem gewohnten Tageshoroskop.

»Habt Ihr die Zeitung noch abonniert?«

»Normalerweise bringt Gregor sie morgens mit herein, wenn er mit Brötchen kommt und mit mir frühstückt. Schade, dass er heute nicht hier ist. Meinst du, du könntest noch einmal mit ihm reden? Du findest ihn im Antiquariat.«

Clara durchfuhr es eiskalt. »Wo?«

»Im Antiquariat Morlock.«

»Du meinst ...« Clara brauchte eine Sekunde, um zu begreifen: »Er ist Helmuts Sohn?«

»Wusstest du das nicht? Ich dachte, das sei der Grund gewesen, warum du gestern so heftig geworden bist. Ich weiß ja, wie du damals gelitten hast.«

»Das ist Jahrzehnte her und Helmut ist tot. Ein Unfall, nicht wahr?«

»Ja. Frühmorgens auf der Schwarzwaldhochstraße. Wahrscheinlich war er zu schnell gewesen oder ...«

»Zu schnell! Typisch. Genau so war er. Verdammt.«

»Siehst du, es nimmt dich immer noch mit. Entschuldige bitte, ich hätte nicht davon anfangen sollen.« Ihr Vater legte seine Hand mit den steifen knotigen Fingern leicht auf ihren Arm und streichelte sie unbeholfen.

Clara ließ ihn gewähren. Sie spürte in sich hinein und fand – nichts. Keine Trauer, kein Mitleid, keine Genugtuung, nur gleichgültige Leere, und das erschreckte sie mehr als alles andere. »Ich gebe zu, der Schluss war nicht gerade prickelnd, aber es ist vorbei, schon so lange.«

»Armes Kind!«

Sie versuchte ein Lächeln. Hoffentlich fragte er jetzt nicht nach Jan. Das würde sie nicht aushalten. Deshalb stand sie schnell auf. »Ich seh nach, wo die Zeitung ist.«

In der Halle war es immer noch eisig, obwohl sie vorhin den Heizkörper bis zum Anschlag aufgedreht hatte. Sie fasste ihn an, er war immer noch kalt. Hatte ihn jemand aus Sparsamkeitsgründen abgeklemmt?

Darum würde sie sich später kümmern. Sie zog ihren ebenfalls kalten Mantel über und schloss die Haustür auf, um zum Briefkasten am Gartentor zu laufen, doch auf der Fußmatte lag eine Tüte mit Brötchen, darunter die Zeitung. Der Weg zur Straße war geräumt, der Gehsteig vor dem Eisenzaun ebenfalls. Dieser Gregor wurde ihr allmählich unheimlich. Warum tat er das? Was verband ihn mit ihren Eltern? Konnte ein Sohn Helmuts überhaupt ein anständiger Mensch sein?

Clara hielt ihr Gesicht der kalten Sonnenscheibe entgegen, die gerade in der Senke zwischen Merkur und Staufenberg aufging, und entließ mit einem kleinen Seufzer ein Dampfwölkchen in die eisige Luft. Es war nie gut, in die Vergangenheit zurückzukehren. So viele Wunden. So viele unvollendete Geschichten. Die mit Helmut würde sie nie mehr abschließen können. Dabei wäre sie stolz gewesen, ihm ihre Bücher zu zeigen, all seinen Unkenrufen zum Trotz! Seine Bemerkung hatte damals den Ausschlag gegeben, dass sie unter einem Pseudonym schrieb. Aber eines Tages hatte sie in seinen Laden zurückkehren wollen wie in Dürrenmatts »Besuch der alten Dame«.

Auf dem Weg zur Bibliothek blätterte sie das Lokalblatt durch, aber sie fand kein Horoskop. Fast kam sie sich vor, als sei sie nun schutzlos dem Tag ausgeliefert, und sie musste über sich selbst lachen. Vor Jahren hatte sie angefangen, Horoskope zu lesen, und nun war es ihr so in Fleisch und Blut übergegangen, dass sie sich schon komisch fühlte, wenn ihr ein einziges Mal keines den Weg durch den Tag wies? Eigentlich war das lächerlich.

Aber es musste sein.

Da das Haus über keinen Internetanschluss verfügte und sie kein Analog-Modem besaß, würde sie sich gedulden müssen, bis sie in der Stadt oder in der Klinik war und eine andere Zeitung kaufen konnte. Plötzlich konnte es ihr gar nicht schnell genug gehen, ihren Vater in eine gemütliche Position auf dem Sofa zu verfrachten und loszufahren.

Der bequemere Weg ist nicht immer der bessere. Heute neigen Sie dazu, sich wie ein anlehnungsbedürftiges Kind zu benehmen oder sich zumindest so zu fühlen. Genießen Sie es, umsorgt zu werden! Falls niemand Geeigneter zur Stelle ist, sollten Sie jedoch selbst dafür sorgen, dass Sie sich rundherum wohlfühlen.

So war es schon besser. Clara saß auf der Holzbank vor der Intensivstation und versuchte sich zu entspannen. Es war zwar nicht das Horoskop aus der gewohnten Münchner Zeitung, aber besser als nichts. Trotzdem war sie weit davon entfernt, etwas zu *genießen* oder sich *wohlzufühlen*. Sie musste wieder einmal warten, diesmal auf einen Arzt, ohne den man sie nicht zu ihrer Mutter vorlassen wollte. Die Zeitung hatte sie schon durch, aber immer noch tat sich nichts.

Um sich abzulenken, begann Clara, im Geiste das Mittagessen zusammenzustellen. Es würde etwas Leichtes geben. Hähnchenbrust vielleicht. Dazu Champignons und Reis. Paps brauchte mittags etwas Warmes. Und für abends Brot und mageren Schinken.

Immer noch nichts. Nur ihr Magen begann zu rumoren.

Weitere zehn Minuten waren vergangen, seitdem sie zum vierten oder fünften Mal an der Stationstür geklingelt hatte. Diesmal war der Pfleger ziemlich pampig gewesen. Beim nächsten Mal würde er wahrscheinlich gar nicht mehr zur Tür kommen. Wozu brauchte sie überhaupt einen Arzt, wenn sie einfach nur still ans Bett ihrer Mutter huschen wollte? Hatte es Komplikationen gegeben?

Endlich öffnete sich die Tür. Diesmal näherte sich eine Göttin in Weiß, schwarzhaarig, jung, frisch, fröhliches Gesicht. Clara fiel ein Stein vom Herzen. Jemand, der so zuversichtlich aussah, würde keine schlechten Nachrichten überbringen, also musste es ihrer Mutter bessergehen. Bestimmt war der gestrige Anfall längst vergessen, auskuriert, und sie schlief einfach nur, deshalb durfte niemand zu ihr. Wenn es die Ärztin bis zur Bank schaffte, ohne auf die Linoleumfuge zu treten, dann war alles gut.

Gespannt starrte Clara auf den Boden. Direkt vor ihr zerquetschte der weiße Schuh all ihre Hoffnungen und sie sackte ein Stück in sich zusammen. Was, wenn ihre Mutter tot war? Wie sollte sie das ihrem Vater beibringen? Sechsundfünfzig Jahre waren sie nun schon fast auf den Tag genau verheiratet. Selbst wenn es keine besonders glückliche Ehe gewesen war – wie sollte ein Einundneunzigjähriger ohne seine Lebensbegleiterin existieren? Und wo?

Der zweite Schuh stellte sich neben den ersten. Birkenstock. Der Kittel der Frau war weiß wie ein Hochzeitskleid. Ihre Augen aufmerksam und klar, stahlblau, kein Mitleid. Das war schon mal gut.

Clara erhob sich halb, doch die Ärztin machte eine Handbewegung und setzte sich zu ihr.

»Sie sind die Tochter von Frau Funke?«

Clara nickte und versuchte, etwas herunterzuschlucken, das ihren Hals wie ein trockenes Papiertaschentuch verstopfte.

»Sie können heute nicht zu ihr. Sie braucht Ruhe. Wir haben sie gestern intubiert und in ein künstliches Koma versetzt.«

Clara nickte wieder. Etwas anderes fiel ihr nicht ein.

»Kommt sie durch?«, hörte sie sich mit fremder Reibeisenstimme fragen.

Eine Hand legte sich auf ihre Schulter, schwer wie Beton. »Wir wissen es nicht. Wir können nur hoffen. Und selbst wenn – sie würde ein Pflegefall sein.«

Dieser Kloß im Hals drohte, sie zu ersticken. Sie räusperte sich, aber es half nichts.

Der Druck auf ihre Schulter verstärkte sich. »Morgen können Sie zu ihr. Reden Sie mit ihr. Es ist wissenschaftlich nicht bewiesen, aber wir glauben, dass Komapatienten hören, wenn man mit ihnen spricht. Es wird Ihrer Mutter guttun. Es tut mir leid.«

Clara versuchte, sich gerade zu halten, als die Ärztin ihre Hand wegnahm und aufstand.

»Wollen Sie beten? Die Kapelle befindet sich am Ende des Gangs im zweiten Stockwerk«, hörte sie noch, dann lehnte sie ihren Kopf zurück an die Wand und schloss die Augen.

Künstliches Koma, intubiert, wirbelte es in ihrem Kopf. Beten? In einer Kapelle? Seit ihrer Kindheit hatte sie nicht mehr gebetet. Es hatte ja doch nicht geholfen. Aber unwillkürlich glitten die Finger ineinander, und wenigstens ein inständiges »Bitte« gestattete sie sich. Dann stand sie auf und ging langsam den Gang entlang zum Aufzug. »Hähnchen, Champignons, Schinken, Brot«, murmelte sie sinnlos vor sich hin, nur um ihre Gefühle irgendwie im Zaum zu halten. Sie hatte Angst vor dem Sturm, der sie überfallen könnte, wenn sie sich ihren Erinnerungen an vergebliche Hoffnungen, an kindliche Sehnsucht nach Liebe, an Einsamkeit und Trotz hingeben würde.

»Hähnchen, Champignons, Schinken, Brot«, murmelte sie immer noch, als sie ihr Auto fast erreicht hatte. Die Vormittagssonne hatte mittlerweile eine hellgelbe Farbe angenommen und leckte an den Schneebergen am Rand des inzwischen geräumten Parkplatzes. Ihr rechter Fuß versank in einer Pfütze und sie humpelte die letzten Meter zum Auto. Nasse Kälte biss sich in ihren Zehen fest. Sie zog den Schuh aus, versuchte, den Strumpf auszuwringen, ohne ihn auszuziehen, und setzte sich auf den Fahrersitz. Dann starrte sie hinaus, ohne den Motor anzulassen.

Falls niemand Geeigneter zur Stelle ist, sollten Sie jedoch selbst dafür sorgen, dass Sie sich rundherum wohlfühlen.

Eine schwarze Katze jagte über den Platz, von links nach rechts.

Manchmal waren Horoskope zum Kotzen.

Sieben

Seit der letzten Begegnung mit Helmut hatte sie die Innenstadt gemieden, nur um ihm nicht mehr zu begegnen. Sie hätte allerdings auch wenig Gelegenheit gehabt, durch die vertrauten Straßen und Gassen zu schlendern, denn in der Regel war es spätestens beim Kaffeetrinken mit ihrer Mutter zum Streit gekommen und sie war Hals über Kopf abgereist.

Das war seit vielen Jahren so gegangen, nicht erst, seitdem Jan sie begleitet hatte, sondern auch früher schon, als sie noch mit Gerhard verheiratet gewesen und keine Kinderbücher geschrieben hatte, sondern brave Hausfrau gewesen war. Vier oder fünf Stunden hatten ausgereicht, alles über die neuesten Rosenarten zu hören und die immer gleiche Menüfolge für den Sonntag herunterzuwürgen: Rindfleischsuppe aus dem Beutel, Schweinebraten mit Klößen und zum Kaffee staubtrockener Streuselkuchen aus dem Tiefkühlregal, allen einstigen großartigen Backkünsten ihres Vaters zum Trotz. Wahrscheinlich war ihre eigene kulinarische Experimentierfreude aus dieser Not geboren worden. Von klein auf hatte sie sich ausgemalt, wie man Regelsätze im Nahrungsplan variieren und verbessern könnte, und sobald sie ihre erste Studentenbude bezogen hatte, hatte sie losgelegt.

Höhepunkte waren Hase in Schokoladensoße, Kalbfleischrouladen mit einer Füllung aus Pfefferminzbonbons und Roquefortkäse, Chili-Eis mit Rosmarin-Vanillesoße gewesen, dann hatte sich Simone erbarmt und ihr das erste italienische Kochbuch geschenkt. Heute machte ihr beim Kochen niemand mehr etwas vor.

Aber nun gab es Wichtigeres, als sich über Horoskope oder Essenspläne den Kopf zu zerbrechen.

Bestandsaufnahme: Mutter lag im Koma, wurde aber, wie es schien, gut versorgt. Geheimnisse würde sie ihr in der nächsten Zeit nicht entlocken können. Also sollte sie das nächste, vielleicht schwerer wiegende Problem in Angriff nehmen: das Fehlen des Familienschmucks und die undurchsichtige Rolle dieses merkwürdigen jungen Mannes, Gregor Morlock. Äußerlich war keine große Ähnlichkeit festzustellen, aber wenn er Helmuts Sohn war, war ihm ein Diebstahl zuzutrauen. Am besten, sie stellte ihn so bald wie möglich zur Rede. An seiner Reaktion würde sie schon erkennen, ob er schuldig war oder nicht. Andererseits hatte sie sich geschworen, nie mehr einen Fuß über die Schwelle des Antiquariats zu setzen. Selten war sie so gedemütigt worden wie dort.

Vergangenheit. Helmut war tot.

Vor dem Tunnel musste sie nach links in die Stadt einbiegen. Am Festspielhaus rangierten zwei Reisebusse und sie musste notgedrungen anhalten. Auf dem verschneiten Vorplatz flatterten Fahnen im Wind, die die weihnachtlichen Ballettauftritte des Mariinsky-Balletts aus St. Petersburg ankündigten.

Clara beugte sich über das Lenkrad. Es war ein architektonisches Meisterwerk gewesen, einen hochmodernen, klotzigen Neubau hinter der anmutigen, historischen Kulisse eines verspielten alten Bahnhofs zu verstecken. Wo vor langer Zeit Könige, Kaiser und Zaren zur Sommerfrische anreisten, fungierte die neoklassizistische ehemalige Bahnhofshalle der Stadt nun seit 1998 als stilvolles Entree für das zweitgrößte Opernhaus Europas. Auf den Transparenten über dem Vorbau stand, dass es Tschaikowsky geben würde. Nussknacker und Dornröschen. Das hätte Paps gefallen, schoss es ihr durch den Kopf. Schade, dass er keine Ausflüge mehr unternehmen konnte. Es war für sie als kleines Mädchen märchenhaft gewesen, sich an seinen steifen dunkelblauen Anzug zu kuscheln und sein Aftershave zu riechen, das er nur zu besonderen Anlässen auflegte. Nach den Aufführungen in Karlsruhe hatte er sie zu einem Glas schwarzem Johannisbeersaft in ein Restaurant ausgeführt, und bis heute war dieser Saft etwas ganz Besonderes für sie, seit mehr als vierzig Jahren.

Der Weg war wieder frei und Clara gab energisch Gas, als könnte sie die Vergangenheit mit quietschenden Reifen verjagen. Vierzig Jahre! Wäre ihr Leben anders verlaufen, könnte sie Großmutter sein.

Gleich am Beginn der Fußgängerzone gab es im Kaufhaus eine öffentliche Garage. Erleichtert folgte sie den Hinweisschildern, und feine Nadelstiche in ihrem Fuß gaben ihr den Gang durch die Abteilungen des Geschäfts vor: Trockene Strümpfe hatten Priorität; sie wechselte sie in einer Umkleidekabine.

Der nächste Weg führte sie in die nahegelegene Buchhandlung, fast schon automatisch, denn Bücher faszinierten sie, seit sie denken konnte. Sie waren ihre Heimat gewesen, hatten sie getröstet, in den Schlaf begleitet, sie am Schlafen gehindert, sie aufgeregt und zum Weinen oder Lachen gebracht. Und deshalb hatte sie schon früh eigene Zauberwerke erschaffen wollen. Ihren Puppen, den Stofftieren und sogar den Märchenfiguren auf der Kinderzimmertapete hatte sie immer neue Geschichten erzählt und sich geärgert, weil sie jeden Tag neue erfinden musste, solange sie noch nicht schreiben konnte. In der Schule hatte sie heimlich ihre Hefte von hinten her mit ausgedachten Abenteuern bekritzelt, doch das hatte ihre Mutter ihr schnell und gründlich ausgetrieben, denn das Schreiben war für sie noch schlimmer gewesen als alles Italienische. Da war nichts zu machen. Selbst Paps konnte nicht helfen. Deshalb hatte sie auch nach dem Abitur nur die Wahl gehabt, entweder Jura oder Medizin zu studieren, was ungefähr dasselbe gewesen war wie die Wahl zwischen Rosen stutzen und Unkraut jäten. Sie hatte Jura genommen, wenigstens für fünf Semester, bis sie Gerhard begegnet war. Wie hatte sie sich gängeln lassen! Und es war immer so weitergegangen.

Nein, darüber wollte sie nicht nachdenken. Nicht jetzt, nicht hier. Wohlig streifte sie um die Büchertische und Regale. Seit sie geschieden war, hatte sie weniger gelesen, dafür umso mehr geschrieben. Sie wollte und musste auf eigenen Füßen stehen, und es gab nichts Befriedigenderes für sie, als mit ihrer Fantasie und ihrer Erzählkunst Geld zu verdienen. Leider nie genug, um reich zu werden, und nun vielleicht gar nicht mehr? Sie konnte es immer noch nicht glauben, was der Verlag ihr geschrieben hatte.

»Führen Sie Bücher von Clara Freudenreich?«, erkundigte sie sich beim nächstbesten Buchhändler und war froh, dass sie unter Pseudonym schrieb, es also ausgeschlossen war, auf dem Einband mit Foto zu erscheinen. Es wäre doch peinlich, wenn dieser junge Mann sie dabei ertappte, wie sie sich nach ihren eigenen Büchern erkundigte!

Der Angestellte lief mit ihr zum Computer und tippte etwas ein. »Wie war der Name? Freudenreich? Hm.« Seine Finger tanzten erneut über die Tastatur, dann drehten sich die Handflächen nach oben.

»Nicht?«

Ein erneuter Blick auf den Bildschirm. »Tut mir leid, nicht auf Lager. Was genau suchen Sie? Ich kann direkt bestellen, das ist eine relativ unbekannte Autorin bei einem sehr kleinen Münchner Verlag. Dauert allerdings zwei bis drei Wochen.«

Clara stemmte ihre Hände in die Taille. Der Laden verschwamm vor ihren Augen. Unbedeutende Autorin? Kleiner Verlag? Das hatte sie bislang ganz anders gesehen. Aber sollte sie mit dem Angestellten streiten? Worüber? Warum?

Das Flimmern verebbte. Sie winkte ab und stolperte zum Ausgang. Nur weg von hier. Unbedeutende Autorin. Was bildete der Kerl sich ein. Das musste ein Missverständnis sein. Oder der Laden war schlecht geführt. Die ausgezeichnete Kinderbuchhandlung nahe des Gärtnerplatzes hatte alle ihre Bücher vorrätig gehabt, manche gleich dreifach, weil sie so gut verkauft wurden. Drei-, viertausend Euro hatte sie pro Buch und Jahr verdient, und das war erst der Anfang gewesen. Je mehr sie veröffentlichen würde, umso mehr Tantiemen würden sich anhäufen. So hatte sie es sich zumindest ausgemalt. Bis letzten Samstag.

Mit einer Mischung aus Wut und Verzagtheit stapfte sie durch den Schneematsch, der das Pflaster der Fußgängerzone in eine Rutschbahn verwandelt hatte. Merkwürdig, dass die belebte Einkaufsstraße nicht ordentlich geräumt wurde. Viele ältere Herrschaften tasteten sich ängstlich auf Stock oder Schirm gestützt dicht an den Schaufenstern entlang. Auch junge Mütter hatten ihre liebe Not, mitsamt ihren Kindern das Gleichgewicht zu halten. Und den hübschen Mädchen und eleganten Damen, die sich bereits mit zahlreichen noblen Einkaufstüten in der Hand vorsichtig trippelnd den Weg bahnten, sah man es an, dass sie Angst hatten, ihre feinen, teuren Stöckelschuhe zu ruinieren.

Clara war froh um ihre robusten Schuhe mit der dicken Sohle und dem moderaten Absatz und um die nun trockenen Strümpfe. Nicht sehr elegant, aber praktisch. Trotzdem musste auch sie vorsichtig laufen. Das Antiquariat lag am Ende der Straße an einer Kreuzung, gegenüber einer neuen Apotheke und dem Blumenbrunnen. Wehmütig glitt ihr Blick über die Auslagen und Schilder der Läden, die sie passierte. Baden-Badens City hatte sich im Laufe der Jahrzehnte sehr wenig einer austauschbaren Einkaufsmeile mit Filialen aller gängigen Ketten angenähert. Immer noch zeugte die unverwechselbare, schöne alte Bausubstanz vom Glanz vergangener Tage.

Als die verschnörkelte Fassade des einstöckigen Eckhauses in Sichtweite kam, das der Familie Morlock seit Generationen gehörte, fühlte sie sich besser. Die Zahl 1690 über dem Eingang tat kund, wie alt das Haus war, und tatsächlich kam ihr der Laden immer vor wie ein Schlupfloch in die gute alte Zeit. Die tiefen Sprossenfenster, über denen sich dicke, geflochtene kahle Äste des im Frühjahr üppig blühenden Blauregens entlangwanden, waren sicherlich unpraktisch, aber gehörten sie nicht unbedingt zu einem Antiquariat? Obwohl sie keine gute Erinnerung an den letzten Besuch hatte, freute sie sich nun doch, als sie die altmodisch geschwungene Klinke in die Hand nahm und die Tür aufstieß.

Ein Glockenspiel ertönte, aber niemand war zu sehen. Der ungeschliffene Holzboden knarrte leise, durch die Dielenritzen pufften winzige Staubwölkchen, als sie eintrat. Der Geruch nach Holz, Papier, Staub und Bohnerwachs umfing sie, und sie hätte sich nicht gewundert, wenn sie augenblicklich geschrumpft und in ein früheres Jahrhundert katapultiert worden wäre.

Wie sie diesen Ort – trotz allem – liebte! Die überfüllten schlichten Regale reichten bis an die Decke. Dicke, dünne, zerzauste und neuwertige Bücher warteten hier auf ihre Liebhaber, Lederrücken, zerfledderte Pappeinbände, Goldschnitt und preiswerte Taschenbuchausgaben. Altes Wissen, antiquierte Weisheiten, Klassiker, unbekannte Entdeckungen, gebraucht und manchmal wie frisch aus der Druckerei. Ein Universum, ein Tempel, eine Märchenhöhle.

Der Laden besaß drei hintereinanderliegende Räume. Der Hauptraum, in dem sie stand, erstreckte sich wie ausgebreitete Arme über beide Seiten des Hauses. Alte, verzierte Heizkörper spuckten mit leisem Gurgeln und Zischen eine glühende Hitze aus, so dass sie unwillkürlich an Mütze und Schal zerrte. Im nächsten, fensterlosen Raum, den man durch einen Rundbogen betrat, stapelten sich die Bücher nicht nur an Wandregalen hoch, sondern lagen auf kleinen Tischen und auf dem Boden, sogar auf gemütlich durchhängenden alten Sesseln, die wie in einer viktorianischen Teestube zum Verweilen und Schmökern einluden. Allerdings war es hier erheblich kälter als im Hauptraum. Der gusseiserne Ofen, der in diesem Raum den Mittelpunkt bildete, war nicht angeheizt. Ein Adventskranz lag darauf, ohne Kerzen, nur mit roten Schleifen geschmückt. Im Holzkorb daneben stapelten sich Zeitschriften und noch mehr Bücher.

Der angrenzende dritte Raum war mit einem schweren dunkelroten Samtvorhang abgetrennt. Dahinter waren Schritte zu hören, dann teilte sich der Stoff und Gregor Morlock erschien mit einem dampfenden Becher in der einen und einem Schreibblock in der anderen Hand. Die Flüssigkeit in dem Becher roch nach Zimt und Ingwer. Clara merkte plötzlich, dass sie Hunger hatte, und sah erschrocken auf die Uhr. Gleich zwölf! Das Mittagessen! Paps wartete. Sie sollte gehen. Schnell. Sofort.

Offenbar übertrug sich ihr Fluchtgedanke auf Morlock, dessen herzliches Begrüßungslächeln bei ihrem Anblick gefror und in dessen Augen sich ein Anflug von Vorsicht schlich. Bedächtig stellte er Becher und Block neben dem Adventskranz auf dem Ofen ab und steckte seine Hände langsam in die Taschen seiner ausgewaschenen Jeans, wo sie sich erkennbar zu Fäusten ballten. Abwartend musterte er sie.

Je länger Clara in sein verschlossenes Gesicht sah, umso unbehaglicher fühlte sie sich selbst. Sie konnte ihm schlecht auf den Kopf zusagen, welchen Verdacht sie gegen ihn hegte. Außerdem sah er wirklich nicht aus wie ein skrupelloser Schurke, sondern verletzlich und sensibel, nein, eher traurig. Statt ihn anzuklagen, würde sie ihn eigentlich lieber fragen, ob sie ihm helfen könnte. Paps hielt große Stücke auf ihn; vielleicht tat sie ihm unrecht.

Immer noch standen sie sich schweigend gegenüber, unschlüssig, ob sie wie Kampfhähne aufeinander losgehen oder in Ruhe einen Kaffee miteinander trinken sollten.

Der Holzboden knarrte, als Morlock seinen Stand wechselte. Dann schien er sich zu etwas durchgerungen zu haben.

»Dumm gelaufen, gestern. Ich hätte alles erklären ...«, begann er, und sie stammelte gleichzeitig: »Nein, nein, ich habe mich unmöglich benommen.«

Kaum war der Satz ausgesprochen, ärgerte sie sich schon darüber. Das hörte sich an wie eine Entschuldigung, dabei gab es keinen Grund dafür, überhaupt keinen. Im Gegenteil!

»Das stimmt allerdings«, bestätigte ihr Gegenüber auch noch und grinste breit, was ihn noch jungenhafter aussehen ließ.

Hätte er nicht höflich abwehren und es ihr damit wenigstens ein bisschen leichter machen können?

Vor ihren Augen begann es zu flimmern und ihre Hände fuhren in die Hüften. »Herr im Himmel, was haben Sie denn erwartet? Sie tauchen plötzlich auf und ... Also, Sie hätten wirklich ...«

»Regen Sie sich nicht auf!«

»Ich? Ich rege mich überhaupt nicht auf. Was haben Sie eigentlich mit meinen Eltern zu schaffen?«

»Ich versuche ihnen zu helfen, weil sie ja sonst niemanden haben.«

»Werfen Sie mir etwa vor, mich nicht genügend um sie zu kümmern? Das muss ich mir von Ihnen nicht gefallen lassen! Sie haben doch keine Ahnung!«

»Sie missverstehen alles, was ich sage.«

»›Absichtlich‹ haben Sie jetzt noch vergessen.«

»Ach, ich streite nicht mit Frauen in Ihrem Alter.«

»Wie bitte?« Clara blieb die Luft weg. Sie hatte sich verhört. Ganz bestimmt. »Das – das muss ich mir von Ihnen nicht sagen lassen. Sie, Sie ... Bürschlein!«

Gregor Morlock begann zu lachen. Erst war es nur ein leises Glucksen, das sich allmählich über seine Kehle in seinen Brustkorb schlich und dann seinen ganzen Körper zum Beben brachte. Mit einem Grunzen versuchte er sich zu beherrschen, und das machte Clara noch wütender. Sie stampfte mit dem Fuß auf und fuchtelte mit den Armen, damit er endlich aufhörte, sie auszulachen. Dabei fegte sie unabsichtlich den Becher vom Ofen.

Mit einem grässlichen Geräusch zerschellte er auf dem Holzboden. Braune, dampfende Flüssigkeit breitete sich aus und leckte nach einem der Bücherstapel. Eine Schrecksekunde lang herrschte Stille im Laden. Nicht einmal das Rutschen und Klacken der Absätze draußen vor der Tür war mehr zu hören, nur diese Stille. Das brachte Clara wieder zu Verstand. Mit brennenden Wangen bückte sie sich, um die Schriften in Sicherheit zu bringen und stieß dabei fast mit Morlocks Kopf zusammen, der sich ebenfalls auf den Boden kauerte und mit einem Papiertaschentuch ungeschickt Schadensbegrenzung betrieb.

»Es tut mir leid!«, flüsterte sie. »Wirklich! Das wollte ich nicht. Ich – ach, ich bin unmöglich. Entschuldigung.«

Er ließ die Scherben liegen, stand auf, nahm ihr die Bücher ab und legte sie beiseite, dann reichte er ihr die Hände und zog sie hoch. Seine Augenfarbe wechselte dabei von Novembergrau zu Taubenblau, wie es Clara noch nie zuvor gesehen hatte. Als Nächstes nahm sie einen Duft von Orangen und Sandelholz wahr, männlich und frisch, verwirrend. Als sich seine warmen Hände aus den ihren lösten und sich wieder in den Hosentaschen verkrochen, betrachtete Clara ihre Finger erstaunt, die sich mit einem Mal kalt und nackt anfühlten, und schon stieg erneut Ärger in ihr hoch, diesmal Ärger über sich selbst. Was hatte sie nur für Gedanken! Gregor Morlock war Helmuts Sohn! Jemand, der vielleicht ihre Eltern bestohlen hatte. Außerdem war er noch ein halbes Kind! Gerade mal um die Dreißig, so wie er aussah. Rührend vielleicht, aber doch nicht verwirrend!

»Ich muss Ihnen etwas geben«, murmelte Morlock, während er sich wieder auf den Boden kniete und die Scherben aufsammelte. Sein Gesicht färbte sich feuerrot, die Röte kroch ihm aus dem Rollkragen zu den Ohren, als stünde er in der Schule an der Tafel und wüsste die Aufgabe nicht mehr.

Clara spürte so etwas wie Mitleid aufsteigen – oder was sonst? Einen Funken Zuneigung? Nie und nimmer! Bloß nicht! So schuldbewusst, wie er dreinblickte, würde er gleich ein Geständnis ablegen. Da brauchte sie kein Mitgefühl, sondern einen Zeugen, ein Tonband zum Mitschneiden, einen Beweis …

Langsam hob er den Kopf. Seine Augen wurden wieder dunkelgrau, während er sich aufrichtete und die Scherben weglegte. Bedächtig wischte er sich die Hände an der Jeans ab, ging in den Hauptraum und öffnete eine Schreibtischschublade. Er konzentrierte sich darauf, den Inhalt zu durchwühlen. Währenddessen brummelte er etwas, das Clara nicht verstand, aber das Wort »Geld« fiel, das konnte sie ganz deutlich hören. Ihr Herz wummerte und sie stemmte ihre Hände in die Hüften, diesmal, um Halt zu finden.

»Sagten Sie Geld? Was für Geld?«

Er senkte den Kopf tiefer. »Es ist mir so peinlich«, murmelte er. »Aber ich brauche es wirklich dringend.«

»Aha! Und da haben Sie den Schmuck genommen …«

»Schmuck? Welchen Schmuck?« Das Rot auf Gesicht und Hals vertiefte sich. »Was – was denken Sie von mir? Hier, hier habe ich es!«

Mit einem erleichterten Seufzer drückte er ihr einige Blätter in die Hand. Zahlenkolonnen waren darauf aufgelistet. Zahlen hinter Daten und eng beschriebenen Zeilen.

»Lebensmittel«, las Clara, »Getränke, Dübel, Farbe, Markt, Reinigung, Dünger, Arbeitseinsatz, Stundenlohn, Brot, Metzger, Obst.«

Zeile um Zeile, Ausgabe um Ausgabe war aufgeführt, beginnend im Mai dieses Jahres. Am Ende mit Datum vom vergangenen Freitag stand die Summe: 4032 Euro.

»Du lieber Himmel!«, entfuhr es Clara.

»Ich kann alles belegen«, haspelte Morlock und kramte weiter, bis er mehrere Bündel Zahlungsbelege und Quittungen hervorzog. »Ich hätte gern gewartet, bis es Ihrer Mutter bessergeht, aber ich brauche das Geld jetzt.«

Clara wollte sich in einen Sessel sinken lassen, aber ein Bücherstapel auf der Sitzfläche hinderte sie daran, und so fuhr sie wieder hoch und starrte die Summe verwirrt an.

»Warum hat sie das nicht längst bezahlt?«, fiel ihr dazu nur ein.

Gregor hob seine schmalen Schultern. »Sie hat mir versprochen, dass ich es bekomme, das hat mir genügt. Ich, ich wollte nicht ständig nachfragen. Sie kennen sie ja. Und bis Mai habe ich ja Geld bekommen, manchmal sogar mit ein paar Euro Trinkgeld extra.«

»Sie haben seit Mai unentgeltlich gearbeitet und seit Oktober sogar die Einkäufe für meinen Vater bezahlt?«

Er nickte. Das Rot auf seinen Wangen ebbte langsam ab und hinterließ rührende, kreisrunde Flecken.

»Ich wollte ihn nicht beunruhigen. Für die Finanzen war ausschließlich Ihre Mutter zuständig.«

Clara kämpfte mit sich. Das hörte sich so unglaublich an, dass es fast wahr sein konnte. Mit den Quittungen schien alles in Ordnung zu sein. Wo aber war der Schmuck? War das hier ein Ablenkungsmanöver? Hatte er vielleicht ...

»Haben Sie für Ihre Forderungen ein Pfand genommen?«

»Aber nein. Es war ja auch okay. Nur jetzt ... Es ist wirklich dringend, sonst hätte ich Sie nicht gleich damit überfallen. Gott, ist mir das peinlich. Ach, entschuldigen Sie. Wie geht es Ihrer Mutter überhaupt?«

»Nicht gut«, sagte Clara, während sie überlegte, was sie tun sollte.

Die Forderung war offenbar berechtigt und musste beglichen werden. Aber wie? Sie selbst war schon seit einer Woche in den roten Zahlen und es waren so schnell keine Einnahmen zu erwarten.

Ach, was machte sie sich nur immer für Gedanken. Natürlich brauchte sie nichts aus eigener Tasche zu bezahlen. Sie war nicht verpflichtet, persönlich für die Schulden ihrer Mutter zu haften. Sie brauchte nur eine Vollmacht für das Konto ihrer Eltern, und schon würde sie Morlock die Summe auf Heller und Pfennig aushändigen. Noch heute Nachmittag. Es war ganz einfach.

Acht

»Vollmacht? Von mir? Warum gibt dir deine Mutter keine?«, fragte Paps erstaunt und verschaffte sich mit einer Gabel Reis eine kleine Pause.

Er mümmelte auf dem Bissen herum, als gäbe es nichts Wichtigeres auf der Welt. Clara wurde klar, dass er – obwohl sie ihn gerade erst möglichst schonend von ihrem deprimierenden Besuch in der Klinik unterrichtet hatte – die ganze Wahrheit im Augenblick nicht hören wollte. Er wollte so tun, als könnte seine Frau schon am nächsten Tag wieder zur Tür hereinspazieren und den gewohnten Unfrieden stiften. Etwas anderes würde er erst akzeptieren, wenn es unvermeidbar war.

Liebevoll beobachtete sie, wie er sorgfältig ein kleines Stück Hähnchenbrust abschnitt und es in Zeitlupe zum Mund führte. Ein Tropfen Soße kleckerte auf seine Jacke. Am liebsten hätte sie ihm das Fleisch klein geschnitten oder die Serviette um den Hals gebunden. Sie hatte ihn zu Beginn der Mahlzeit gefragt, ob sie ihm helfen solle, und er hatte abgelehnt. Würde sie jetzt eingreifen, käme dies einer entwürdigenden Bevormundung gleich. Sie an seiner Stelle würde sich auch wünschen, dass man kleine Malheure ignorierte, auch wenn gezieltes Wegsehen in diesem Fall wirklich schwerfiel.

»Gregor Morlock hat seit Mai kein Geld bekommen«, sagte sie deshalb nur.

Ihr Vater hörte auf zu kauen, starrte sie an, schob seine große eckige Brille zur Nasenwurzel zurück, machte ein unglückliches Gesicht und mümmelte weiter. Er würde nur mit leerem Mund antworten, das wusste sie. Ungeduldig wartete sie und war gleichzeitig gerührt, weil er sie an ein possierliches Eichhörnchen erinnerte.

»Könnte ich bitte etwas Weißwein bekommen?«, fragte Paps schließlich. »Es müsste noch von Samstag eine Flasche offen sein, als Gregor hier war.«

Wortlos stand Clara auf und versuchte in der Küche, ihre Nerven zu beruhigen. Sie musste sich seinem Tempo anpassen, sagte sie sich vor. Paps würde bestimmen, wann er über das Thema Geld reden wollte. Jetzt, während des Essens, jedenfalls nicht.

Während sie den Kühlschrank öffnete, fiel ihr Blick aus dem Fenster. Die Sonne schien auf den schneebedeckten Friedhofshang und die Dächer der Häuser im Tal. Wie friedvoll alles aussah, fast unwirklich, wenn man bedachte, dass auf der entgegengesetzten Seite der Stadt ihre Mutter gerade um ihr Leben rang.

Als sie die geöffnete Flasche fand, fiel ihr ein, was ihr Vater gerade gesagt hatte. Samstag? Dieser Tag war in Morlocks Aufstellung nicht enthalten gewesen. Täuschte ihr Vater sich etwa? Nein, auf sein Gedächtnis war noch immer hundertprozentig Verlass. Also hatte Morlock nicht alle Tage aufgeführt, an denen er für ihre Eltern tätig gewesen war. Aber warum nicht?

In der Diele suchte sie die Liste aus ihrem Mantel und überflog sie. Tatsächlich. Er hatte nur die Gartenarbeit penibel mit Datum und Stundenanzahl abgerechnet, sonstige Tätigkeiten wie Einkaufen, Pflege des Vaters, Kochen waren zwar als Auslagen, aber nicht als Arbeitsleistung vermerkt. Merkwürdig. Niemand, zumal wenn er dringend Geld brauchte, machte all das aus reiner Menschenliebe und für Gotteslohn.

»Wie oft ist Gregor hier?«, fragte sie und legte die Aufstellung neben ihren Teller.

»Jeden Tag. Seit deine Mutter in der Klinik ist, haben wir immer zusammen gegessen und abends Musik gehört. Er interessiert sich sehr für Klassik, weißt du? Ein feiner, gebildeter junger Mann.«

»Du hast ihm Vorträge über Musiktheorie gehalten.«

»Hast du von einem alten Musiklehrer etwas anderes erwartet?«, kicherte Paps. »Er war sehr aufmerksam und hat sich am Unterricht rege beteiligt.«

Clara beugte sich vor und gab ihrem Vater einen Kuss auf die Stirn, die nach Babycreme duftete. Dann schenkte sie ihm ein. Einen Fingerbreit, wie üblich.

Er nahm einen Schluck, spülte ihn im Mund hin und her, machte Beißbewegungen und nickte dann mit leuchtenden Augen.

»Welche Bezahlung hast du mit ihm dafür vereinbart, dass er dich täglich versorgt?«

Aber ihr Vater hatte schon wieder einen Happen in den Mund balanciert und gab sich mit allen Sinnen dem Essgenuss hin. Clara seufzte. Dann musste das Thema eben warten. Kein Problem. Es war ja nur eine Formalität.

»Ganz köstlich«, murmelte Paps und führte die nächste Gabel zum Mund.

Er besaß nicht mehr viele Zähne, war aber sehr stolz darauf, dass die wenigen seine eigenen waren. Es würde also eine Weile dauern, bis er aufgegessen hatte.

Clara langte ebenfalls zu. Man schmeckte den Estragon etwas zu stark heraus, ansonsten war sie mit sich zufrieden.

»Und jetzt einen Bohnenkaffee!«, wünschte sich ihr Vater irgendwann und schob den leeren Teller einen Zentimeter von sich weg.

»Aber dein Herz! Ich hol dir Tee.«

Enttäuscht verzog er den Mund. »Na schön. Du machst schon alles richtig.«

Clara konnte nicht anders als ihm erneut einen Kuss auf die Stirn zu drücken. »Ich will doch nur, dass du hundert wirst.«

»Meinst du wirklich, ein klitzekleiner Kaffee würde mich daran hindern?«

Lachend gab sie sich geschlagen und trug das Geschirr in die Küche.

»Aber nur, wenn es dir nicht zu viel Umstände macht. Möchtest du dich vielleicht erst einmal hinlegen? Ich kann auch warten!«, rief er ihr nach.

Als sie mit ihrem Espressokocher und zwei Mokkatässchen zurückkehrte, studierte er gerade mit gerunzelter Stirn Gregor Morlocks Auflistung.

»Das sind ja über achttausend Mark!«, flüsterte er und sah hilflos zu ihr hoch. »Wo bekommen wir nur so viel Geld her?«

»Mit der Vollmacht regle ich das. Mach dir keine Gedanken!«

Paps legte sein Gesicht in bedenkliche Falten. »Ich weiß nicht«, murmelte er. »Ich habe kein gutes Gefühl. Hat das nicht Zeit, bis deine Mutter gesund ist?«

Clara unterdrückte ein »Das wird sie nicht mehr« und berichtete ihm, dass Gregor das Geld dringend brauchte. »Er kann nicht länger warten, glaube ich.«

»Das ist natürlich etwas anderes«, beschloss Paps daraufhin und diktierte ihr aus dem Kopf Kontonummer, Bankleitzahl, Adresse der Bank sowie Namen und Telefonnummer des Kundenbetreuers. Dann trank er seine Tasse aus, setzte schwungvoll seine Unterschrift auf das Blatt und ließ sich von Clara zur Couch geleiten, wo sie ihn zärtlich zudeckte.

Draußen war es nicht mehr so kalt, die Sonne wärmte und brachte den Schnee zum Schmelzen. Es tropfte und gluckerte überall. Wahrscheinlich war es in ein, zwei Tagen wieder vorbei mit der weißen Pracht und das Wetter an Weihnachten würde wie üblich grau und trostlos sein. Die Treppenanlagen, die in die Stadt hinunterführten, waren nur notdürftig geräumt, so dass Clara langsamer vorankam, als ihr lieb war.

Endlich hatte sie den Augustaplatz erreicht. Wo übers Jahr ein Springbrunnen sprudelte, hatte man eine Eisarena aufgebaut, die mit pinkfarbenen Balustraden und einem pseudoalpinen Festzelt ausgestattet war. Johlend und kreischend tummelten sich Kinder und Jugendliche auf der Fläche. Wie praktisch das war, so mitten in der Stadt! Als sie jung gewesen war, hätten sie für diese Art Wintervergnügen lange Fußmärsche oder Busfahrten in Kauf nehmen müssen. Das war ihr immer zu umständlich gewesen, obwohl sie Schlittschuhlaufen gern ausprobiert hätte.

Wieder einmal plagte sie Wehmut über all die kleinen verpassten Chancen von Lebensfreude. Selbst wenn sie könnte, würde sie sich heute nicht aufs Glatteis begeben. Leute in ihrem Alter auf Kufen machten sich nur lächerlich oder brachen sich alle Knochen. Schade eigentlich. Aber irgendwann war es eben vorbei mit dem Spaß.

Sie hatte die Bank erreicht und als sie in die protzige Eingangshalle trat, wurde es ihr wie so oft in Geldinstituten unbehaglich, und das nicht erst, seitdem alle Welt über Bankenkrise und Verschwendung irrsinnig hoher Geldsummen lamentierte. Alles hier war eine Nummer zu groß, zu edel, zu teuer. War es nicht ein Widerspruch in sich, wenn ausgerechnet Banken so unbekümmert mit Geld umgingen? Wenn sie Spareinlagen hätte, würde es ihr ein bedeutend besseres Gefühl geben, wenn ihre Bank auch nach außen signalisieren würde, dass man möglichst viel vom Gewinn an die Kunden zurückgeben und nicht ins eigene Ego stecken wollte. Aber es war irrelevant, was sie dachte; sie hatte keine Spareinlagen, würde niemals welche besitzen, und außerdem war dies die Bank ihrer Eltern.

Etwas orientierungslos sah sie sich nach einem Ansprechpartner um. Überall waren kleine Stehtische und Besprechungsgruppen verstreut, nirgendwo war zu erkennen, wo man sich anstellen und warten konnte, bis man an der Reihe war. Endlich bekam sie zu einer vornehmen Angestellten Blickkontakt.

»Ich möchte zu Herrn Gänßhirt.«

Die Frau zog die Augenbrauen hoch. »Herrn Gänßhirt? Sind Sie sicher?«

Natürlich war sie das! Auf Paps' Gedächtnis war Verlass. »Der Kundenbetreuer meiner Eltern. Katharina und Friedrich Funke. Ich habe eine Vollmacht.«

Madame machte sich ausdruckslos Notizen, dann stöckelte sie davon und verschwand leise hinter einer Tür.

Wenig später erschien ein korpulenter Glatzkopf mit glänzendem Gesicht, fleischigen, feuchten Lippen und lustigen Schweinsäuglein.

»Sieh an, sieh an«, trompetete er. »Clara! Erinnerst du dich an mich?«

Sie bemühte sich, aber da war nichts. Sie kannte niemanden mit Namen Gänßhirt. Und erst recht keinen glänzenden Gummiball.

Er ergriff ihre Hand und bewegte sie wie einen Pumpschwengel. »Du musst dich erinnern! Wir saßen im Markgraf-Ludwig-Gymnasium nebeneinander. Na? Oder soll ich dir helfen?«

Clara war immer noch sprachlos und spreizte ihre Finger, um sich aus dem Griff zu lösen.

»Komm erst einmal in mein Büro!«, rief der Mann. »Wie schön, wie schön.«

»Joachim Oesterle. Kreditabteilung«, stand an der Tür.

»Joe?«, versuchte Clara.

Lieber Himmel, der Pickelheini, der den Mädchen in der Vorderbank hinterhältig mit einem Handgriff durch den Pullover den BH-Verschluss im Rücken gelöst hatte? Der ihnen mit einem Lineal die Miniröcke hochgehoben hatte? Joe, der Petzer? Der Streber? Der …?

»Bingo! Du kannst dich an mich erinnern.«

Nein, das konnte sie nicht. Nur der Name sagte ihr etwas, nicht aber dieses alte Dickerchen. Joe war klapperdürr gewesen und hatte dunkle, meist fettige Haare gehabt. Ein Mathegenie, und genau deshalb hatte sie es geduldet, dass er neben ihr saß. Er hatte immer feuchte Hände gehabt, wenigstens die hatte er auch heute noch.

»Ich wollte Herrn Gänßhirt sprechen.«

»Das habe ich gehört. Nimm Platz. Sieh dich um. Schönes Büro, nicht wahr? Ja, ich bin zufrieden.«

Messing, Marmor, Glas auch hier, dazu Kirschholzmöbel, das Beste vom Feinsten.

Keinen Cent würde sie Joe anvertrauen, selbst wenn sie einen übrig hätte.

»Hier ist die Vollmacht. Meine Mutter liegt im Krankenhaus, ich muss ein paar finanzielle Dinge regeln.«

»Oh ja«, sagte Joe, mehr nicht. Er nahm das Blatt Papier, las es und schob es ihr wieder zu. »So geht das nicht. Deine Mutter muss die Vollmacht persönlich unterschreiben. Ich gebe dir ein Formular mit.«

Immer noch der alte Prinzipienreiter. Hatte Joe früher nicht immer nach Schweiß gerochen?

»Sie liegt im Koma.«

Joe beugte sich erneut über den Zettel, dann drehte er sich halb um und tippte etwas in den Computer. Konzentriert starrte er auf den Bildschirm. »Oh«, sagte er noch einmal, sehr leise, und es klang bedrohlich.

Dann tippte er weiter und wartete erneut.

Wieder ein Blick auf den Zettel, dann auf sie. Diesmal glitt sein Blick über ihren Körper. Oh Mann! Er wusste doch, dass sie das nicht ausstehen konnte! Sie hatte ihn als Schülerin oft genug deswegen angeschrien. Demonstrativ verschränkte sie wie früher die Arme und starrte zurück.

»Funke? Du bist nicht verheiratet? Oder hast du deinen Mädchennamen behalten?«

»Geschieden.«

Er nickte, als hätte er es immer schon kommen sehen. Allmählich begann es vor ihren Augen zu flimmern. Sie versuchte tief auszuatmen, aber es half nichts. Sie konnte nichts dagegen machen, dass ihr die Wut vom Bauch in den Kopf schoss. »Wozu willst du das alles wissen?«

Er reagierte nicht, sondern starrte wieder auf den Bildschirm, drückte eine Taste, dann begann der Drucker neben ihm zu rattern.

»Hat deine Mutter eine Vorsorgevollmacht oder etwas Ähnliches ausgefüllt, bevor sie ins Krankenhaus kam?«

»Keine Ahnung. Du hast doch die Unterschrift meines Vaters.«

»Die Konten lauten aber auf deine Mutter. Ausschließlich. Und ich habe hier im Computer keine einzige Vollmacht, auch keine Verfügungsberechtigung für deinen Vater.«

»Zeig.«

»Das darf ich nicht.«

»Mach dich nicht lächerlich! Hör zu, ich brauche Geld, und zwar dringend. Nicht ich, sondern meine Eltern. Es gibt Rechnungen, die bezahlt werden müssen.«

»Das ist tragisch, aber ich kann dir nicht helfen. Kannst du nicht einspringen und das Geld auslegen?«

Meinte der Kerl jetzt, sie würde ihm, ausgerechnet ihm, auf die Nase binden, dass sie pleite war?

»Vielleicht kann mir Herr Gänßhirt weiterhelfen. Mein Vater ...«

»Gänßhirt ist vor drei Jahren ausgeschieden und seit zwei Jahren tot.«

»Das ... das gibt es doch nicht!«

»Und dein Vater hat sich seit Jahrzehnten nicht um die Konten gekümmert. Leider!«

»Was soll das heißen?«

»Dass sie überschuldet sind. Hast du unsere Schreiben nicht gelesen? Warum bist du nicht eher gekommen?«

Clara war froh, dass sie auf einem so komfortablen Stuhl saß. Trotzdem kam sie sich vor, als befände sie sich im freien Fall. Ohne Seitenlehnen wäre sie bestimmt weggekippt.

»Überschuldet?«

Hatte ihre Mutter sich an der Börse verspekuliert? Oder diesem Gregor alles überschrieben?

»Keine Ahnung, wovon du sprichst. Würdest du mich bitte aufklären?«

»Das geht ohne Vollmacht nicht.«

»Jetzt hör mit dem Mist auf, verdammt!«

»Psst. Nicht so laut.«

Clara fuhr aus dem Stuhl hoch und stemmte ihre Hände in die Hüften. »Nichts psst! Ich verlange Aufklärung. Was habt ihr mit dem Geld meiner Eltern gemacht? Habt ihr es unterschlagen? Haus und Grund sind ein Vermögen wert. Eins-A-Lage in Baden-Baden, ich bitte dich! Mein Vater erhält eine gute Pension und außerdem hat meine Mutter zu wirtschaften verstanden. Das ist eine Tatsache. Punkt. Das lasse ich mir nicht ausreden, und von dir schon gar nicht.«

Joe zuckte mit seinen breiten Schultern. »Geh nach Hause und such unsere Schreiben. Ich darf dir keine Auskunft geben. Wann seid ihr mit packen fertig?«

Clara wollte antworten, aber sie konnte nicht. Keinen Ton brachte sie heraus.

»Packen?« Ihre Stimme kiekste.

Er hob die Hände hoch, als müsse er sich verteidigen. »Ich kann nichts dafür. Wir haben deiner Mutter alle Hilfe angeboten. Sie ist ja nie zu uns gekommen.«

»*Würdest ... du ... mir ... bitte ... sagen ..., was ... du ... damit ... meinst?*«

»Psst! Reg dich nicht so auf. Setz dich wieder. Oder nein, ich schlag dir was vor. Aber nur wegen früher. Und du musst mir versprechen, dass du es nicht von mir hast, okay?«

Hatten sie ihn früher nicht rückgratloses Wiesel genannt? Clara blieb stehen und genoss es, auf diesen Wicht herabzusehen. Sie sagte gar nichts. Den Teufel würde sie tun und irgendetwas versprechen. Er wusste bestimmt noch, dass sie Versprechen immer hielt. Er führte doch etwas im Schilde, das spürte sie.

»Okay?«

Nein.

Er wartete noch einen Augenblick, dann seufzte er leise. »Okay. Das kann Folgen für mich haben, Clara, ich tue es nur aus alter Freundschaft. Pass auf. Ich gehe jetzt und hole dir ein Mineralwasser, *verstehst du*?«

Nein. Kein Wort.

»Jetzt guck nicht so! Muss man dich zum Jagen tragen? Mann! Sei nicht so begriffsstutzig! Kapier doch!«

Er sah bedeutungsvoll zum Drucker, in dem sich inzwischen etliche Papiere stapelten. »Von mir hast du sie nicht«, flüsterte er, dann stand er auf und verließ das Büro.

Mit einem Sprung war Clara am Schreibtisch und begann, die Ausdrucke durchzublättern. Erst langsam, dann immer schneller. Schulden? Das konnte nicht sein! Am Ende stand die Summe. Weit über eine halbe Million Euro. Minus. Das Haus mit Hypotheken belegt, Kredite nicht zurückgezahlt. Als Anhang gab es ein Bündel Schreiben, die die Bank verfasst hatte, ohne Antwortschreiben oder einen Gesprächsvermerk. Das war übel. Eine Katastrophe. Der Ruin der Familie Funke.

Schuld daran trug ihre Mutter mit ihrem unverantwortlichen Gartentick! Seit Jahrzehnten hatte sie das Haus beliehen und die Darlehen bestimmt nur aufgenommen, um ihre ehrgeizigen Gartenbauprojekte zu realisieren.

Clara erinnerte sich noch an einen Frühling Anfang der neunziger Jahre. Geländebagger waren mit einem riesigen Hebekran über das Haus hinweg in den von außen unzugänglichen Garten gesetzt worden, wo sie Erdmassen verschoben, einen Teich aushoben, und auf einem neu hinzugekauften abschüssigen Nachbargrundstück Terrassen anlegten. Für den Teich hatten hohe Stützmauern aus Beton gegossen werden müssen, die anschließend mit Natursteinen verkleidet wurden. Ihre Mutter war wie ein besessener Dirigent auf der Baustelle gestanden und hatte den Arbeitern mit leuchtenden Augen immer neue Anweisungen zugerufen.

Sie selbst hatte sich damals nicht weiter um den neuesten Spleen ihrer Mutter gekümmert, aber leider auch nicht um die unglückliche Miene ihres Vaters. Jetzt begann das schlechte Gewissen in ihr zu nagen. Hätte sie nicht einschreiten und Mutter fragen müssen, woher sie das Geld für all das nahm? Andererseits – wie hätte sie es wagen können, eine solche Frage zu stellen? Ihre Mutter wusste, was sie tat. Immer. Oder? Wie es aussah, hatte sie es irgendwann nicht mehr gewusst.

Kein Mensch verschuldete sich dermaßen für ein paar dornige Blumen. Das war – irre! Ihre Mutter hatte den Verstand verloren, und niemand hatte es bemerkt, nicht einmal die Bank. Und Paps? Ach, selbst wenn ihm etwas aufgefallen wäre – was hätte er schon unternommen? Niemals wäre er seiner geliebten Frau in den Rücken gefallen oder hätte irgendeine ihrer Entscheidungen in Frage gestellt. Armer, liebenswerter, lebensuntüchtiger Paps!

Hinter ihr klappte die Tür und Joe erschien. Vor seinen Spitzname hatten sie in der Klasse oft noch ein »Little« gestellt, was ihn sehr ärgerte, weil er doch immer der Beste, Größte, Schlaueste hatte sein wollen. Einer, der etwas zu sagen und zu entscheiden hatte, also jemand mit Macht.

Nun, in der Kreditabteilung einer Bank hatte er sein Ziel erreicht. Dafür war er erstaunlich nett.

»Schock verdaut?«, fragte er mit mitfühlender Miene und hielt ihr ein Glas Wasser hin.

Sie nahm es dankbar und trank einen großen Schluck. »Nicht so ganz. Das ist eine unermessliche Summe!«

»Kann man so sagen.«

»Wie konnte das passieren?«

»Oh, den Vorgang habe ich vom lieben Kollegen Gänß-hirt geerbt. Der hatte offenbar einen Narren an deiner Mutter gefressen. Ich vermute, er hat sie insgeheim bewundert, die berühmte Rosenkönigin von Baden-Baden! Tzzz. Wann hat man sie so genannt? Ende 1950? Mitte der Sechziger? Haben wir nicht achtundsechzig auch vor eurem Haus demonstriert, kurz nachdem Rudi Dutschke im Kurgarten seine Rede gehalten hatte?«

Clara merkte, wie sie rot wurde. Heiliger Strohsack! Sie war hier, um Überweisungen zu tätigen, und nicht, um sich für ihre Mutter zu schämen oder zu rechtfertigen.

»1968 waren wir vierzehn und haben andere Dinge im Kopf gehabt, als hinter Spruchbändern herzulaufen«, sagte sie betont deutlich.

»Hey, komm runter. Ich tu dir nichts. Lass uns lieber überlegen, wie wir Ordnung in diesen Schlamassel bringen können.«

»Ordnung? Ich brauche Geld!«

»Leg es aus, wenn es so pressiert. Für diesen Berg werden wir einige Zeit brauchen.«

»Mich gehen die Schulden meiner Mutter nichts an!«

»Oh doch. Sehr viel sogar. Du hast nicht alles durchgelesen, oder? Hier, guck dir das an!«

»Ein Antrag an das Gericht?«

»Auf Zwangsräumung. Bis Ende des Jahres.«

»Du spinnst!«

»Einen anderen Ton bitte!«

»Entschuldige, soll ich dir die Füße küssen, weil du meinen gebrechlichen Vater vor die Tür setzen willst, während meine Mutter im Koma liegt?«

»Genau das wird geschehen. Das habe ich nicht mehr in der Hand.«

Clara rang nach Worten, was selten vorkam. »Kannst du mir das bitte in Ruhe erklären?«

»Hast du morgen Abend Zeit? Dann komm doch bei uns vorbei. Ich würde dir gern Heike vorstellen, meine zweite Frau.«

Alle möglichen Ausreden schossen ihr durch den Kopf. Ein Abend mit Joe zum Thema elterliche Schulden war so ziemlich das Letzte, wonach ihr der Sinn stand. Aber hatte sie eine Wahl?

Neun

Nein, sie hatte keine Wahl, im Gegenteil: Erst als sie wieder auf der Straße stand, wurde ihr so richtig bewusst, was sie gerade erfahren hatte. Die Villa bis Ende des Jahres räumen – wie sollte das gehen? Das war in nicht mal fünf Wochen. Dagegen konnte man doch bestimmt Widerspruch einlegen, falls nicht schon alle Fristen abgelaufen waren. Trotzdem würde es wahrscheinlich nur einen kurzen Aufschub bedeuten, nicht aber einen Ausweg oder gar eine Lösung der Probleme. Eine halbe Million Schulden und keine Sicherheiten, Himmel! Unvorstellbar. Und alles nur wegen dieses verdammten, vollkommen überdimensionierten Gartens! Was hatte sich ihre Mutter nur dabei gedacht?

Wütend balancierte Clara durch den braunen Schneematsch, der sogar auf dem weitläufigen Leopoldsplatz im Zentrum knöchelhoch stand. Fast wäre sie auch noch ausgerutscht. Deshalb verordnete sie sich eine Zwangspause und blieb am Rand des Platzes stehen. Offiziell war dies das Herz der Stadt, Fußgängerzone, aber unaufhörlich rumpelten grüne Stadtbusse über das großflächige, klappernde Pflaster. Der moderne weiße Brunnen, in dem überlaufendes Wasser über einen dunklen Stein sprudelte, gefiel ihr nicht besonders. Er passte nicht zu den prächtigen historischen Fassaden der altehrwürdigen ehemaligen Hotels und Geschäftshäuser ringsum.

Der Nachmittag neigte sich der Dämmerung entgegen, erste Lichter blinkten. Gut gekleidete Menschen mit Einkaufstüten nobler Markennamen hasteten über die Fläche. Drüben vor den Kurhauskolonnaden drehte sich vor dem Eingang zum noch dunklen Weihnachtsmarkt vorzeitig ein nostalgisches Kinderkarussell mit Holzpferden. Der Geruch von gebrannten Mandeln stieg ihr in die Nase.

Heile Welt.

Leider nur für die anderen.

Sie konnte nicht heimgehen. Ihr Vater würde ihr an der Nasenspitze ansehen, dass das Gespräch mit der Bank nicht so gelaufen war, wie sie es sich gewünscht hätte. Sie würde ihn nicht anlügen können, auch wenn es vielleicht das Beste wäre. Warum sollte sie den harmlosen alten Mann jetzt schon zu Tode erschrecken, bevor sie nicht alles, aber auch wirklich alles versucht hatte, um die Katastrophe doch noch abzuwenden? Erst wenn es gar nicht mehr anders ging, würde sie ihn irgendwie auf einen Umzug vorbereiten müssen. Ein Umzug, gütiger Himmel! In seinem Alter kam das doch einem Todesurteil gleich. Er war in der Villa geboren worden, seine Eltern hatten sie ihm bei ihrem Tod 1951, zwei Jahre vor seiner Hochzeit, vererbt. Sein ganzes Leben hatte er in dem Haus verbracht. Das konnte man ihm doch nicht einfach wegnehmen! Und wo sollte er denn hin?

Verzweifelt blinzelte sie in den trüben Himmel, der ihr leider auch keine Lösungen schickte. Eine ältere Dame im Pelzmantel blieb stehen und berührte ihren Arm. »Kann ich Ihnen helfen? Sie sehen so unglücklich aus.«

»Oh Gott, nein. Entschuldigen Sie. Das wollte ich nicht«, stammelte Clara und rannte los.

Sie wusste nicht wohin, nicht in ein Café, nirgendwohin, wo sie weiteres Aufsehen erregte! Weg, nur weg.

Wie von einem unsichtbaren Band wurde sie zu dem vertrauten Eckhaus mit den tiefen Sprossenfenstern, dem windschiefen Dach und dem mächtigen kahlen Gerippe von Blauregen gezogen.

Die Türglocke begrüßte sie wie eine alte Bekannte, immer noch roch es nach Bohnerwachs, alten Büchern, rohem Holz und Staub, und mit einem Wimpernschlag fiel ein Teil ihrer Verzweiflung von ihr ab. So ungefähr musste es sein, wenn man »nach Hause« kam – jedenfalls hatte sie es genau so in ihren Kinderbüchern beschrieben.

Gregor Morlock saß an seinem Schreibtisch und war in den Computer vertieft. Als die Türglocke erklang, sah er abwesend hoch, als tauche er nur unwillig aus einem schönen Traum auf. Seine Augen waren hellgrau wie die Nordsee nach einem heftigen Sturm. Das Lächeln, das zur Begrüßung automatisch aufgeflammt war, erlosch, als er sie erkannte. Er sprang hoch.

»Um Gottes willen, wie sehen Sie aus! Hier, setzen Sie sich.« Er räumte einen Stapel Bücher von einem der Sessel. »Ich habe mir gerade Tee gemacht. Möchten Sie eine Tasse? Ist etwas mit Ihrer Mutter?«

Sie nickte und schüttelte den Kopf und zog vorsichtshalber ihr Handy aus der Tasche. Keine Nachrichten. Also ging es ihrer Mutter zumindest nicht bedrohlich schlechter.

Morlock verschwand hinter dem Vorhang und kam mit einem dampfenden Becher zurück, den er neben ihr auf dem Boden abstellte. Dann verschanzte er sich wieder hinter seinem Schreibtisch und starrte auf den Bildschirm. Clara fand es nett, wie er ihr Zeit gab, sich zu beruhigen; sie lehnte sich zurück und atmete tief durch.

Die Dämmerung nahm zu. In den Straßen gingen die ersten Beleuchtungen an, die Auslagen der umliegenden Geschäfte begannen ihr Licht auf das nasse Pflaster zu werfen, und Clara bildete sich ein, dass das Geräusch der schlurfenden und rutschenden Schuhe draußen leiser wurde.

Im Antiquariat blitzte nur im Schaufenster eine kleine Lampe auf, ansonsten kroch Dunkelheit durch den Laden und erschuf eine intime Stimmung. Um sich zu fangen, betrachtete Clara die Regale eingehend, so es ihr das schwindende Licht ermöglichte, und sie versuchte, ein System in den Reihen zu entdecken. Das war nicht leicht, denn auf den ersten Blick schienen die Bücher wahllos durcheinandergestopft. Dann entdeckte sie an den Stirnseiten der Regalbretter in gewissen Abständen schmale Zettel, die sie allerdings nicht entziffern konnte. Es war auch egal. Es tat einfach nur gut, hier sitzen zu dürfen und einer ewig ersehnten Geborgenheit nachzuspüren.

Sie kam sich vor wie in einem Kokon aus geballtem Wissen, eingehüllt in unsichtbare Fäden, die aus den unzähligen Büchern wuchsen und sich in diesem immer dunkler werdenden Raum zu einem engen Geflecht aus Weisheit, Humor, tiefen Gefühlen und wechselvollen Schicksalen verwoben. Als würden die Geschichten in den Büchern lebendig werden und herabsteigen, um sie zu trösten.

Clara rutschte tiefer in den weichen, niedrigen Sessel, nahm den Becher zwischen die Hände und nippte an der süßen und zugleich würzigen Flüssigkeit. Ingwer schmeckte sie heraus, Zimt und Pfefferminze. Sie wurde ruhiger und begann, sich vom Zauber dieses Ortes einfangen zu lassen. Ihre Sorgen schrumpften angesichts all der Probleme, die in diesen tausenden Büchern hier beschrieben und gelöst wurden.

Morlock stand auf, holte sich ein Buch aus einem antiken Bücherschrank neben dem Eingang und machte Licht. Grell fuhr es Clara in die Augen und sie zwinkerte vor Schreck und leisem Bedauern. Der romantische Augenblick war dahin.

Fragende graue Augen durchbohrten sie.

Sie nahm einen letzten lauwarmen Schluck, um sich Mut zu machen, dann musste es ausgesprochen werden.

»Herr Morlock ...«

»Sie können gern Gregor sagen und mich duzen.«

Das war nett gemeint, aber damit kam sie sich ja vor wie eine alte Tante. Sollte sie ihm im Gegenzug ihrerseits das Du anbieten? Das passte irgendwie nicht. Am besten, sie umging fürs Erste eine direkte Anrede.

»Ich war bei der Bank meiner Eltern. Es – es war kein besonders gutes Gespräch. Ich ... also, ich kann Ihnen das Geld im Augenblick nicht geben.«

Gregor Morlock setzte sich sehr langsam an seinen Schreibtisch zurück und faltete schweigsam die Hände.

»Sie brauchen das Geld wirklich, nicht wahr?«

Er nickte. »Die Geschäfte gehen zwar recht gut, aber es ... es ist schwer. Das Haus müsste seit Jahren renoviert werden, ich finde für das Obergeschoss keine Mieter, die Heizung ist marode. Dazu kommen die Grundkosten ... Nun, dann kann man nichts machen.«

Wut kroch in Clara hoch. Warum sollte dieser sympathische junge Mann ausbaden, was ihre Mutter ihnen allen eingebrockt hatte? Er hatte noch nicht einmal die zeitaufwändige Unterstützung ihres Vaters in Rechnung gestellt.

Sie musste ihm helfen. Aber wie? Sie hatte selbst gerade noch zweihundert Euro in bar und weitere achthundert Euro Spielraum beim Überziehungskredit. Große Sprünge waren unmöglich. Sie konnte ihm das Geld nicht auslegen, es war ohnehin zu wenig, und sie brauchte es selbst. Aber irgendwie musste sie ihn doch bezahlen! Vielleicht konnte sie etwas aus dem Haus verkaufen? Aber das ging nicht, ohne dass ihr Vater etwas merkte. Zwei Herzinfarkte hatte er schon gehabt, einen weiteren würde er nicht überleben, hatten die Ärzte gesagt.

Gregor Morlock erhob sich. »Bin gleich wieder da«, murmelte er und ging nach hinten, wo er hinter dem Samtvorhang verschwand. Sie hörte Wasser plätschern, dann klappte eine Tür.

In dem Augenblick ertönte die Ladenglocke und ein junges Mädchen mit rosigen Wangen stürmte herein. Es war in weiß und rosa gekleidet, hellblonde Locken quollen unter der Strickmütze hervor, die blauen Augen strahlten. Wie ein Weihnachtsengel, kam Clara in den Sinn, und ein kleiner eifersüchtiger Stich bohrte sich ihr in den Magen. Junge Mädchen waren heutzutage so hübsch und selbstbewusst, man musste sie einfach beneiden.

Clara stand auf. »Ich – äh – Herr Morlock kommt sofort.«

»Ich hatte den ›Herrn der Ringe‹ bestellt.«

»Hm.« Aus irgendeinem unerfindlichen Grund fühlte sich Clara verantwortlich für die Abwesenheit Morlocks. Sie wagte sich nicht wieder zurück in den Sessel, sondern begann wie das Mädchen, die Regale und Auslagen in Augenschein zu nehmen. Neben der Tür war eine Schütte aufgestellt mit gebrauchten Taschenbüchern. Im Schrank, aus dem Gregor Morlock sein Buch geholt hatte, standen Abenteuerromane, viele Titel kamen ihr bekannt vor. Als Kind hatte sie solche Schmöker nur so verschlungen, als Ersatz für die verbotenen Spielkameraden.

Die Bücher hier waren gar nicht so alt, wie sie zunächst angenommen hatte. Hier zum Beispiel stand ein gut erhaltener »Kampf um Rom«. Sie konnte einen leisen Freudenschrei kaum unterdrücken, als sie den Band herauszog. Es war, als würde sie einen uralten Bekannten unerwartet wiedersehen, einen erheblich netteren als Joe vorhin.

»Was ist das?«, fragte die rosa Wolke.

Clara fasste den Inhalt kurz zusammen und als das Mädchen eine Schnute zog, beeilte sie sich, sich zu korrigieren: »Es ist überhaupt nicht langweilig, im Gegenteil. Wenn man so will, war dieses Buch der ›Herr der Ringe‹ meiner Jugend. Ein Klassiker mit unvergesslichen Figuren: Cethegus, der zwielichtige, aber fesselnde Römer, Amalaswintha, die stolze Tochter des Theoderich, Mataswintha, die üble Theodora, die Hure, die es zur Kaiserin von Byzanz brachte ... atemberaubend! Und es geht nicht um ausgedachte Fabelwelten, sondern um reale Geschichte, von der man so ganz nebenbei auch noch einiges erfährt. Wirklich großartig. Ich glaube, ich werde es mir selbst noch einmal zulegen.«

»Was soll es denn kosten?«

Clara schlug die erste Seite auf.

»Fünf Euro.«

Das Mädchen nahm ihr das dicke ledergebundene Buch aus der Hand, schlug es auf und begann im Stehen zu lesen. Dann bewegte sie sich zur Sesselkante und ließ sich darauf nieder, weiter lesend.

Schließlich sah sie hoch und strahlte. »Fängt gut an. Ich versuche es mal.«

»Ich verspreche, Sie werden es nicht bereuen. Das ist das ...«

»Hi, Janine«, unterbrach Morlock sie in ihrem Rücken. Sie hatte ihn nicht hereinkommen hören.

»Den Tolkien bekomme ich leider erst nächste Woche.«

»Das hier hört sich auch cool an«, erwiderte die Kleine, während sie ihn mit brennenden Augen anstarrte.

Ihre Wangen verfärbten sich – herrje, das junge Ding war ja bis über beide Ohren in ihn verschossen.

»Sie hat es mir empfohlen. Was würden Sie dazu meinen?«

Der Angehimmelte schien gegen Liebespfeile immun zu sein und warf nur einen geschäftsmäßig interessierten Blick auf den Einband. »Oh, der ›Kampf um Rom‹! Stimmt, das könnte wirklich etwas für dich sein. Frau Funke schreibt übrigens selbst Bücher.«

»Echt? Cool.«

»Kinderbücher«, wehrte Clara ab. »Nichts von Belang.«

Das Mädchen zahlte und stolperte mit ihrem Schatz hinaus, begleitet vom Klang der Türglocke, die das gehauchte »Bis nächste Woche!« fast übertönte.

»Das war aber eine Süße«, sagte Clara und versuchte, Morlock aus der Sicht der Kleinen zu betrachten.

Hm, wenn dieses ulkige Bärtchen nicht wäre, sähe er tatsächlich nicht schlecht aus. Wie viele junge Herzen er wohl schon gebrochen hatte? Vorsichtig schielte sie zu seinen Händen. Kein Ring. Aber das sagte ja nicht viel heutzutage.

Morlock schloss die Kasse mit einer heftigen Bewegung und rümpfte die Nase. »Natürlich ist der ›Kampf um Rom‹ völlig nationalistisch und patriotisch.«

»Überhaupt nicht. Eine Helden-Saga der guten alten Zeit. Man kann etwas lernen.«

»Lernen? Was denn? Keine Spur von der damaligen Gedankenwelt; die Sachkultur entstammt der Vorstellungswelt des neunzehnten Jahrhunderts und nicht der Spätantike.«

Clara stemmte ihre Hände in die Hüften. »Ich fand das Buch faszinierend, zum Teil auch amüsant. Dass man die geschichtlichen Informationen nicht ganz für voll nehmen soll, versteht sich, finde ich, von selbst. In einem Roman wird nun einmal erfunden und gebastelt. Dahn sagte selbst, dass man sich, wenn man wirklich etwas über die Goten wissen wolle, an wissenschaftliche Untersuchungen halten solle und nicht an den Roman.«

Morlock hob leise lachend die Hände. »Schon gut, schon gut, Sie haben gewonnen. Ganz davon abgesehen: Ich mag das Buch ja auch. Es ist und bleibt ein Klassiker.« Er musterte Clara nachdenklich. »Können Sie das öfter machen?«

»Was?«

»Aushelfen? Stundenweise vielleicht?«

»Ich? Hier?«

»Wir könnten es mit dem verrechnen, was ich Ihren Eltern ausgelegt habe. Ich brauche Unterstützung. Es ist nicht immer so ruhig wie im Augenblick. Ich muss öfter raus, Nachlässe begutachten, Messen besuchen ... Da bin ich sonst jedes Mal gezwungen, den Laden zu schließen.«

»Ich bin keine Antiquarin. Ich habe keine Ahnung von alten Schinken.«

»Die Bücher sind ausgepreist. Sie können mir fürs Erste die Online-Arbeit abnehmen, während ich meine Kunden berate. Außerdem habe ich Sie beobachtet. Sie machen das sehr gut. Es wird meinen Kunden gefallen und Ihnen vielleicht auch.«

»Aber ...«

»Vielleicht nur nachmittags? Dann können Sie morgens Ihre Mutter besuchen und Ihrem Vater das Mittagessen richten. Bis zum Abend kommt er gut allein zurecht; er schläft nachmittags viel.«

»Ich weiß nicht ...«

»Wie wäre es erst einmal auf Probe? Wenn es wirklich nicht geht, dann haben wir wenigstens versucht, das Beste aus der Situation zu machen.«

»Sie müssten mir alles ganz genau zeigen und überhaupt ...«

Gab es auch nur ein einziges Argument gegen den Vorschlag? Ihr fiel keines ein.

Morlock hielt ihr die Hand hin, und sie nahm sie zögernd, wieder überrascht, wie warm und verlässlich sie sich anfühlte.

»Das feiern wir, ja? Ich plündere die Tageskasse und lade Sie ein. Um sieben auf dem Augustaplatz?«

»Sie meinen doch nicht etwa die Eislaufarena?«

Dieses – Kind! – wollte sich mit ihr zum Schlittschuhlaufen verabreden?

»Das ist lächerlich.«

»Es macht Spaß! Sagen Sie ja! Bitte!« Seine Augen umwölkten sich wie Morgennebel im Frühherbst.

Vorsicht! Was war denn in sie gefahren? Das – das ging doch nicht. Trotzdem konnte sie sich nicht stoppen.

»Meinetwegen am Samstag. Aber nur zum Zuschauen! Sie werden mich nie, niemals auf Schlittschuhe bringen!«

Was sagte sie denn da? Samstag? Das, das war unmöglich! Aber jetzt konnte sie nicht mehr zurück! Gesagt war gesagt! Kopflos stolperte sie hinaus in den nasskalten November und lief vor ihren verwirrenden Gefühlen davon. Hilfe! Sie hatte gerade einem Rendezvous mit einem Kind zugestimmt und ihr verdammtes Herz hatte einen Sprung gemacht! Nein, nein, nein! Dieser Aufruhr kam nicht von dieser Verabredung, sondern bestimmt nur von ihrem fachlichen Disput über Felix Dahn.

Wann hatte sie das letzte Mal mit jemandem über Bücher diskutiert? Vor Jahrzehnten. Mit ihrem Vater. Nun, auch mit Helmut, zugegeben, aber auch das lag ebensolche Ewigkeiten zurück. Gerhard fand nur juristische Texte interessant und für Jan waren Bücher sowieso nie ein Thema gewesen, höchstens deren Verfilmungen und die auch nur dann, wenn er zu einer der Münchner Schickimicki-Premieren eingeladen war. Wie hatte sie es nur fünf Jahre mit ihm ausgehalten? Ob da eine Portion Torschlusspanik mitgespielt hatte? So ganz wohl hatte sie sich doch in seiner Welt nie gefühlt.

Auf halbem Weg den Berg hinauf blieb Clara stehen und blickte zurück. Lichter einer Stadt, von oben betrachtet, hatten etwas Magisches, egal wie groß oder klein der Ort war. Der Mond kämpfte sich im Osten durch ein Wolkengebirge, das plötzlich gänzlich aufriss und den Blick freigab auf den klaren Sternenhimmel, der ja immer existierte, auch wenn man es in trüben Nächten oftmals vergaß. Irgendwo bellte ein Hund, in der Nähe wurde ein Rollladen rasselnd heruntergelassen, dann war es wieder still. Tiefe Zufriedenheit machte sich in ihr breit. Wann war sie das letzte Mal so im Einklang mit sich und ihrer Umwelt gewesen? Und das, obwohl es gar keinen Grund gab, sich wohlzufühlen. Ganz und gar keinen. Dankbar, dass sie wenigstens für einen kurzen Moment ihre Sorgen hatte vergessen können, setzte sie ihren Weg fort und unterdrückte einen Anflug von aufkeimendem Selbstmitleid.

In der Straße, in der ihr Elternhaus stand, funkelte Adventsbeleuchtung in den Vorgärten und Fenstern. Nur ein Haus war komplett dunkel, und schon war es vorbei mit ihrer inneren Gelassenheit: Sie hatte ihren Vater viel zu lange allein gelassen.

Mit banger Vorahnung schloss sie die Haustür auf, lauschte in die Diele hinein und schluckte vor Erleichterung. Puccinis »Tosca« perlte ihr entgegen. »*Vissi d'arte, vissi d'amore*«. Die große Arie der großen Maria Callas. Paps' Lieblingsaufnahme.

Leise öffnete sie die Tür zur Bibliothek, die im Dunkel lag. Der Schein der Dielenbeleuchtung floss hinein und sie konnte erkennen, wie ihr Vater bei geschlossenen Augen mit seiner steifen Hand dirigierte, während die Finger der gesunden Hand über die Decke auf seinen Knien huschten, als tanzten sie über die Elfenbeintasten seines geliebten Bechstein-Flügels.

Zehn

»Tosca und die Callas gehören untrennbar zusammen«, dozierte ihr Vater wenig später beim Abendessen, sehr zu Claras Erleichterung, denn sie hatte sich schon alle möglichen Ausflüchte zurechtgelegt, um das Thema Geld und Bank nicht ansprechen zu müssen.

»Wusstest du, dass sie die Tosca zum ersten Mal 1942 gesungen hat? Mit neunzehn, stell dir das vor!«, hörte sie ihn weiterreden und nickte wie üblich, ohne richtig hinzuhören.

Musiklektionen waren ständige Begleiter der Mahlzeiten gewesen, die sie schon als Kind und Jugendliche augenrollend über sich hatte ergehen lassen. Sie interessierte sich nun mal nicht sonderlich für Musik – vielleicht weil sie damit überfüttert worden war.

Er ließ sich nicht beirren. »In dieser Aufnahme mit dem Orchester der Mailänder *Scala* beweist sie ganz besonders ihren musikdramatischen Instinkt. Deine Mutter hatte ›*Vissi d'arte, vissi d'amore*‹ auch im Repertoire. Ihre etwas zarte Interpretation passte zwar nicht ganz zu der Rolle, dennoch bin ich auch heute noch fest davon überzeugt, dass sie als Opernsängerin eine Zukunft gehabt hätte.«

Verblüfft ließ Clara die Teetasse sinken. »Mutter hat gesungen?«

Das hatte sie nicht gewusst. Lustige Lieder trällern – das passte doch gar nicht zu der kalten, mürrischen, zänkischen, schweigsamen Frau, die sie kannte. Warum hatten ihre Eltern ihr das verschwiegen?

Paps mümmelte und nickte stumm. In seinen Augen blitzte ein Strahlen auf, das jedoch schnell wieder erstarb. »Sie hat es aufgegeben, kurz bevor du geboren wurdest, und hat sich leider nie mehr von ihrem Entschluss abbringen lassen«, sagte er. »Das fand ich sehr bedauerlich. Sie hatte großes Talent. Wir haben wundervolle Stunden mit der Musik verbracht.« Seine Stimme brach ab, und er beugte sich angestrengt über den Teller.

Clara beobachtete ihn sorgenvoll. Neun Pillenschachteln gegen körperliche Gebrechen lagen auf dem Esstisch. Herz, Blutdruck, Arthrose, Beruhigung, Asthma, Magen ... Es war kein Zuckerschlecken, alt zu werden. Und nun kam noch der seelische Druck dazu, unter dem er zusätzlich stand.

»Herr Morlock hat mich für Samstag zum Schlittschuhlaufen eingeladen«, sagte sie, um ihn abzulenken.

»Oh, wie schön!«, erwiderte er mit einem Lächeln, das sein schmales Gesicht zum Leuchten brachte. »In der Zeitung haben sie darüber berichtet. Eine Eislaufarena auf dem Augustaplatz! Ah, wäre ich nur etwas jünger!«

Clara kicherte. Sie konnte sich ihren Vater nur schwer auf dem Eis vorstellen, doch er fuhr mit erhobenem Zeigefinger fort: »Glaub es mir, als ich jung war, haben die Mädchen Schlange gestanden, um sich von mir aufs Eis führen zu lassen. Damals mussten wir mit dem Postbus weite Wege zurücklegen, bis hinauf in den Schwarzwald. Es war sehr romantisch, wenngleich natürlich niemals etwas Unschickliches zwischen uns und den jungen Damen passierte. Nicht einmal einen Kuss konnten wir ihnen stehlen, ohne eine Ohrfeige zu ernten. Strenge Sitten waren das damals, ja, ja, strenge Sitten, vor allem für junge Männer wie mich, die so gar nichts von braunen Uniformen hielten. Würdest du mir einen Schluck Wein genehmigen?«

Während Clara einschenkte, sprang Paps zum gefürchteten nächsten Thema. »Arbeitet Herr Gänßhirt eigentlich noch bei der Bank? Heute Nachmittag fiel mir ein, dass ich ihn wohl zuletzt gesehen habe, als er mir zu meinem siebzigsten Geburtstag gratulierte. Müsste er nicht längst in Pension sein?«

»Er hat einen Nachfolger, mit dem ich früher zusammen zur Schule gegangen bin.«

»Oh, gut. Dann ist ja alles gut.« Er schwenkte das Weinglas, nahm einen Schluck, schmeckte und kaute und bewegte den Wein im Mund, dann warf er einen sehnsüchtigen Blick zum altmodischen Plattenspieler. »Könntest du mir die Tosca noch einmal auflegen? Ich bin müde und würde mich gern bedienen lassen, wenn es dir nicht zu viel ausmacht.«

Clara war froh, dass sie auf diese Weise um die drohende Finanzdiskussion herumkam. Vielleicht ergaben sich morgen Abend bei Joe neue Möglichkeiten und sie würde ihren Vater heute mit ihren Hiobsbotschaften ganz umsonst aufregen. Aber zur Vorbereitung auf das Gespräch brauchte sie Unterlagen und vor allem die Briefe, die offenbar irgendwo ungeöffnet schlummerten.

Hilflos hob ihr Vater die Augenbrauen, als sie ihn mit aller Vorsicht danach fragte. »Das hat doch Zeit. Wenn deine Mutter wieder zu Hause ist, kümmert sie sich darum, Bella, du musst dir den Abend nicht mit solchen Sachen verderben. Lies etwas oder geh ins Wohnzimmer und sieh fern. Du hast heute schon genug für mich getan. Lass es dir doch auch einmal gutgehen. Entspann dich, ruh dich aus.«

Dann schloss er die Augen und versank in seiner Welt der Musik.

Clara schlich aus der Bibliothek und schlang in der kalten Diele unwillkürlich die Arme um ihren Oberkörper, bevor sie sich auf die Suche machte. In der obersten Kommodenschublade neben der Mantelgarderobe wurde sie fündig, die Lade quoll förmlich über mit verschlossenen Umschlägen, wie sie leicht verärgert feststellte. Zumindest einigen Amtsbriefen sah man doch an, dass sie wichtig waren. Wer um Gottes willen hatte die ganze Korrespondenz nur so achtlos hier hineingestopft? Der junge Morlock etwa? So akribisch, wie er die Ausgabenliste geführt hatte, war ihm das eigentlich nicht zuzutrauen. Vielleicht hatte Paps die Schreiben einfach für eine baldige Rückkehr ihrer Mutter aufgehoben. In diesem Punkt blendete er die Realität ja gern aus.

Sie balancierte die Stapel zum Wohnzimmer, schauderte aber, als sie die Tür aufstieß. Hier war es noch kälter als in der Diele, dazu roch es unangenehm muffig wie in einer seit Jahren zugemauerten Grabkammer. Sie drehte alle Heizkörper auf, zog die schweren, staubigen Vorhänge zur Seite und öffnete die Fensterläden. Die Luft, die einströmte, war nicht sehr viel kälter, als es hier ohnehin schon war. Vor allem um den Flügel war es schade: Er konnte doch solche Temperaturen unmöglich aushalten, ohne Schaden zu nehmen. Liebevoll strich sie mit zwei Fingern über den Deckel und pflügte dabei wie ein Skilangläufer auf der dicken Staubschicht eine Spur. Nur ungern unterdrückte sie den Wunsch, sofort einen Lappen zu holen und ihn zu polieren, bis er wieder schimmerte und glänzte wie einst. Dazu hatte sie nun wirklich keine Zeit.

In ihrem Dachzimmer öffnete sie Umschlag für Umschlag und sortierte die Briefe nach Wichtigkeit, während ihre Nervosität stieg. Es dauerte nicht lange, da sehnte sie sich nach einem Schnaps oder wenigstens einer großen Dosis Baldrian. Ihre Mutter hatte offenbar keine Lastschrifteinzugsverfahren oder Daueraufträge laufen, und so war seit zwei, drei Monaten überhaupt nichts mehr bezahlt worden, weder Strom, Wasser, Gas, Telefon, Krankenversicherung für beide Elternteile, noch Zeitung, Grundsteuer, Müllabfuhr oder Arztrechnungen. Es war ein Wunder, dass das Licht noch brannte und die Heizung lief.

Erbost betrachtete Clara die unheilvollen Haufen. Wenn sie etwas hasste, dann war es Papierkrieg, und das hier war kein Scharmützel, sondern der Supergau. Warum hatte ihre Mutter nur alles so schleifen lassen? Was war der Grund für die Schulden? Fieberhaft durchkämmte sie das Haus, bis sie im riesigen Eichenschrank im Wohnzimmer Kontoauszüge, Darlehensverträge, Hypothekenvereinbarungen und Versicherungspolicen fand. Zweimal musste sie laufen, bis alles zusammen war.

Dann half sie eher halbherzig ihrem Vater ins Schlafzimmer, versorgte ihn für die Nacht und kehrte mit Grausen an den Kriegsschauplatz zurück. Alles, was sie gefunden hatte, hatte sie auf Bett und Fußboden ausgebreitet, es sah aus, als hätte eine Bombe eingeschlagen. Und so ähnlich fühlte sie sich auch. An Schlaf war jedenfalls nicht zu denken, ehe sie nicht einigermaßen über die ganze Tragweite des Ruins im Bilde war.

Genau genommen machte sie in dieser Nacht kein Auge zu. Die Lage war viel ernster, als Joe es angedeutet hatte. Seit zwei Jahren bestürmte die Bank ihre Eltern, Kredite zu tilgen, Raten abzuzahlen. Ihre Mutter hatte nie darauf reagiert. Einzig im Sommer hatte sie zehntausend Euro eingezahlt, Quittung und Auslöseschein für »Familienschmuck« vom örtlichen Auktionshaus hatte sie dazugeheftet. Clara wurde es schwindelig und sie brauchte einen Moment, bis sie die Neuigkeit verdaut hatte. Alles weg? Sie würde den alten Granatring und die grauen Perlenohrringe und die Schmetterlingsbrosche mit den Smaragden niemals wiedersehen?

Irgendwie schaffte sie es am anderen Morgen, ihren Vater mit Frühstück zu versorgen. Immer noch war das Wohnzimmer so kalt wie die Diele. Ein Defekt also, und sie würde ihn hinnehmen müssen, denn Handwerker konnten sie sich nicht leisten. Und sie konnte nur hoffen, dass die Stadtwerke nicht ausgerechnet vor Weihnachten Strom oder Wasser abdrehten und dass der Ölvorrat über die Feiertage reichte. Sie sah lieber nicht nach, ob der Tank schon leer war, wenigstens nicht heute. Noch mehr Katastrophenmeldungen vertrug sie nicht.

Es war schon schlimm genug, sich beim Frühstück nichts anmerken zu lassen und sich dann ins Auto zu setzen, um wieder ins Krankenhaus zu fahren. Maßlose Wut saß ihr in der Kehle und wenn ihre Mutter heute bei Besinnung sein sollte, würde sie ihr ein paar unbequeme Momente bescheren, egal wie es um ihren Gesundheitszustand bestellt war. Das war doch keine Art, den Kopf in den Sand zu stecken und dem Untergang tatenlos entgegenzusehen! Was hatte sie sich nur dabei gedacht? Hatte sie ins Gartenhaus ziehen wollen? Hatte sie gehofft, jemand würde sich an ihre glanzvolle Vergangenheit erinnern und ein Spendenkonto einrichten? Rosenkönigin? Pah! Bankrotteurin!

Ihre Mutter lag friedlich in den Kissen, mit fleckigem, eingefallenem Gesicht. Schläuche führten rechts und links aus ihrem Mund hinter den Kopf, und unwillkürlich bekam Clara bei dem Anblick Luftnot.

»Reden Sie mit ihr. Das wird ihr guttun«, sagte jemand leise zu ihr.

Es war die Ärztin, die sie gestern über den Zustand ihrer Mutter aufgeklärt hatte. Gestern? War es wirklich erst einen Tag her? Es kam Clara vor wie eine Woche, ach, wie ein ganzer Monat.

»Was soll ich ihr denn sagen?«

»Was Ihnen einfällt, nur nichts, was sie aufregt. Wie es zuhause geht, wie das Wetter ist. Manche Besucher bringen auch Bücher mit und lesen den Patienten vor.«

Missmutig warf Clara einen Blick auf die Kranke. Lesen? Die Leviten vielleicht! Andererseits sah die Frau vor ihr entsetzlich krank und schutzbedürftig aus. Was konnte sie einer Todkranken schon an den Kopf werfen? Dass sie Haus und Garten verlieren würde? Dass sie, falls sie durchkam, in irgendein Pflegeheim für sozial Schwache ziehen musste? Nein, nein, nein. Niemand konnte eine kleine kranke Person quälen, die still in dem viel zu großen Bett lag und sich nicht wehren konnte.

Clara schluckte, um das lästige imaginäre Papiertuch in ihrem Hals loszuwerden.

»Morgen«, sagte sie leise. »Ich komme morgen wieder und bringe meine Bücher mit.«

Dabei sah sie ihre Mutter ganz genau an. Hatte sie eben fast unmerklich mit dem Mundwinkel gezuckt? Ach, Einbildung!

Wie von Geistern gejagt verließ sie die Intensivstation und stürzte in den Shop der Klinik, um die Zeitung mit dem Horoskop zu kaufen.

Sie sind heute in Ihren Äußerungen sehr direkt und nehmen kein Blatt vor den Mund. Dies kann in gewissen Situationen hilfreich sein, in anderen jedoch zerstörerisch wirken. Der »Elefant im Porzellanladen« ist ein Ausdruck, der heute auf Sie zutreffen könnte, wenn Sie nicht aufpassen.

Bravo! Und was bedeutete das? Elefant im Porzellanladen – wann würde sie schon Gelegenheit haben, sich so aufzuführen? Heute Abend vielleicht, wenn sie Joe besuchte? Dem würde sie tatsächlich gern die Meinung sagen. Es ging doch nicht an, dass eine Bank jemanden in den finanziellen Ruin laufen ließ und das seit Jahren, ja, seit Jahrzehnten! Das war ja fast schon kriminell!

Sie musste sich unbedingt für den Abend einen Schlachtplan zurechtlegen und das war gar nicht so einfach. Seit Sachbearbeiter Gänßhirt ausgeschieden war und Joe das Ruder in der Kreditabteilung übernommen hatte, hatte es nicht an Hilfsangeboten und Umschuldungsversuchen der Bank gemangelt. Wenn ihre Mutter nur auf einen einzigen Brief reagiert hätte! Das Zwangsverfahren wurde seit zwei Jahren betrieben, immer wieder waren Gespräche angeboten worden. Jetzt war der Termin endgültig festgesetzt worden.

Von Einspruchfristen war nur früher die Rede gewesen, jetzt schon lange nicht mehr. Es sah also ganz danach aus, als müsste sie sich tatsächlich mit dem Gedanken vertraut machen, in Kürze Kisten und Koffer zu packen. Die Lehrerpension ihres Vaters würde wohl kaum für die Unterbringung in einem anständigen Pflegeheim reichen, wenn sie die Kosten richtig im Kopf hatte. Und falls ihre Mutter aus der Klinik entlassen werden konnte, wäre auch sie ein Pflegefall. Beide Elternteile in halbwegs akzeptablen Einrichtungen? Unbezahlbar. Wenn es wenigstens einen kleinen Aufschub gäbe!

Elf

Sie stand im Dunkeln vor Joes Haustür und alle Vorstellungen von einem furiosen Auftritt tropften dahin wie die Eiszapfen an der Dachrinne über ihr. Durch die erleuchteten Fenster des kühlen Neubaus konnte sie eine superschlanke Blondine sehen, die in der Küche hantierte. Nebenan im Wohnzimmer mit den großen Terrassentüren tobten zwei Kinder um Joe, der mit den Armen fuchtelte und eine Flasche in der Hand hielt. Clara duckte sich. Sie kam sich wie ein Voyeur vor, aber hier draußen in der »Cité«-Vorstadt der einstigen französischen Besatzer gab es nun einmal viel offenen Durchblick, wenig Gardinen oder anderen Sichtschutz. Die ohne starre Bebauungsplanregeln kunterbunt zusammengewürfelten, oftmals eigensinnig individuellen Häuschen, die auf dem Grund der ehemaligen kasernenartigen Wohnblocks errichtet worden waren, standen viel zu eng, Hecken oder Büsche waren gerade erst gepflanzt und ohnehin winterlich kahl. Clara hob fröstelnd ihre Schultern hoch. Niemals würde sie auf den Präsentierteller eines Neubaugebiets – noch dazu mit derart kleinen Parzellen – ziehen, auf dem man kaum Privatleben hatte, es sei denn, man verrammelte die Fenster. Dann lieber eine winzige Mietwohnung irgendwo unter dem Dach eines noch so anonymen Mehrfamilienhauses.

Großartige Gedanken waren das! Wenn der Abend schlecht lief, war sie einem Platz unter der Brücke erheblich näher als jeder anderen Behausung.

Die Klingel schrillte so laut, dass sie schon Angst hatte, es würde statt Joe ein Nachbar sein Haus öffnen. Wirklich, dann lieber unter die Brücke! Aber es blieb still in der Straße, nur die Tür vor ihr flog auf.

»Bist du die Rosenkönigin?«, fragte das etwa fünfjährige blonde Mädchen, das vor ihr stand, mit großen Augen.

»Ihre Tochter bin ich. Wie heißt du?«

»Jana. Und da hinten ist mein Bruder Lenn, und wenn wir im Sommer in deinem Haus wohnen, kriege ich endlich einen Hund.«

»Jana! Was redest du da! Entschuldige, Clara, komm rein.« Joe erschien mit rotem Kopf im Flur und machte eine einladende Handbewegung, aber Clara konnte sich nicht bewegen.

Sie konnte nicht glauben, was sie gerade gehört hatte. Joe wollte die Villa für sich und seine Familie? Deshalb also die Schreiben, der Druck? Das war ja ... war das überhaupt erlaubt?

»Sag mal, habe ich gerade richtig verstanden? Ihr wollt in unser Haus?«

»Psst, reg dich nicht auf. Morgen erzählt sie dir, sie bekommt einen Hund, wenn Papa sein Auto verkauft hat oder wenn ...«

»Hör auf. Ich weiß, wann du lügst. Dann zappelst du. Wie jetzt.«

»Nicht so laut! Die Nachbarn!«

Joe zerrte sie ins Haus und bugsierte sie durch einen Vorraum voller Spielsachen und Schuhe in die Küche.

»Das ist also Clara, temperamentvoll wie eh und je«, trompetete er und machte Versuche, ihr den Mantel auszuziehen.

Clara schüttelte ihn ab. Elefant im Porzellanladen war das Mindeste, was sie jetzt spielen würde!

»Hallo. Und ich bin Heike«, hauchte seine viel zu junge Frau und reichte ihr eine blutleere, butterweiche Hand.

»Prosecco?«, rief Joe. »Kinder, zu Tisch! Dalli!«

Was sollte das hier werden? Ein Abendessen im trauten Kreise der Familie Oesterle? Das kam ja gar nicht in die Tüte.

»So geht das nicht, Joe. Mir steht das Wasser bis zum Hals. Ich kann jetzt nicht auf netten Familienabend mit

Konversation übers Wetter machen. Du weißt doch genauso gut ...«

»Jetzt beherrsch dich! Meinst du, ich bin blöde? Wir essen gemeinsam, dann gehen die Kids ins Bett und Heike und ich werden dir einen Vorschlag machen. Einverstanden?«

»Sag's doch gleich: Ihr wollt unser Haus! Deshalb betreibst du die Zwangsräumung. Meinen einundneunzigjährigen Vater willst du auf die Straße setzen, es ist dir egal, dass meine Mutter im Koma liegt, nur damit du und deine Bilderbuch-Zweitfamilie bei uns einziehen könnt! Aber da bist du an die Falsche geraten. Solche Schlagzeilen wird das geben!«

»Ach, und du bist der Meinung, dass du in deiner Lage große Töne spucken kannst? Willst du gehen? Bitte sehr! Ich halte dich nicht auf. Aber ich kann dir verraten, dass du gerade dabei bist, eine Menge Porzellan zu zertrampeln.«

Hatte Joe auch einen Horoskop-Fimmel oder war dies ein Zeichen des Himmels, dass sie den Mund halten sollte? Wenigstens bis nach dem Essen? Um sich in Ruhe anzuhören, was die beiden zu sagen hatten?

»Na also«, brummte Joe und hatte ihren Mantel im Arm. »Da rein, bitte. Setz dich. Glaub mir, wir haben uns etwas überlegt, das zu deinem Besten ist. Aber jetzt erst einmal ein Prosit auf unser Wiedersehen!«

Der *Prosecco* war leider nur ein besserer *Spumante*, die Vorspeise eine fettarme, überaus delikate Gemüsebrühe, und der Hauptgang bestand zwar aus Vollkornnudeln, wurde jedoch von einer schier unglaublichen Meeresfrüchtesoße begleitet, wie sie sie selbst noch nie hinbekommen hatte. Die Köchin pickte, wie es bei ihrer Figur zu vermuten gewesen war, in ihrem Essen nur herum, aber gegen ihren Willen sah sich Clara nach einer Weile gezwungen, ihre Vorurteile gegen junge Trophäen-Frauen zu revidieren. Heike wusste über italienische Kultur beispielsweise detaillierter Bescheid als Paps, nutzte ein Abonnement im Festspielhaus und sie genoss den kredenzten ausgezeichneten Weißburgunder mit sichtlichem Vergnügen. Dazu kamen ein Lachen und eine Spontaneität, wie sie wohl nur unbeschwerte junge Menschen haben und zeigen können.

Clara horchte in sich hinein und vernahm leises Nagen von Eifersucht. Ihr schwante, dass es nicht Sex oder Aussehen, sondern wohl die Jugend an sich war, die auf ältere Männer so anziehend wirkte, denn sogar für sie war Heikes offene Unverdorbenheit ansteckend und unwiderstehlich. War es so, dass man selber wieder jung wurde, wenn man sich mit Jugend umgab? Wenn sie ehrlich war, musste sie sich gestehen, dass sie es unter diesem Aspekt weder Helmut noch Gerhard und auch nicht Jan verübeln konnte, wenn sie nach Sinnlichkeit und bedeutungsschweren Gesprächen plötzlich die spritzige Leichtigkeit wählten. Sie beneidete plötzlich alle Männer darum, eine solche Alternative überhaupt zu haben. Aber wenn Männer stets sehr viel jüngere Frauen wählten, dann würde ihr im Umkehrschluss wahrscheinlich irgendwann ein älterer Mann blühen, für den selbst sie noch so etwas wie ein Jungbrunnen sein würde. Hm, bei den heute üblichen Altersunterschieden wäre dieser Mann Mitte siebzig, wenn nicht gar fast achtzig. Oh Gott!

Um einer mittelschweren Depression zu entgehen, kippte Clara den Wein herunter, und wieder war es Heike, die sie erlöste. Diesmal mit einem unnachahmlichen Früchte-Tiramisu, das so göttlich leicht und so sündhaft gut war, dass sie am liebsten auch den Rest des Schüsselinhalts in sich hineingestopft hätte. Voller Neid, Glück und Trägheit seufzte sie tief.

Joe interpretierte das völlig falsch und schickte seinen wohlerzogenen Bilderbuchnachwuchs schlafen. Heike begleitete die Kinder nach oben, während er sich im Stuhl zurücklehnte und über seinen Bauch strich. »*Ramazotti? Grappa? Cappuccino? Espresso?*«

Clara schüttelte den Kopf. Ende des gemütlichen Teils! »Also?«

Er taxierte sie noch einmal, dann wippte er nach vorn und stützte seine wuchtigen Arme auf der gläsernen Tischplatte auf.

»Ich will nicht um den heißen Brei herumreden. Selbst wenn du eine Fristverlängerung herausschinden könntest, haben deine Eltern Haus und Garten verspielt. Ich habe den Grundbesitz schätzen lassen, von einem unabhängigen Immobilienhändler. Kein Mensch will heutzutage Gärten, die Arbeit machen! Jedenfalls nicht in der Preiskategorie, in der sich Leute für ein Haus dieser Größe interessieren. Zwölf Zimmer, nur ein Bad, kein Pool, aber zehntausend Quadratmeter Hanglage mit all diesem Schnickschnack und den Rosen – das ist so gut wie unverkäuflich. Allein für den Rückbau, damit es pflegeleicht wird, müsste man ein Vermögen ausgeben. Heute sind es vor allem reiche Russen, die sich für große Immobilien in Baden-Baden interessieren, und ...«

»Können wir bitte von vorn anfangen? Wann hat das mit der Schieflage begonnen? Wer hat meiner Mutter ohne Sicherheiten Kredite ohne Ende bewilligt? Und warum? Das würde mich erheblich mehr interessieren, und nicht nur mich wahrscheinlich.«

»Du meinst jetzt nicht, dass ich deiner Mutter ihren Rosentick eingeredet habe, oder? Als sie damit anfing, waren wir gerade erst geboren.«

»Trotzdem, warum habt ihr nicht eingegriffen, als noch Zeit war? Bevor das Haus überschuldet war? Ihr habt doch gesehen, dass die Darlehen und Hypotheken von der Pension meines Vaters unmöglich abgestottert werden konnten.«

»Als ich den Fall von Gänßhirt geerbt habe, war der Karren schon im Dreck. Du hast recht, heute würde so etwas nie und nimmer genehmigt werden. Die Summe hat sich über Jahrzehnte angesammelt, und Gänßhirt hat deine Mutter gedeckt und unterstützt. Ich bin nicht dafür verantwortlich, ich nicht. Ich habe nichts damit zu tun. Ich schreibe ihr seit Jahren, rufe sie an, habe sie sogar einmal aufgesucht. Du müsstest deine Mutter gut genug kennen, um dir ihre Reaktion vorzustellen. Was sie nicht sehen will, existiert nicht. Glaub mir, ich habe alles versucht und das Zwangsverfahren viel zu lange hinausgeschoben. Irgendwann hätte es mich meinen Job gekostet, da musste ich loslegen. Hat mir wirklich leidgetan. Das Haus ist prachtvoll, auch wenn ein immenser Renovierungsstau besteht. Und der Garten erst! Uns gefällt er, und Heike hat einen grünen Daumen. Sie würde sich um die Schätze deiner Mutter kümmern.«

»Toll! Und wie stellt ihr euch das mit den Bewohnern vor? Habt ihr für sie auch einen Plan parat?«

Heike war hinzugekommen und mischte sich mit leiser Stimme ein. »Frau Funke, sehen Sie sich hier um. Wir haben das Haus erst vor drei Jahren gebaut. Ist das nicht Beweis genug, dass wir nichts geplant und nichts Böses im Schilde geführt haben? Joachim durfte mir nichts von dem Fall sagen, und er darf das Haus als Mitarbeiter der beteiligten Bank auch gar nicht selbst erwerben. Ich habe aber gemerkt, wie es ihn beschäftigt hat. Einmal rief Ihre Mutter hier an, um sich zu verbitten, dass Joachim noch einmal bei ihr klingelt. Ich war am Telefon und habe erst dadurch, und zwar aufgrund ihres Wutausbruchs, von der Sache erfahren. Letztes Jahr habe ich etwas Geld geerbt, und so sind wir auf den Gedanken gekommen ...«

»Glaub mir, wir wollen kein Kapital aus eurer Not schlagen. Deine Mutter bekommt keinen Cent weniger als den amtlichen Schätzpreis. Das ist mehr als fair! Wenn sich nämlich beim ersten Termin der Zwangsversteigerung niemand findet, der die geforderte Summe zahlt, dann ist der Preis für die Villa beim zweiten Termin frei. Erst letztes Jahr hat jemand auf diese Weise an der Schwarzwaldhochstraße ein Riesenhotel für den sprichwörtlichen ›Apfel und ein Ei‹ bekommen.«

»Aber wo sollen wir denn hin!«

Clara konnte kaum reden, so saß ihr die Verzweiflung in der Kehle. Zornig schlug sie mit der Faust auf den Tisch, dass die leeren Weingläser klirrten.

»Nicht! Hör auf! Wir haben ja auch kein Allheilmittel. Meinetwegen warten wir bis Frühjahr, ehe das Haus geräumt werden muss. Wäre das akzeptabel?«

»Nein, Joachim, das war so nicht abgemacht!«

Heike konnte tatsächlich laut reden und funkelte ihren Mann dabei böse an.

Clara sah genervt zur Decke. »Entschuldigt, ihr beiden, ich will nicht, dass ihr euch streitet. Ich denk drüber nach. Aber als Erstes werde ich versuchen, das Verfahren anzufechten und den Termin zur Zwangsräumung zu verschieben. Allein dieses Verfahren wäre ja schon der Tod meines Vaters! Danke für euer Angebot, aber es ist leider nicht so einfach, wie ihr euch das vorstellt.«

Ehe die beiden noch protestieren konnten, hatte Clara schon ihre Handtasche, dann ihren Mantel gepackt und stand auf der schmalen Straße. Sie holte tief Luft und warf einen Blick zurück. In der Küche sah sie die beiden gestikulieren, dann sich umarmen.

Verdammt. Einsamkeit kroch in ihr hoch. Würde dies künftig ihr Leben sein? Draußen stehen und dem Glück von Ferne zusehen? Vielleicht irgendwo in einem Sozialbau hausen und ihre Eltern pflegen?

Ihre Stimmung sank noch weiter in den Keller, als sie wenig später die Haustür aufschloss. Dunkel und still war es, Paps war in der Bibliothek eingeschlafen, und sie hatte große Mühe, ihn wachzurütteln und ins Schlafzimmer zu bringen. Er war so müde, dass die Beine fast nicht mehr mitmachten. Wenn das so weiterging, musste sie ihm entweder das Bett im Erdgeschoss richten oder er musste oben im Schlafzimmer liegen bleiben. Er war zwar nur ein Federgewicht, aber trotzdem schaffte sie es kaum, ihn die Treppe sicher hoch-

und wieder herunterzutragen. War ein Umzug in ein Heim nicht sowieso die beste Lösung?

Leise holte sie sich ein Glas Rotwein und setzte sich in die Bibliothek. Hier auf dem Intarsienparkett hatte sie früher Himmel und Hölle gespielt, bis ihre Mutter sie erwischte. Die gemütlichen Ohrensessel und die Lesecouch mit den extra hohen Lehnen, in der man wie in einer Wiege eintauchen konnte, der niedrige Tisch mit dem stets aufgebauten Schachspiel – all das war ihr Zuhause. Das konnte und wollte sie nicht kampflos aufgeben.

Andererseits – selbst wenn sie einen Aufschub bekäme, konnte sie das Haus gar nicht unterhalten. Schon für die Heizungsreparatur fehlte das Geld. Das Bad war veraltet, das Dach musste erneuert werden, im Keller roch es modrig, im Kühlschrank war die Klappe zum Eisfach abgebrochen und nur provisorisch mit Tesafilm befestigt worden. Die Haustür war zugig, die Fenster mussten im Winter mit zusammengerollten Decken abgedichtet werden, das Treppengeländer war wackelig, die Elektrik nicht auf dem neuesten Stand. Und dann war da noch dieser riesige Rosengarten ... Vielleicht war es wirklich das Beste, das Haus loszulassen.

Aber der Zeitpunkt war falsch. Gab es denn nichts, was sie zu Geld machen konnte, um zumindest die nächsten Monate überbrücken zu können? Wenigstens, bis es Klarheit über Mutters Gesundheitszustand gab, so oder so. Wenn sie es ihm häppchenweise beibrachte, würde Paps vielleicht sogar von sich aus auf die Idee kommen, sich lieber in einem Heim professionell unterstützen zu lassen. Sie würde ihm einen schönen Platz aussuchen. Es würde ihm gutgehen. Vielleicht gab es im Rebland außerhalb vom mondänen Baden-Baden bezahlbare Einrichtungen.

Ach was, in Wahrheit war die Finanzdecke doch jetzt schon zu knapp. In ein paar Wochen, wenn nicht gar schon vor Weihnachten, würde sie nicht einmal mehr genug Geld für die nötigsten Lebensmittel haben. Verzagt streifte sie durchs dunkle Haus und suchte nach einem Wunder. Der Schmuck war schon versetzt, es gab nichts Wertvolles mehr, das wenigstens einen kleinen Aufschub bringen konnte. Überall hingen zwar in Öl gemalte Rosenbilder, aber sie stammten leider nicht aus Meisterhand. Das Rosengeschirr war nicht mehr vollständig, das Tafelsilber abgenutzt, die Möbel abgewohnt.

Sie wanderte ins kalte Wohnzimmer, wo ihr Blick auf den Flügel fiel. Natürlich! Der Flügel! Verstaubt und verstimmt, aber ein echter Bechstein, immerhin. Erst kürzlich hatte sie in ihrer Münchner Zeitung gelesen, dass Liebhaber weit über fünfzigtausend Euro dafür zahlten. Mit einem Schlag wären sie alle Sorgen los!

Nein. Nein, nein, nein! Er war der größte Schatz ihres Vaters. Auch wenn er wegen seiner steifen Hand seit Jahren nicht mehr darauf spielen konnte, so hatte ihn das Instrument doch sein ganzes Leben lang begleitet. Es hatte in ihm die Liebe zur Musik geweckt und ihm seinen Berufsweg gewiesen. Mit dem Flügel waren Gesangsstunden und Klavierunterricht möglich gewesen, die seine Familie vor allem in den bitteren Notzeiten während und gleich nach dem Krieg über Wasser hielten, und als sie klein war, hatte er ihr jede Woche ein großartiges Sonntagskonzert beschert. Ein Leben ohne Flügel war unvorstellbar.

Aber es half ja nichts. Von Sentimentalität wurde man nicht satt. Es gab keinen Ausweg. Paps konnte nicht mehr spielen, sie brauchten Geld, und hier war die Lösung. *Basta*!

Zwölf

Es waren früher die allerschönsten eingeschworenen Stunden zwischen Vater und Tochter gewesen, wenn Paps seinen Flügel stimmte und ihr dabei erklärte, was er tat oder wie die Werkzeuge hießen, die er benutzte. Einige Namen schossen Clara durch den Kopf, als sie sich, im Wintermantel und mit diversen Putzmitteln bewaffnet, am nächsten Morgen dem kostbaren Stück näherte. Hammer, Wirbel, Rechen, Gabel, Keile, Tastenluft-, Kröpf- und Achsendrahtkneifzange, Auslöse-, Hammernusskapsel-, Gegenfänger-, Halbgang-, Dämpfkröpf- und Spaziuseisen brachte sie noch zusammen.

Der Schellack brauchte nur mit einem trockenen Tuch abgestaubt zu werden, um wieder zu glänzen, und während Clara sich ans Werk machte, erinnerte sie sich, wie es sie einst geekelt hatte, als sie erfahren hatte, dass er aus den Ausscheidungen der Lackschildlaus hergestellt wurde. Um ein Kilo Schellack zu gewinnen, brauchte man rund dreihunderttausend dieser Läuse, das hatte sich fest in ihren Kopf eingebrannt.

Sorgsam öffnete Clara den Deckel des Flügels, um sogleich von der nächsten Zahl eingeholt zu werden: »Bis zu zehntausend Einzelteile aus Holz, Filz, Leder und Stahl wirken in einem Flügel miteinander.« Als stünde Paps hinter ihr und dozierte, wie er es immer getan hatte. Erschrocken drehte sie sich um, aber da war niemand, zum Glück. Paps durfte nicht wissen, was sie hier tat. Sonst würde er nach dem Grund fragen, und sie müsste ihm beichten, was sie mit seinem Heiligtum vorhatte. Aufkeimendes schlechtes Gewissen verflüchtigte sich jedoch mit jeder Atemwolke, die in dem eiskalten Zimmer aus ihrem Mund hochstieg.

Jetzt die Elfenbeintasten. Vorsichtig tupfte sie sie mit einem nebelfeuchten Wattepad ab, das sie mit Brennspiritus benetzt hatte, wobei sie wusste, dass sie sorgfältig arbeiten musste. Kam Flüssigkeit auf die Holzteile, würden diese aufquellen und in ihrer Funktion beeinträchtigt. Dann wäre es vorbei mit ihrem Traum von Heizöl, Strom, Krankenversicherungsbeiträgen und knusprigen Sonntagsbraten, die sie sich hoffentlich bald leisten konnten.

Ganz zum Schluss, als sie sich mit einem Naturseidepinsel den Innenraum des Flügels vornehmen wollte, hörte sie plötzlich das Klopfen von Krücken, das immer näher kam und vor der geschlossenen Wohnzimmertür verstummte. Wie ertappt erstarrte Clara mitten in ihrer Bewegung. Wenn er hereinkäme, würde er sofort wissen wollen, was sie vorhatte. Was sollte sie ihm antworten? Und wie würde es erst werden, wenn sie Klavierhändler kommen ließ, die das Instrument stimmen und dann taxieren würden? Bis dahin musste sie es Paps gesagt haben! Aber wie?

Doch da begann das Tappen wieder und entfernte sich langsam.

Gleich hatte sie das Nötigste geschafft, ein paar Handgriffe noch, dann konnte sie hoffentlich unbemerkt aus dem Wohnzimmer schlüpfen und im Telefonbuch nach entsprechenden Adressen sehen. Doch nichts ging mehr, sie stand vor dem Flügel wie gelähmt, und die Kälte kroch bis in ihre Seele.

Schließlich legte sie die Putzmittel zur Seite und folgte ihrem Vater in die Bibliothek. Sie musste es ihm sagen! Jetzt! Wann sonst würde sie je wieder den Mut dazu haben! Der Verkauf war das Vernünftigste. Paps würde es verstehen. Schließlich war er intelligent und noch dazu ein vollkommen bescheidener, fügsamer Mensch. Er würde einsehen, dass sie seinen liebsten Gegenstand zu Geld machen *musste*.

»Ich muss dir etwas sagen«, begann sie, als sie ihn in der Bibliothek eingeholt hatte.

Paps musterte ihren Wintermantel und ihre Putzhandschuhe mit hellwachen Augen und gerunzelter Stirn, dann nickte er und winkte sie zu sich. Umständlich legte er seine steife Hand auf ihre Haare.

»Bella, Kind«, flüsterte er tonlos, »legst du mir bitte zuerst Beethovens Klaviersonaten auf? Die Pathétique, nach der sehne ich mich so. Beethoven hat mit ihr eindrucksvoll seine drohende Taubheit verarbeitet. Hör doch nur!«

Die Musik erklang. Paps ließ sich langsam in seinen Sessel sinken und begleitete das eindrucksvolle »Grave« der Einleitung mit seiner gesunden Hand, die über seine Knie tanzte, als streichle sie nebenan die kühlen Tasten.

»Nicht wahr, mit jedem Ton spürt man die verzweifelte Tragik seines Schicksals. Wie ähnlich wir uns sind: Er als Komponist ohne Gehör, ich als Klavierspieler ohne brauchbare Hand. Bin ich froh, dass ich meinen Flügel wenigstens ansehen und mich an die vielen schönen Stunden erinnern kann, die wir miteinander hatten. Auch wenn ich ja nicht mehr darauf spielen kann.«

»Darüber wollte ich mit dir ...«

»Sicherlich ist er vollkommen verstimmt, nicht wahr? Das Wohnzimmer ist doch viel zu kalt. Könntest du nicht einen Handwerker kommen lassen, der die Heizung repariert?«

Nein, sie konnte es ihm nicht sagen. Es ging ja nicht nur um den Verkauf des Flügels, sondern sie musste ihm dann auch den Grund für ihre Entscheidung nennen und ihm die ganze Misere offenbaren.

Feige drehte sie sich um, ging weg und änderte auch in den nächsten Tagen nichts daran. Immer wieder verkniff sie sich die nötigen Worte, lenkte ab, verstummte und konnte sich bald selbst nicht mehr leiden. Dieses Aufschieben war grundfalsch. Irgendwann musste die Wahrheit ja doch heraus, spätestens wenn das Packen begann oder jemand den Flügel mitnahm. Aber sie konnte nicht. Noch dazu, wo die Sterne sie eindringlich vor einem solchen Gespräch warnten: *Es können Ihnen Meinungsverschiedenheiten aufgezwun-*

gen werden, die Sie scheinbar nicht verursacht haben. Bewahren Sie Geduld und warten Sie ab, bis die Kommunikation mit anderen wieder friedlicher verläuft. Dann entsteht kein Schaden, hieß es zum Beispiel.

Niemand, der halbwegs bei Verstand war, würde sich einem solchen Rat widersetzen.

Und doch wollte sie sich nicht von Hilflosigkeit lähmen lassen. Es musste einen Ausweg geben! Es musste doch irgendwie möglich sein, die Bankgeschäfte weiterzuführen beziehungsweise in neue Bahnen zu bringen. Wenn schon ihr Vater sie nicht per Unterschrift bevollmächtigen konnte, dann musste sie es eben per Gericht ertrotzen. Ihre Mutter war handlungsunfähig, sie war die Tochter, das Wohl der ganzen Familie stand auf dem Spiel – da musste es etwas geben. Hatte Gerhard früher nicht von derartigen Fällen berichtet?

Am nächsten Morgen betrat sie in aller Früh, bereits vor ihrem Besuch im Krankenhaus, die bedrückenden Betongänge des Amtsgerichts. Man schickte sie zum Vormundschaftsgericht, wo sie sich an Rechtspfleger Haas wenden sollte. Vor dessen Tür hielt sie einen Augenblick inne, denn sie konnte nicht glauben, wie nervös sie plötzlich war. Wie bei einem Gottesgericht, dachte sie insgeheim amüsiert, man weiß einfach nicht, was bei Gericht herauskommt. Schon bedauerte sie, dass sie nicht zuerst ihre Mutter besucht hatte. Dann würde sie wenigstens über das Tageshoroskop Bescheid wissen. So stocherte sie völlig im Nebel.

Offenbar übertrug sich ihre Unsicherheit durchs Schlüsselloch, denn auf ihr leises Klopfen rief eine Stimme von innen: »Warten Sie, bis Sie aufgerufen werden!«

Artig sank sie auf einen Holzstuhl, der an der gegenüberliegenden Wand stand. Es gab nichts zu lesen, keine Fenster, nur diese feindliche, geschlossene Tür. Clara versuchte ein Flimmern vor den Augen zu vertreiben, indem sie heftig zwinkerte. Es half nichts, sie musste höflich bleiben, sonst erreichte sie gar nichts. Einen Augenblick lang schoss ihr durch den Kopf, Gerhard wegen der rechtlichen Lage zu konsultieren, aber das würde nicht funktionieren. Er würde ihr so lange Vorhaltungen machen, warum sie sich nicht schon längst um die nötigen Vollmachten gekümmert hatte, bis sie entnervt und ohne jede Information auflegen würde. Außerdem würde sie als Erstes nicht mit ihm verbunden werden, sondern mit dieser Referendarin, die ihre Nachfolgerin geworden war. Nein danke. Dann lieber hier vor einem Unbekannten zu Kreuze kriechen.

Endlich ging die Tür auf, und ein Wuschelkopf zeigte sich. »Entschuldigen Sie, dass Sie warten mussten. Mein Name ist Haas, aber das heißt nicht, dass ich von nichts weiß.«

Scheppernd erklang sein Lachen und es war geradezu unwiderstehlich. Clara fiel ein Stein vom Herzen. Rechtspfleger Haas war also humorvoll und, nach seiner Figur zu urteilen, den leiblichen Genüssen durchaus nicht abgeneigt. Mit ihm würde sie auskommen.

Zigarettenrauch lag in seinem Büro und er wedelte mit schuldbewusster Miene in Richtung des weit geöffneten Fensters.

Mit »Es ist weit nach draußen und kalt« entschuldigte er sich und kniff fröhlich ein Auge zu. »So viel Publikumsverkehr habe ich hier ja nicht, zum Glück. Hier geht das meiste nach Aktenlage. Um was handelt es sich denn bei Ihnen?«

Mit immer bedenklicherer Miene hörte er ihr zu. Als sie fertig war, spitzte er ausgiebig einen Bleistift, ohne etwas zu sagen.

»Keine Vorsorge, keine Vollmacht, nicht mal bei der Bank. Oh, oh ...«, begann er mit ernster Miene. »Sie wollen wahrscheinlich sofort handlungsfähig sein, nicht wahr? Die Zwangsräumung wollen Sie aufhalten, Ihren Vater von allem verschonen – habe ich das so richtig verstanden?«

»Und die Rechnungen begleichen.«

»Ha ha, die Lottoannahmestelle ist vorn am Eck«, prustete Haas. »Geld kann ich Ihnen keins geben.« Dann wurde er wieder ernst und fummelte in einer Schreibtischschublade herum, aus der er einen Packen Papiere zog, die er ihr zuschob. »Erst mal das, womit Sie jetzt gar nichts anfangen können, Formblätter für Vorsorgevollmachten. Lassen Sie wenigstens Ihren Vater alles unterschreiben. Bitte auch von einem Notar beurkunden lassen, denn die Banken erkennen heutzutage einfache, ehrliche Unterschriften nicht mehr an, da muss alles fünfmal rückversichert und beglaubigt sein. Bürokratismus hoch drei, sage ich Ihnen, schlimm. Ach ja, und Ihr Herr Vater sollte natürlich am besten auch gleich mit Ihrer Hilfe und der seines Hausarztes eine Patientenverfügung formulieren, dann haben Sie wenigstens bei ihm später weniger Scherereien. Einundneunzig ist er, haben Sie gesagt, gell?«

Clara musste schlucken. Haas meinte es sicher gut, aber er hätte das alles gerne etwas schonender vorbringen können. Unschlüssig nahm sie die Papiere und faltete sie zusammen.

»Jetzt zu Ihrer Mutter. Das wird schwierig. Eigentlich muss sie persönlich eine Betreuung beantragen. So sieht es das Gesetz vor.« Haas klopfte mit dem Bleistift auf die Schreibtischplatte. Der Rhythmus klang wie »Oh my darling Clementine«. »Gut, das geht jetzt nicht. Dann können Sie nur ganz formlos eine Betreuung beantragen.«

»Gern. Gibt es ein Eilverfahren? Wann kann ich mit der Verfügung rechnen?«

»Mo-ment. Falsche Frage. Nicht wann, sondern wer.«

»Versteh ich nicht.«

»Sie regen eine Betreuung nur an. Das nehme ich zu Protokoll. Diese Anregung lege ich dem Vormundschaftsrichter vor. Der benötigt als Nächstes ein ärztliches Attest über den Zustand Ihrer Mutter und eventuell noch weitere Gutachten. Wenn Sie kein Attest, zum Beispiel des Hausarztes, einreichen können, bestellt das Gericht von Amts wegen einen Gutachter.«

Clara rutschte auf dem harten Stuhl hin und her. »Das hört sich zeitaufwändig an«, murmelte sie schließlich.

»Sehr richtig. Sollte sich herausstellen, dass eine Betreuung sinnvoll ist, versucht der Richter, den Willen der Betroffenen zu erkunden.«

»Aber meine Mutter liegt im Koma!«

»In einem solchen Fall ist natürlich vorübergehend die Einrichtung einer Betreuung auch gegen ihren Willen möglich. Allerdings ist nicht gesagt, dass Sie als Tochter automatisch Betreuerin werden. Das Gericht wählt aus allen in Frage kommenden Angehörigen und Personen aus dem nahen Umfeld die Person aus, die es für am geeignetsten hält.«

»Das heißt, es wird auch mein Vater vernommen?«

»Eine Vernehmung ist das nicht, aber wir befragen ihn, ja.«

»Und wenn er den Grund wissen will, erwähnen Sie ihm gegenüber dann auch die Schulden und die drohende Zwangsräumung?«

»Wir müssen prüfen, für welchen Lebensbereich Ihrer Mutter eine Betreuung sinnvoll ist und wer dafür geeignet ist. Also lautet meine Antwort: Ja, wir sprechen mit ihm über die finanzielle Lage. Ich nehme doch an, er weiß über alles Bescheid. Sie schildern ihn ja als geistig voll auf der Höhe.«

»Aber er darf nicht wissen, wie es wirklich aussieht. Er hatte schon zwei Herzinfarkte!«

Haas zog die Oberlippe hoch und machte ein bedenkliches Gesicht. »Ich fürchte ...«

Wieder begann sein Bleistift eine Taktfolge auf der Tischplatte. War das nicht die Melodie von »Wenn ich einmal reich wär ...«?

»Wie wäre es, wenn Sie sich einen Anwalt nehmen? Oder wenn Sie erst einmal das Geld für die nötigsten Rechnungen aus eigener Kasse vorstrecken?«

Clara sackte zusammen. »Ich habe selber keins«, nuschelte sie und schämte sich für ihr Geständnis.

Dieser Mann sah so mitfühlend aus, dass man ihm einfach alles anvertraute. Er hätte Pfarrer werden sollen.

Haas hörte auf zu klopfen und steckte sich den Bleistift hinters Ohr, während er sich zurücklehnte und sie aufmerksam musterte. »Nun, in diesem Fall ... ähm, wie soll ich sagen: Um jeden Zweifel auszuräumen, dass Sie vielleicht selbst Geld brauchen und es sich – falls doch vorhanden – vom Konto Ihrer Mutter nehmen könnten ... also, nicht dass ich persönlich Ihnen das zutraue ...«

Clara war aufgesprungen, aber seine zerknirschte Miene besänftigte sie wieder.

»Ich muss das ansprechen. So ist nun mal die Rechtslage. Also wird der Richter einen unabhängigen Experten heranziehen, einen, der sich mit Gelddingen auskennt. Vielleicht jemanden von der Bank.«

Joe fiel ihr ein. Das wäre ja eine schöne Bescherung.

»Um Himmels willen, da komme ich ja gerade her. Und Paps würde ja trotzdem alles erfahren.«

»Das lässt sich nicht vermeiden.«

Haas beugte sich vor und begann, die Tischplatte mit den Fingern zu bearbeiten. »Money, money« hörte sie heraus.

»Vielleicht warten Sie einfach noch ein paar Tage ab. Vielleicht wird alles gut. Wenn Ihre Mutter zu Bewusstsein kommt, kann sie selbst alle Papiere unterschreiben, die ich Ihnen mitgegeben habe.«

»Vielleicht haben Sie recht.«

»Waren Sie schon beim Sozialamt?«

Sie sollte einen Antrag auf Sozialhilfe stellen? Womöglich im Namen ihres Vaters? Und ihn unterschreiben lassen?

»Das ... ich überleg mir das alles noch mal«, stotterte sie und stieß den Stuhl zurück.

Ihr wurde schon wieder heiß, und sie wollte so schnell wie möglich aus diesem Zimmer, vor allem, ehe Haas vielleicht noch ihren Namen wissen wollte, um womöglich von Amts wegen ein Verfahren ins Rollen zu bringen.

Haas streckte ihr freundlich die Hand hin. »Dann alles Gute für Ihre Mutter«, sagte er warm, und es klang, als meinte er es wirklich ernst.

Während sie die Tür schloss, hörte sie sein Feuerzeug schnippen.

Draußen musste sie sich erst einmal setzen und sich Luft zufächeln. Mit diesem Gespräch war ihre letzte Hoffnung zerstoben, doch noch die Geschicke der Familie selbst in die Hand nehmen zu können. Aufgeben? Abwarten? Das war doch feige, Flucht vor der Wahrheit. Aber fürs Erste blieb ihr wohl nichts anderes übrig. Vielleicht hatte Haas recht. Vielleicht besserte sich der Zustand ihrer Mutter. Vielleicht, vielleicht. Geduld, Geduld. Eine harte Lektion.

Dreizehn

Und so flüchtete sie. Sie floh vormittags zu ihrer Mutter, der sie trotzig die Geschichte vom »Troll mit den grünen Haaren« vorlas. Wehrlos steckte die Kranke unverändert winzig und elend in ihrem weißen Bett, dazu verdammt, ihr endlich zuzuhören, auch wenn der Sinn der Worte sie wahrscheinlich nicht erreichte. Die Werte auf den ringsum blinkenden Geräten blieben jedenfalls gleich, egal was sie ihr erzählte, ob sie lachte oder schimpfte oder eben vorlas. Manchmal wollte Clara das Buch zuklappen, sich von ihrer Mutter verabschieden und einfach nicht mehr wiederkommen, weil alles so sinnlos erschien. Aber dann zwang sie sich weiterzumachen, schon um ihres Vaters willen, der sie jeden Mittag beim gemeinsamen Mahl ängstlich anschaute und dann doch nicht zu fragen wagte – oder die Wahrheit über den Zustand seiner Frau vielleicht auch gar nicht hören wollte.

Nachmittags floh sie ins Antiquariat zu Gregor Morlock, dessen Geduld und Wissen sie überraschten und der volles Verständnis dafür hatte, dass sie den verrückten Eislauftermin verschieben wollte, weil ihr einfach nicht der Sinn nach Vergnügungen stand.

Während sie versuchte, sich in das System der Online-Plattformen für antiquarische Bücher einzuarbeiten und sich einen Überblick über die mehr als fünfzehntausend Bücher zu verschaffen, die in den Regalen des Ladens standen, beschäftigte er sich mit seinen Kunden, die in Claras Augen ein ganz besonderer Menschenschlag waren.

Ob sie nun ausschließlich Bücher mit roten Lederrücken haben wollten oder eine seltene Ausgabe von Ludwig Tieck – alle wurden von Gregor Morlock mit großem Respekt behandelt und suchten gern seinen Rat. Stammkunden waren es zum großen Teil, meist weit über vierzig, also wesentlich älter als er. Offensichtlich hatten sie schon seinen Vater gut gekannt, und nun brachten sie ihm das gleiche Vertrauen entgegen.

Sie war sich nicht sicher, ob sie die Arbeit mochte. Es war eine vollkommen fremde Welt, gerade so, als lasse sie auf der Schwelle zum Laden die Gegenwart hinter sich wie eine Schlange beim Häuten und beträte einen anderen Zeitraum, wie er vor ein oder zwei Jahrhunderten existiert haben mochte. Als habe es das Antiquariat immer schon gegeben und als sei es mitsamt Inventar eine vergessene Insel im Fluss der Zeit, unangetastet von Kriegswirren und Modetrends.

Gregor Morlock passte nicht in den Rahmen, fand sie. Sie hätte sich einen weißhaarigen Professortyp hierhergewünscht, nicht diesen schlaksigen jungen Mann, der sich eifrig die halblangen Haare hinter die Ohren strich, wenn er eine besonders knifflige Frage nach einer ganz besonders seltenen Ausgabe eines Bandes beantworten sollte.

Im Laufe der nächsten Woche stellte sich zwischen ihnen eine verschwörerische Verbundenheit ein. Ihre Augen suchten sich, wenn etwas Amüsantes geschah, sie freuten sich gemeinsam, wenn sie im Internet für einen Kunden eine Rarität fanden, sie steckten ihre Köpfe zusammen, wenn jemand ein bemerkenswertes Buch zum Kauf oder zur Begutachtung vorbeibrachte.

Besonders gefiel Clara, wie Gregor Morlock mit einem alten Buch umging. Wenn er es in die Hand nahm, strich er wie ein Schlafwandler mit dem Rücken der anderen Hand sacht über das Cover, drehte es um, streichelte die Rückseite, pustete unsichtbare Staubkörnchen weg und hielt es dann wie einen Schatz, während er mit dem Anbieter oder möglichen Käufer verhandelte.

Ihr heimlicher Lieblingskunde war Herr Kaminski. Er kam jeden Nachmittag gegen vier Uhr vorbei, entweder auf einen Plausch oder um für eine Viertelstunde bei den alten Märchenbüchern oder den Klassikern zu verweilen, meist ohne etwas zu kaufen. Seine weißen Haare lugten unter einer alten Baskenmütze hervor, er trug einen eleganten dunklen Lodenmantel und blank geputzte feine Lederschuhe. Seit seine Frau tot war, suchte er Halt in Ritualen, verriet Gregor Morlock ihr. Im Augenblick versuchte er, eine vierzehnbändige, in Halbleder gebundene Gesamtausgabe von Leo Tolstois Werken zu komplettieren. Zwei Bände fehlten noch und Morlock ging jeden Morgen als Erstes für ihn auf die Jagd.

Heute aber hatte irgendetwas Herrn Kaminski aus der Routine gerissen. Er stieß die Tür ungewohnt heftig auf, seine Wangen waren gerötet und er roch ein bisschen nach Wein.

»Ich habe es gerade erfahren«, rief er außer Atem. »Ich werde Urgroßvater! Meine Enkelin bekommt ein Kind. Was sagen Sie dazu?«

»Das ist ja wunderbar!«

»Und ich weiß auch schon, was ich ihr schenken werde. Und ihr, meine lieben Buchdetektive, müsst mir dabei helfen. Können Sie sich an das Kinderbuch ›Gittis Tomatenpflanze‹ erinnern?«

Clara hob ratlos die Schultern.

»Von Elisabeth Shaw?«, fragte Gregor Morlock und strich seine Haare zurück.

Seine Wangen röteten sich, und er stellte sich dicht neben Clara, um die Daten in den Computer einzutippen.

Herr Kaminski kam begeistert näher. »Das Original kam 1963 heraus, da war meine Tochter vier. Sie hat es unglaublich geliebt. Immer wieder mussten wir es ihr vorlesen, bis sie es auswendig konnte. Dann tat sie mit wichtiger Miene so, als könne sie es uns nun selbst vorlesen – sie merkte ja gar nicht, dass sie dabei das Buch auf dem Kopf hielt. Zum Piepen, sage ich Ihnen! Das Buch musste überall dabei sein, aber eines Tages hat sie es unglücklicherweise auf dem Spielplatz liegen lassen. Lange Zeit war sie untröstlich. Als sie selbst Mutter wurde, habe ich zum ersten Mal versucht, das Buch aufzutreiben. Es ist leider schon lange vergriffen. Auch Ihr Vater konnte mir damals nicht helfen, Herr Morlock, aber da gab es dieses Wunderwerk Internet noch nicht. Ich bin sicher, jetzt werden Sie es für mich finden.«

Gregor stupste Clara an. »Wollen Sie?«

Und ob!

Wenig später trudelte ein einziges Ergebnis ein, und Clara traute ihren Augen kaum: »Ein Angebot aus Belgien. Die wollen 264 Euro dafür!«

Gregor beugte sich über sie. Sie spürte seine Wärme und roch einen Hauch Sandelholz. »Zustand?«

»Zufriedenstellend. Erstausgabe. Signiert«, las Clara vor.

Herr Kaminski strahlte. »Das nehme ich. Für ein Urenkelkind kann doch nichts zu teuer sein. Hoffentlich wird es ein Mädchen!«

Gregor winkte ab. »Lassen Sie mir einen Tag Zeit. Ich finde bestimmt eine günstigere Ausgabe. Frau Funke schreibt übrigens auch Kinderbücher.«

»Funke? Funke?? *Die* Frau Fff...?«

»Nein, nein, bewahre. Ich schreibe unter anderem Namen«, unterbrach Clara und merkte, wie sie verlegen wurde.

Gregor Morlock sah sie überrascht von der Seite an, und sofort fühlte sie sich ertappt. Hatte Helmut damals alles brühwarm ausgeplaudert? Hatte die Familie am Mittagstisch über sie gelacht und Helmut für seine miesen Worte auch noch bewundert? Wusste am Ende die halbe Stadt Bescheid? Verdammter Mistkerl! Aber nein, jetzt ging sie vermutlich zu weit mit ihrem Zorn. Er wäre nicht besonders gut dabei weggekommen, und das hatte er nicht ausstehen können. Er hatte doch immer der edle Ritter sein wollen, wenigstens nach außen.

Gregor Morlocks prüfender Blick wich einem sanften Lächeln. »Sie hat sich ein besonders schönes Pseudonym ausgesucht: Clara Freudenreich. Bald kommt ihr neues Buch heraus, ›Der Troll mit den grünen Haaren‹, so heißt es doch, nicht wahr?«

Woher wusste er das? Was sollte sie jetzt antworten? Dass sie eine Versagerin war? Dass niemand ihre Bücher kaufen wollte? Dass sie beruflich, finanziell, moralisch am Ende war? Gütiger Himmel! Was ... was fiel ihm ein, sie in eine solche Situation zu bringen!

Unwillkürlich fuhren ihre Hände in die Hüften, aber langsamer als sonst, kraftloser, ohne die nötige Wut. Wie durch einen Vorhang hörte sie Herrn Kaminskis aufgeregte Worte, ohne sie zu verstehen, dann entfernten sich seine leicht schlurfenden Schritte, die Ladenglocke ging und Morlock und sie waren allein.

»Habe ich etwas Falsches gesagt? Das täte mir leid.«

»Ich ... Es ... Nun, ach, verdammt noch mal. Sie haben mich auf dem falschen Fuß erwischt.«

»Entschuldigung.«

»Mit einer Entschuldigung ist es nicht getan. Mischen Sie sich bitte nicht in mein Leben ein. Wenn ich über mich reden will, dann bestimme ich, mit wem und wann ich das tun will. Und sehen Sie mich nicht so an, als hätten Sie Mitleid mit mir, junger Mann. Das ist ja nicht zum Aushalten!«

Gregor Morlock trat einen Schritt näher. Wie in Zeitlupe beugte er sich vor und strich ihr vorsichtig eine widerspenstige Wutlocke aus dem Gesicht.

»Mein Vater hat Sie damals sehr verletzt, nicht wahr?«, flüsterte er und seine leise Stimme nahm all den Zorn weg, der sie in der Vergangenheit so gut gepanzert hatte.

Sanft fasste er sie am Arm und führte sie zu ihrem Lieblingssessel, in dem sie wie in einem Wattebett versank. Dann schloss er die Ladentür zu, hängte das Schild »Komme gleich wieder« ins Fenster und dämpfte das Licht.

»Soll ich Ihnen einen Tee kochen?«

Seine Fürsorge machte sie wehrlos. Sie konnte nur noch nach Luft schnappen, sonst würde sie doch tatsächlich die Fassung verlieren. Das kam überhaupt nicht in Frage!

»Begleiten Sie mich nach hinten?«

Sie war froh, sich bewegen zu können. Den Raum hinter dem dicken Samtvorhang hatte sie bislang noch nicht betreten und so war sie überrascht. Natürlich gab es auch hier vollgestopfte Bücherregale, jedoch waren die Bände neu, es gab neben ein paar gängigen Bestsellern hauptsächlich diverse Fachliteratur über Botanik, Gartenbau, Baumschnitt, Rosenzucht, Stauden, Beetgestaltung. An einer Seite des kleinen Raums befand sich eine winzige Küchenzeile mit Spüle und Zweiplattenkocher, auf der anderen Seite stand ein extra tiefes dunkelrotes geschwungenes Biedermeiersofa, auf dem Bettzeug lag und auf dem zwei Erwachsene bequem nebeneinander Platz gehabt hätten. Auf dem Tisch in der Mitte des Raums lagerten ebenfalls Gartenbücher. Die Atmosphäre war trotz oder vielleicht wegen der Unordnung heimelig.

»Wohnen Sie hier?«

»Vorübergehend. Oben ist die Heizung ausgefallen und das Dach ist etwas undicht.«

Sofort sprang in Clara wieder das schlechte Gewissen an. Bei ihr zuhause funktionierten wenigstens noch einige Heizkörper. Sie biss sich auf die Lippen und sah ihm angestrengt beim Teekochen zu. Er bewegte sich sicher wie jemand, der wusste, was er wollte. Nach einem kurzen Seitenblick in ihre Richtung tat er, als sei er höchst beschäftigt.

Noch ein Seitenblick. »Sie müssen nicht reden, aber manchmal tut es gut.« Seine Stimme klang einschmeichelnd, mitfühlend, wie dafür geschaffen, Schleusen zu öffnen.

Kraftlos setzte sie sich an den Tisch und nahm den Becher, den Morlock ihr zuschob. Ihre Hände berührten sich.

Er streichelte ihr kurz über die Finger, dann lehnte er sich mit verschränkten Armen gegen die Spüle und wartete.

Draußen klopfte jemand an die Ladentür, dann entfernten sich die Schritte. Das Telefon begann zu klingeln, aber er rührte sich nicht, auch nicht, als der Anrufbeantworter ansprang. Seine Augen ließen sie nicht los, während sie sich dunkelgrau färbten.

»Nicht einfach, über Kränkungen zu sprechen«, murmelte sie schließlich.

Er beugte sich über den Tisch und nahm ihre Hände. »Ich war damals noch ziemlich jung ...«

»Das sind Sie immer noch!«

Er zog seine Hände weg und presste die Lippen zusammen. Jetzt war er beleidigt, wie kompliziert!

»Entschuldigung.«

Er schüttelte den Kopf. »Ich wünschte, Sie würden mich ernst nehmen.«

»Tu ich doch! Aber welchen Sinn soll es machen, wenn ich mich über uralte Sachen beschwere.«

»Sind sie wirklich uralt? Oder ist es nicht vielmehr so, dass Sie seit Langem eine Last mit sich herumschleppen? Ich weiß ja nicht, was noch vorgefallen ist, aber diese Gemeinheit habe ich damals selbst mitbekommen, und ich kann verstehen, wie Ihnen zumute sein muss, wenn Sie das Antiquariat nur von Weitem sehen.«

Unterdrückte Erinnerungen wühlten sich durch viele Schichten in ihr Bewusstsein. »Wovon reden Sie?«, stammelte sie, und ihre Stimme klang fremd.

»Davon, wie er Sie verhöhnt hat, als Sie ihn baten, Ihr erstes Manuskript gegenzulesen. Wie er sich über Ihr Vorhaben lustig gemacht hat und Ihnen vorgeworfen hat, Sie hätten nach der Scheidung Ihren Mädchennamen nur wieder angenommen, um von der Namensgleichheit mit Cornelia Funke zu profitieren. Dass Sie, wie es Frauen früher dankenswerterweise gemacht hätten, lieber stricken sollten als die Welt mit geschriebenem Unfug zu belästigen. Das Schreiben gerade von Kinderbüchern sei eine schreckliche Modeerscheinung unter frustrierten Hausmütterchen, die nur, weil es heute so einfach sei, einen Computer zu bedienen, jeden Firlefanz zu Papier bringen wollten.«

»Frustrierte *frigide und unnütze* Hausmütterchen«, hatte Helmut gesagt, und genau das hatte ihr den Rest gegeben. Sein Sohn hatte alles mitgehört und konnte sich an jedes Wort erinnern!

»Sie sollten wissen, dass mein Vater selber vom Leben enttäuscht war, er war unehrlich und gefühllos noch dazu.«

Clara machte eine abwehrende Handbewegung. Das war nett von Gregor, aber es war unnötig. Sie wusste selbst, dass Helmut kein Tugendbold gewesen war. Dass er sehr charmant, aber auch unzuverlässig und hinterhältig sein konnte. Ja, wenn sie ehrlich war, dann hatte sie sich schon, als sie klein war, von seinem Aussehen und seinem selbstsicheren Auftreten blenden lassen. In Wirklichkeit war gar nichts hinter seiner Fassade gewesen.

Wie schaffte es jemand wie er nur über den Tod hinaus, dass sie sich selbst heute, nach so vielen Jahren, wegen seiner Worte immer noch unnütz fühlte? Gütiger Himmel, das war so kindisch. Wiederholung alter Beziehungsmuster. Warum war sie damals überhaupt hergekommen und hatte ihn in ihre Pläne eingeweiht? Weil er sie endlich für voll nehmen sollte? Weil sie ihm zeigen wollte, dass sie kein abgelegtes geschiedenes Frauchen, sondern stark und unabhängig war? Dass sie es auch zu etwas bringen konnte?

»Kinderbücher!«, hörte sie ihn noch lachen. »Ausgerechnet! Was Blöderes konntest du nicht finden, oder? Schreib doch Kochbücher, davon scheinst du mehr zu verstehen, so wie du aussiehst!«

Noch einmal durchlebte sie die Szene. Wut, Scham, Demütigung, die sie immer wieder verdrängt hatte, schossen in ihr hoch und verkrampften sich in ihren Muskeln. Es tat weh, seelisch wie körperlich. Mit Gewalt zwang sie sich, ihre Hände zu lockern, die sich um ihre Oberarme gekrallt hatten.

»Ich mag, was und wie Sie schreiben«, hörte sie Helmut sagen.

Nein, es war nicht seine Stimme, sie war jünger, hatte nur den gleichen Tonfall.

»Ihre Bücher sind gut.«

Das Brausen in ihrem Kopf nahm ab. Zurück blieb klare Luft wie nach einem Gewitter. War sie eigentlich noch zu retten gewesen, sich jahrelang dermaßen von Helmuts Worten heimsuchen zu lassen?

Natürlich waren ihre Bücher gut, das hatte ihr auch der Verlag mehrfach bestätigt. Sie verkauften sich nur im Augenblick nicht besonders, aber das lag vielleicht eher an mangelhaftem Marketing als an ihrer Schreibkunst. Sie machte sich ja unnötig das Leben schwer, wenn sie weiter in der Vergangenheit herumstocherte und sich von ihr lähmen ließ. Es war vorbei. Helmut hatte unrecht gehabt. Er hatte sie einfach nur verletzen wollen, warum auch immer. Vielleicht aus schlechtem Gewissen, weil er sie in der Studentenzeit hatte sitzenlassen. Für eine siebzehnjährige Schülerin.

Ach, das war alles so lange her. Es war verkehrt, alte Wunden zu lecken anstatt nach vorne zu sehen. Warum suchte sie sich keinen neuen Verlag? Warum saß sie hier in dieser winzigen Wohnküche und erhoffte sich Trost von einem Dreißigjährigen? Dieser junge Mann – dieses Kind! – war ungefähr ein Vierteljahrhundert jünger, aber tausendmal reifer und selbstsicherer als sie! Sie sollte wirklich die alten Dämonen begraben und nach vorne blicken, dann würde alles besser werden. Hatte es nicht auch so heute im Horoskop gestanden? *Sie erkennen, dass alte Konflikte momentan unwichtig sind und es eigentlich immer waren.*

Ja, genauso war es. Clara atmete tief durch und sah Helmuts Sohn in die Augen. Hellgrau. Sie hatte noch nie zuvor erlebt, dass sich Augenfarbe dermaßen ändern konnte. Er erwiderte ihren Blick wach und neugierig. Dankbarkeit stieg in ihr auf, und im gleichen Maße holte sie eine unbändige Lebenslust ein.

»Können wir den Laden für heute ganz zuschließen, Gregor? Ich würde wirklich gern mit Ihnen eislaufen gehen, und zwar jetzt!«

Vierzehn

Das Kratzen der Kufen mischte sich in der anbrechenden Dämmerung mit Kindergeschrei und Weihnachtsmelodien zu einem nach Schokolade und Glühwein duftenden Cocktail der Sinne. Claras Herz begann im Takt ihrer schneller werdenden Schritte zu klopfen, es drängte sie, sich in den Zauber dieses Abends einzubringen, obwohl ihr Verstand ihr ganz energisch widersprach. Vielleicht würden Körper und Geist Frieden schließen, wenn sie nur endlich auf Schlittschuhen Pirouetten und Bögen fahren konnte! Es sah so einfach aus, voller überschäumender Freude und Leichtigkeit.

Doch kaum hatte sie die Kufen aufs Eis gesetzt, da suchten ihre Hände auch schon verzweifelt Halt, ruderten wild umher, bereit, alles und jeden zu ergreifen, der sie vor dem unweigerlichen Sturz retten konnte. Fürs Erste war dies Gregor Morlocks Arm. Sie hörte sich kreischen und lachen, als er sie packte und mit sich hinaus auf die Eisfläche zog. Sie konnte an nichts anderes mehr denken als an Balance, ausrutschen, festhalten und irgendwie die rettende Bande erreichen. Aber Morlock ließ sie nicht los, brachte sie in die Mitte der Fläche, hielt sie an beiden Händen und federte ihre wilden Verrenkungen ab, so gut es ging. Natürlich dauerte es nicht lange, bis auch er sich nicht mehr halten konnte und sie beide auf dem Eis landeten. Es tat nicht weh, sondern provozierte erneutes Gelächter, weil sie es, hoffnungslos ineinander verknäuelt, nicht schafften, sich hochzurappeln. Befand sich der eine halbwegs auf den Beinen, riss der andere ihn wieder hinunter. Endlich gelang Gregor das Kunststück hochzukommen und Clara ebenfalls nach oben zu ziehen. Ein dicker Knopf sprang ihm weg, aber nach dem wollte keiner suchen. Breitbeinig wackelte Clara zur Bande und klammerte sich an sie, während sie ihr Gesicht fest gegen Gregors Mantelstoff presste.

Ein kleiner Junge sauste heran, stellte seine Kufen quer, so dass das Eis aufspritzte, und hielt ihnen den Knopf hin. Albern fingen sie an zu gackern, lagen sich in den Armen und konnten gar nicht mehr aufhören zu kichern.

»Selten habe ich so einen Spaß gehabt!«, rief Clara.

Gregor strich ihr mit den dicken Handschuhen eine Strähne aus dem Gesicht und nickte begeistert. »Geht mir genauso! Gab es denn keine Schlittschuhbahn in München?«

Falsche Frage.

München war so weit weg gewesen und plötzlich wieder so nah. Wie lange war sie weg? Wirklich erst zwei Wochen? Es kam ihr vor wie Monate und auch der Stich, auf den sie wartete, bohrte sich zeitversetzt und längst nicht mehr so tief in ihren Magen wie noch vor Kurzem. Ging Vergessen so rasant? Konnte man ganze Jahre im Leben so schnell ausradieren? Oder bewies es nur, dass es mit Jan schon lange nicht mehr gestimmt hatte? Dass es viel eher ein stures Festhalten an Gewohnheiten gewesen war, das sie dazu gebracht hatte, ihre wenigen Habseligkeiten in seine Wohnung zu schleppen? Er hatte sie zwar immer wieder dazu aufgefordert, zu ihm zu ziehen, hatte es aber eher lahm getan und, wenn sie es genau betrachtete, immer dann, wenn sie Zweifel angemeldet oder sich mit ihm gekabbelt hatte. Schließlich hatte sie sich – auch dank Simones gutem Zureden – vorgemacht, den seit Langem existierenden Riss in ihrer Beziehung mit noch mehr Nähe kitten zu können. Idiotisch!

»Entschuldigung, ich wollte Ihnen nicht zu nahe treten«, hörte sie Gregor zwischen den Zähnen murmeln.

Sie sah ihm zu, wie er sich von der Bande abstieß und davonfuhr, vorwärts und rückwärts Bögen drehte, einigen Läufern elegant auswich, anderen Scherzworte zurief und sie bei all dem nicht aus den Augen ließ.

Ihr Herz begann zu hämmern, obwohl sie es sich strikt verbat.

Mutig und breitbeinig löste sie sich vom Geländer und tapste einen Schritt auf ihn zu, verlor aber schnell wieder das Gleichgewicht und landete direkt in seinen Armen.

»Welches Sternzeichen sind Sie?«, platzte sie heraus, während sich seine Augenfarbe in das Dunkelgrau der verlorenen Perlenohrringe ihrer Mutter verwandelte.

Entrüstet rief sie sich zur Ordnung. Erstens war es zu dunkel, um Farbspiele zu erkennen, zweitens ging sie Gregors Sternzeichen überhaupt nichts an!

»Ich bin am 17. Juli geboren, warum?«, antwortete Gregor.

Krebsmann also, schoss es ihr durch den Kopf, während sie sich an seinem Ärmel festkrallte und sich bemühte, das Gewicht erst auf den einen, dann auf den anderen Schlittschuh zu legen, genau, wie er es ihr vorsagte. Tatsächlich wurden ihre Schritte sicherer, auch wenn sie seinen Anweisungen nur halb zuhörte.

Krebsmann: Idealist, sentimentaler Träumer, lebenslanger Freund, galanter Beschützer der Frauen, Genießer guten Essens und vor allem – guter Zuhörer.

Ganz anders also als Jan, der Casanova. Was hatte sie sich damals dabei gedacht, sich mit einem Schützemann zusammenzutun? Dass sie das Schicksal ändern könnte? Einen notorischen Schürzenjäger bändigen? Blödsinn! Das Fremdgehen war ihm von den Sternen doch in die Wiege gelegt worden. Hätte sie sein Horoskop ernst genommen, hätte sie sich diese eine Enttäuschung ersparen können.

Gregor sah sie an, als habe er ihr eine Frage gestellt und warte auf Antwort.

»Entschuldigen Sie, ich habe nicht zugehört. Ich muss mich auf meine Schritte konzentrieren«, log sie, denn sie waren ja längst an der Bande angelangt.

»Ob Sie sich für Astrologie interessieren.«

Herrje, was sollte sie darauf antworten? War es überhaupt noch eine Schrulle oder schon zwanghaft? Männer reagierten auf das Thema nicht besonders sensibel, hatte sie mehrfach erfahren müssen, und da sie ihn gerade nach seinem Sternzeichen gefragt hatte, würde er sich vielleicht vorkommen wie auf dem Heiratsmarkt. Da konnte sie sich gleich nach seinem Rhesusfaktor oder seinem Jahresverdienst erkundigen. Es sah ja so aus, als wäre sie hinter ihm her, sie, eine ältere, frustrierte, verlassene Frau, und er, ein knackiger junger Mann um die Dreißig! Du lieber Himmel! Normalerweise fand sie nichts dabei, wenn Frauen die Initiative ergriffen, aber doch nicht sie, noch dazu bei einem, einem – Jüngling!

»Nicht mehr als andere auch«, nuschelte sie. »Mir reicht's für heute. Meine Beine fühlen sich an wie aus Gummi.«

»Glühwein? Heiße Schokolade?«

Clara schnupperte. Ja, Kakao war jetzt genau das Richtige. Am Getränkestand mussten sie lachen, weil sie sich mit ihrem festen Schuhwerk erst einmal genauso schwankend bewegten wie auf den rutschigen Kufen.

»Ich möchte mich wegen vorhin entschuldigen«, sagte Gregor leise und schnupperte intensiv an der hohen Schokoladentasse. »Sie reden offenbar nicht gern über Ihre Zeit in München. War es schlimm?«

Clara nickte. »Ziemlich. Mehr gibt es dazu nicht zu sagen. Ist noch nicht lange her. Pech gehabt. Der Zeitpunkt war blöde, aber besser jetzt als in zehn Jahren.«

»Oh je, so frisch? Dann ist es vielleicht gut, wenn Sie Weihnachten zuhause sind, anstatt mutterseelenallein in der großen Stadt zu hocken. Gerade Weihnachten braucht man doch Familie, Geborgenheit, Tradition und so. Na ja, Silvester ist es fast noch schlimmer, allein zu sein. Dauert eine Weile, bis man gelernt hat, so gefühlsduselige Tage für sich auszuhalten.«

»Ich habe nicht vor, mich daran zu gewöhnen. Wie ist das mit Ihnen? Kommen Sie über die Feiertage irgendwo unter?«

»Sti-ille Nacht ... «, brodelte es aus dem Lautsprecher der Eisbahn und Clara schnappte nach Luft. Weihnachtslieder passten nicht hierher, eher fetzige Discomusik, fand sie. Die würde auch nicht so aufs Gemüt schlagen. Und dann noch diese Tannenzweige überall, die Weihnachtsbeleuchtung – das hielt doch das stärkste Pferd nicht aus!

Gregor hielt seine Lippen an das Porzellan, als würde er den Becher küssen, und Clara fuhr ein Schauer über den Rücken, als sie sich vorstellte, wie weich sein Mund wohl war.

»Manchmal bleibt einem nichts anderes übrig, als sich damit abzufinden«, murmelte er. »Mein Vater und Svetlana sind 2003 ums Leben gekommen, meine Mutter ein Jahr später. So ist das eben.«

Clara wagte nicht zu antworten. Trotzdem konnte sie ihre Neugier wohl schlecht verbergen, denn er lächelte reichlich schief.

»Kein Mitleid, bitte«, sagte er. »Sie müssen Hunger haben. Darf ich Sie zu mir einladen? Viel habe ich nicht, noch ein bisschen Kalbsbraten von gestern. Dazu könnte ich uns eine Thunfischsoße machen. Mögen Sie *vitello tonnato*?«

Ihr Vater fiel ihr ein, genauso siedendheiß, wie sich ihr Magen meldete.

»Au weh, ich muss nach Hause. Hören Sie, warum kommen Sie nicht Heiligabend zu uns? Es hängt natürlich vom Gesundheitszustand meiner Mutter ab, aber wenn es ihr unverändert geht, dann können wir doch mit meinem Vater zusammensitzen, und niemand muss alleine trüben Gedanken nachhängen.«

»Gern. Kann ich mich revanchieren? Mein Vorschlag: Ich mache den Laden schon morgen Mittag zu, ich würde ja ohnehin um vier schließen. Wie wäre es mit einem Ausflug? Zusammen mit Ihrem Vater?«

»Ich weiß nicht. Er kommt auf seinen Krücken doch keine fünfzehn Schritte weit, es fehlt ihm einfach die Kraft.«

»Ich könnte einen Rollstuhl besorgen. Wie wäre es mit einer kleinen Tour auf den Merkurberg? Mit der Bahn hinauf und den schönen Rundblick auf die Stadt, das Rheintal und den Schwarzwald genießen?«

»Ach, das wäre herrlich. Können Sie sich vorstellen, dass ich nie zusammen mit meinen Eltern dort oben gewesen bin, obwohl wir nur drei Haltestellen von der Talstation entfernt wohnen?«

»Fast nicht zu glauben. Aber so geht es oft, wenn das Gute nah liegt ...«

»Stimmt. Wissen Sie, Sie haben recht: Ein Ausflug wird ihm guttun. Aber wir überraschen ihn damit, ja?«

Begeistert riss Clara die Arme hoch, wofür sie sich von einem korpulenten Mann in ihrem Rücken einen Fluch einhandelte, weil dieser gerade einen Becher Glühwein vorbeijongliert hatte und sich nun wie ein Klappmesser nach vorne beugte und seine nasse Hand ausschüttelte.

Gregor lachte. »Sie sind einfach umwerfend mit Ihrer Leidenschaft! Wie ein Kind!«, rief er und drückte ihr einen Kuss auf die Wange.

Einen Moment blickten sie sich verblüfft an, dann drehte er sich um und stürzte davon.

Clara sah ihm nach und betastete dabei vorsichtig ihre Wange, überrascht, dass sie nicht glühte wie ein überhitzter Ofen in einer Skihütte.

Fünfzehn

Aber schon am nächsten Morgen plagte sie ausgewachsener Katzenjammer; sie schwankte, ob sie sich schämen oder über sich lachen sollte. Wie hatte sie nur mit jemandem, der fast halb so alt war wie sie, auf Schlittschuhen herumhampeln und wie ein verknallter Backfisch kreischen können? Und dann auch noch Einschlafschwierigkeiten haben – nur wegen eines harmlosen Küsschens auf die Wange! Sie war doch kein Teenie mehr. Ihr Verhalten war unmöglich, indiskutabel gewesen. Der junge Mann musste doch jeglichen Respekt vor ihr verloren haben. Sie würde ihm nie mehr unter die Augen treten können. Er schüttelte bestimmt insgeheim den Kopf über sie und machte sich über sie lustig – und das vollkommen zu Recht!

Zu allem Überfluss bohrte sich noch Paps' heisere Stimme in ihre Selbstzerfleischungsversuche: »Was war denn gestern? Du hast gar nicht erzählt, warum du so spät gekommen bist, nur gesummt hast du. Und heute sagst du keinen Piep!« Als ahnte er die Antwort, lachte er leise spitzbübisch in sich hinein, während sie schwieg und das Frühstücksgeschirr heftig stapelte, dass es nur so schepperte.

Es wäre nicht ihr Vater gewesen, wenn er nicht spätestens jetzt nachgegeben hätte.

»Na gut, dann mach mir bitte wenigstens das Radio an«, bat er schließlich und ließ sie für den Rest des Morgens in Ruhe.

Aber Ruhe war es nicht, was sie wenig später am Krankenhausbett verspürte. Nein, ihr Kopf zersprang fast, weil er voll war mit der tadelnden Stimme ihrer Mutter. Clara las immer lauter, um die inneren Zurechtweisungen zu übertönen, aber es half nichts. Obwohl die Kranke keine Miene verzog, sondern im Gegenteil noch mehr geschrumpft zu sein schien, konnte Clara ihr Missfallen durch alle Poren spüren.

Irgendwann klappte sie entnervt den »Roten Siggi«, das Buch, das sie vorletztes Jahr veröffentlicht hatte, zu.

»Ich bin es leid«, sagte sie lauter als beabsichtigt. »Mach ein Ende mit deinen ewigen Vorwürfen. Mein ganzes Leben begleiten sie mich. Ich will sie nicht mehr hören. Kannst du nicht einmal ein nettes Wort für mich finden? Was habe ich dir getan? Ich werde das Gefühl nicht los, dass du mich von Anfang an nicht hast haben wollen! Lass mich wenigstens jetzt mein eigenes Leben führen und meine Fehler allein ausbaden.«

Es hatte keinen Zweck. Selbst die Maschinen zeigten keine Reaktion an, Mutter lag immer noch fleckig und stumm vor ihr. Sie hörte sie nicht. Es war Zeitverschwendung, hier zu sitzen und sie zu unterhalten! Sie sollte besser hinausgehen und versuchen, den Schlamassel zu beseitigen, in den diese Frau sie alle gebracht hatte. Bank: um Terminverlängerung bitten. Amtsgericht: Widerspruch einlegen. Joe: Verhandlungen aufnehmen. Klavierhändler: Besichtigungstermin ausmachen. All das stand seit Tagen auf ihrem Erledigungszettel. Sie hatte die Liste zwar geschrieben, jedoch nicht einen Punkt abgehakt.

Jetzt fragte sie sich, warum sie so tatenlos dasaß und zusah, wie alles verloren ging. War es – obwohl sie es nicht wollte – eben doch reines Selbstmitleid, das sie plagte? Das änderte doch nichts. Sie bestrafte sich nur selbst, wenn sie immer und immer wieder an all den Verletzungen kratzte, die diese Frau ihr beigebracht hatte. Wäre es nicht bedeutend klüger, diesen Schmerz endlich, endlich loslassen zu können, anstatt sich an ihm festzukrallen?

Mit einem schabenden Geräusch ging hinter ihr die Tür auf.

»Alles in Ordnung?« Eine Schwester schwebte herein, kontrollierte die Apparate und den Tropf und wischte der Patientin mit einem nassen Wattebäuschchen den Mund aus.

Clara konnte ihre Augen nicht abwenden. Wie hilflos und verletzlich ihre Mutter wirkte. Als würde sie sich in den Kissen verkriechen wollen und sie anflehen, nicht mehr mit ihr zu schimpfen. Als sei sie nicht mehr die strenge Übermutter von damals, sondern nun selbst ein kleines Mädchen auf der Suche nach einem lieben Wort.

Was wusste sie über ihre Mutter? Vielleicht hatte sie ihre Gründe gehabt, so abweisend zu sein? War sie glücklich gewesen? Nein. Sie hätte zwar allen Grund dazu gehabt, einen Mann, der sie liebte, eine Tochter, die alles tat, um ihr zu gefallen, ein großes Haus, einen schönen Garten, ein Hobby, dem sie hemmungslos nachgehen konnte. Aber glücklich? Glücklich war sie wohl nicht gewesen.

War es nicht schrecklich, ein ganzes Leben lang in negativen Gedanken gefangen zu sein? Vielleicht hatte ihre Mutter Auswege aus ihrem kalten Gefühlskäfig gesucht, aber keine gefunden. Heute gab es Therapien, wenn man unter Depressionen litt oder mit dem Leben nicht zurechtkam. Etwas Derartiges war früher verpönt gewesen, wurde gleichgestellt mit »Irrenanstalt«.

Die Schwester strich ihrer Mutter sacht über die Wange und legte dann die Hand auf Claras Arm.

»Manchmal denke ich, man macht sich selbst unglücklich, wenn man nicht loslässt«, flüsterte sie, und ihre Worte trafen Clara in Mark und Bein.

»Aber wenn ich ihr verzeihe, dann würde ich doch gutheißen, was früher geschehen ist!«

Die Schwester sah ihr ernst ins Gesicht. Sie war älter, als es aufgrund ihrer mädchenhaft leichten Bewegungen den Anschein gehabt hatte, und ihre Augen verrieten, dass sie sich mit Leid und Schmerz auskannte.

»Wenn wir vergeben, dann entscheiden wir lediglich, nicht länger zuzulassen, dass unsere Vergangenheit auch unsere Zukunft negativ beeinflusst«, sagte sie und lächelte ganz fein.

Dann drückte sie Claras Arm und verließ leise das Zimmer.

Clara blieb am Fußende des Krankenbettes stehen und betrachtete, was von der kühlen, harten, verschlossenen Frau von einst übrig geblieben war: ein kleines Bündel Mensch, das sich quälte. Es war nicht richtig, darauf zu warten, dass sich ihre Mutter bei ihr entschuldigte. Es würde ohnehin nichts ändern. Sie würde höchstens zweifeln, ob die Entschuldigung überhaupt ehrlich gemeint war oder ob nicht doch ein sarkastischer Unterton mitschwang ... Nein, sie musste aufhören, auf eine Geste ihrer Mutter zu warten. Sie musste es selbst tun. Nur so würden sie beide Frieden finden.

Verzeihen, vergeben – das klang so einfach. Aber es reichte nicht aus, diese Worte nur zu denken. Sie kamen nicht in ihrem Innern an. Wie also machte man das – verzeihen? Oder – wie die Schwester es genannt hatte – loslassen? Das ging nicht von einer Minute auf die andere, nur weil man es sich vornahm. Aufgestaute alte Wut ließ sich nicht so einfach loswerden, sie saß in jeder Zelle ihres Körpers und in ihrer Seele.

Wie auf Bestellung fiel ihr die Szene ein, als sie gerade aufs Gymnasium gekommen war und ihr Held Helmut ihr fest versprochen hatte, sie an ihrem ersten Schultag zu begleiten und am richtigen Klassenzimmer abzusetzen. Nur deshalb hatte Paps eingewilligt, sie allein gehen zu lassen – aber Helmut war nicht am verabredeten Treffpunkt erschienen. Er hatte sie versetzt, wie später noch öfter. Paps hatte ihr damals vorgeschlagen, ihre Enttäuschung aufzuschreiben und zwar restlos alles, worüber sie sich ärgerte – und dann das Papier feierlich in kleinste Schnipsel zu zerreißen und in den Müll zu werfen. Das hatte sie getan, dazu noch am nächsten Tag Helmut ein blaues Schienbein geschlagen und den Vorfall dann abhaken können. Ja, damals war es so einfach gewesen. Heute ging das nicht so leicht. Ab einem bestimmten Alter konnte man seine Altlasten nicht mehr symbolisch zusammenfegen und vernichten. Nicht als Erwachsener, leider.

Aber verlockend war der Gedanke schon.

Wieder blickte Clara auf die bedauernswerte Frau. Wäre es nicht furchtbar, wenn sie von negativen Gefühlen begleitet in den Tod gehen müsste?

»Ich ... vergebe ... dir«, probierte sie stockend.

Bei jeder Silbe fürchtete sie zu ersticken, aber dann wiederholte sie die Worte und sie klangen gut. Klar und verständlich. Einfach. Wie eben Worte klingen, die gesagt werden müssen.

Dann tat sie das Unerhörte, trat dicht an ihre Mutter und streichelte ihr über die fleckige, zarte Wange und die Pergamenthaut ihrer kleinen Hand.

Immer noch zeigte das Gesicht keine Reaktion, auch die Geräte piepten im Gleichklang weiter.

Aber etwas hatte sich verändert; tief in ihrem eigenen Innern.

Sie fühlen sich voller Energie und würden am liebsten die ganze Welt umarmen. Geben Sie Ihrem inneren Drang nach. Gehen Sie auf die Menschen zu und bestaunen Sie die Wunder der Natur. Der Schatz an Erfahrungen und Freundschaften wird sich reichhaltig auf Ihr Leben auswirken.

Nachdenklich strich Clara die Zeitungsseite glatt. Genauso fühlte sie sich nach dem Krankenbesuch: frei und voller Energie. Gleich Montag würde sie die finanziellen Hürden in Angriff nehmen.

Jetzt aber war es an der Zeit, sich auf den Nachmittag vorzubereiten. Etwas wie Weihnachtsstimmung kam endlich, am Vortag des zweiten Advents, auf, als sie ihrem Vater zwar verriet, dass Gregor Morlock zum Mittagessen kommen würde, ihm aber den eigentlichen Grund des Besuchs verschwieg. Bestimmt würde er sich wie ein kleines Kind freuen, wenn es endlich einmal an die frische Luft ging!

Wie lange war er wohl nicht mehr draußen gewesen? Dieses Haus bot mit seiner Lage auf der Hügelkuppe zwar einen grandiosen Rundblick, aber für jemanden mit einer Gehbehinderung waren die vielen Außentreppen genauso unüberwindlich wie hohe Gefängnismauern.

Paps geriet für seine Begriffe regelrecht aus dem Häuschen, als er von dem überraschenden Mittagsgast erfuhr.

»Warum hast du das nicht schon eher gesagt! Das ist ein überaus gebildeter, gut aussehender, freundlicher junger Mann«, sagte er und seine blauen Augen blitzten.

»Du wiederholst dich, Paps.«

»Ich freue mich nur, dass ihr euch doch noch angefreundet habt.«

Ihre Wangen fingen an zu glühen. »Niemand spricht von Freundschaft. Es ist nur ganz einfach so: Ich koche zu viel, und du isst zu wenig.«

Ihr Vater kicherte. »Manchmal klingst du genauso raubeinig wie deine Mutter. Oh, entschuldige, ich weiß, dass du solche Vergleiche nicht magst. Hilfst du mir bitte?«

Er erhob sich unsicher aus seinem Sessel, und sie griff ihm unter die Arme, bis er sich ganz aufgerichtet hatte. Dann reichte sie ihm seine Krücken. Er konnte das zwar auch allein, aber so war es natürlich bequemer und es war schön, ihm ein wenig helfen zu können.

Während sie in der Küche mit den Vorbereitungen begann, hörte sie ihn durchs Erdgeschoss tappen. Sein üblicher Rundgang. Jetzt stand er vor der Wohnzimmertür, gleich würde er sich weiter zum ungemütlichen Teesalon schleppen, den niemand benutzte.

Clara maß Risottoreis ab und stellte Brühe auf den Herd, während sie mit halbem Ohr lauschte. Er stand immer noch. Komisch. Jetzt entfernte sich das Klopfen der Krücken, allerdings ins kalte Wohnzimmer hinein.

Auf Zehenspitzen folgte sie ihm und lugte um die Ecke. Paps stand vor dem Flügel und strich andächtig über den glänzenden schwarzen Lack, dann lehnte er eine Krücke an den Korpus und öffnete den Deckel, während er auf den abgenutzten Klavierschemel sank. Die Finger seiner gesunden Hand glitten über die Tastatur, ohne sie niederzudrücken, lautlos einer inneren Melodie folgend. Ganz langsam sank sein Kopf tiefer, kein Laut war zu hören, dann wischte er sich selbstverloren über die Augen.

Betroffen sah Clara ihm zu, wagte nicht zu atmen, um ihn nicht zu stören, und rang um Fassung. Der Flügel würde das Letzte sein, das sie verkaufen würde, das schwor sie sich in diesem Moment, während sie zurückschlich und in der Küche die weiteren Zutaten vor sich ausbreitete. Einen Verkauf würde sie ihrem Vater nicht antun. Niemals! Sie musste sich etwas anderes einfallen lassen, um an Geld zu kommen.

Während das Tappen wieder begann und sich in Richtung Küche bewegte, blickte sie krampfhaft aus dem Fenster, ohne etwas zu sehen, und zwinkerte den Schleier vor ihren Augen weg. Schon saß er hinter ihr am Tisch und sie versuchte ein Lächeln, um sich nichts anmerken zu lassen.

»Wein?«

»Oh ja. Aber nur einen Fingerbreit.«

»Ich bring ihn dir in die Bibliothek.«

»Würde es dich stören, wenn ich ein wenig bei dir in der Küche sitzen bleibe?«

Seine Finger bewegten sich langsam, als Adagio, auf der Tischplatte.

»Überhaupt nicht. Hast du etwas auf dem Herzen?«

»Ach nein, ich freue mich nur, dass du so strahlst.«

Das war eine Lüge. Wenn Paps auf dem Tisch Klavier spielte, dann war etwas im Busch. Um ihm Zeit zu geben, putzte sie mit Inbrunst Pilze und schnitt Zwiebeln, Knoblauch und eine kleine Pfefferschote und spitzte dabei die Ohren. Nichts. Nur asthmatisches Hüsteln und Räuspern und leises Trommeln von Fingern zu einer wirren Melodie, die sie nicht erkannte. Dann hörte auch das auf.

»Ist dein Gespräch mit der Bank eigentlich gut verlaufen, Bella?«

Das Messer rutschte ab. Ein Stück vom Fingernagel sprang weg, zum Glück blutete es nicht.

»Alles in Ordnung. Mach dir keine Gedanken.«

»Dann bin ich beruhigt. Ich fürchtete schon, deine Mutter hätte nicht richtig vorgesorgt. Aber wenn alles in Ordnung ist ...«

Sie bearbeitete die Zwiebeln, als hätte sie Joes Gewissen vor sich auf dem Hackbrett liegen. Nicht aufregen, bloß keine Aufregung für Paps, dachte sie im Rhythmus des Messers.

»Hast du mir auch wirklich die ganze Wahrheit gesagt?«

Am besten tat sie, als habe sie seine Frage nicht gehört. Sie war ohnehin kaum zu verstehen gewesen, weil er so leise und heiser sprach.

Seine Stimme wurde noch leiser, als er fortfuhr: »Wenn der Flügel gestimmt ist, ist er bestimmt zwanzigtausend Mark wert.«

Das Messer fiel ihr aus der Hand, als sie zu ihm herumfuhr. Er saß am Tisch und kroch tiefer in seine krümelige Wolljacke, als wollte er sich vor seinen eigenen Worten verstecken.

Liebevolle Wärme stieg in ihr hoch und sie setzte sich zu ihm auf die Eckbank, nahm ihn vorsichtig in den Arm und drückte ihm einen Kuss auf die Stirn.

»Wir schaffen das, Paps. Montag kümmere ich mich darum. Ich werde alles tun, damit du den Flügel behalten kannst. Ich ärgere mich über mich selbst, weil ich zehn Tage tatenlos herumgesessen habe.«

»Ach was, du hast sehr viel getan. Jeden Vormittag besuchst du deine Mutter, danach versorgst du mich, nachmittags arbeitest du im Antiquariat und nachts höre ich dich tippen. Du bist ein sehr fleißiges Mädchen, Bella.«

»Nein, nein, so ist das nicht ...«

Die Klingel zerschnitt ihren Satz, und es fiel ihr schwer, zur Tür zu gehen, obwohl sie wusste, wer davorstand. Wie Blei klebte die Verantwortung an ihr. So gern würde sie ihrem Vater das finanzielle Fiasko ersparen. Nun, vielleicht war ein Ausflug genau das Richtige für ihn, um ihn abzulenken und ihn Kraft tanken zu lassen.

Gregors Wangen waren gerötet und das Rot vertiefte sich kreisrund, als sie sich etwas steif begrüßten. Es dauerte ein paar Sekunden, bis sie bemerkte, dass er sich seine Kinnbartflusen abrasiert hatte. Das machte ihn gleich ein Stück erwachsener.

Da beugte er sich stürmisch vor, und sie machte erschrocken und instinktiv einen Schritt zurück. Er wollte sie doch nicht etwa zur Begrüßung küssen? Sie hatte die Nase voll von verkorksten Geschichten, verdammt. Der Altersunterschied zwischen ihnen war unüberbrückbar, und sie hatte keine Lust, dies womöglich lang und breit auszudiskutieren. Geschickt wich sie einen zweiten Schritt zurück.

Prompt sackten seine Schultern nach unten, dann riss er sich jedoch glücklicherweise zusammen und machte mit einem angedeuteten Lächeln eine Kopfbewegung zum Rollstuhl, der neben ihm auf dem Treppenpodest stand.

»Diele?«, flüsterte er wie ein Verschwörer.

»Nein. In die Bibliothek. Der Sitz kühlt sonst zu sehr aus.«

Das Pochen der Krücken hinter ihrem Rücken wurde lauter und verstummte dann. »Was ist das?«, fragte Paps und begann zu husten.

»Ein Rollstuhl. Wir machen heute Nachmittag einen Ausflug mit dir.«

»Wohin denn?«

»Na, das ist eine Überraschung!«

»Kinder!«, murmelte er gespielt streng, aber man konnte ihm ansehen, dass er sich sehr freute.

Gregor quetschte sich mit dem zusammengefalteten Rollstuhl an ihr vorbei, ohne sie anzusehen, was ihr allerdings einen kleinen Stich versetzte.

»Kommen Sie, wollen Sie die Arie hören, die der Callas einst zum Durchbruch verholfen hat?«, rief Paps, und Clara kehrte halb erleichtert, halb enttäuscht zurück an den Herd, als die beiden es sich wie zwei Verbündete in der Bibliothek gemütlich machten.

Nach dem angespannt schweigsamen Mittagessen ließ Paps sich zwar mit Mütze, Wintermantel, Schal und Handschuhen ausstatten und setzte sich unter der Bedingung, seine ausgetretenen Hausschuhe anbehalten zu dürfen, auch brav in den Rollstuhl, aber dann protestierte er ungewohnt heftig, als er erkannte, in welche Richtung es gehen sollte.

»Nein! Nicht auf den Merkur!«

»Warum nicht? Von dort oben haben wir einen fantastischen Blick, sieh nur, die Sonne kommt heraus. Das wird dir gefallen.«

»Das Stück zur Talstation ist zu steil. Das will ich euch nicht zumuten.«

»Ach was!«

»Nein, ich will das nicht. Bitte, bitte!«

Clara beugte sich vor und ordnete seinen Schal. »Wir nehmen den Bus, Paps, kein Problem«, flüsterte sie ihm ins Ohr. »Schau, der kommt in vier Minuten. Reg dich nicht auf. Wir wollen dir eine Freude machen. Tu uns bitte den Gefallen und verdirb uns das nicht! Mir zuliebe.«

Er machte sein unglückliches Mausgesicht, gab seinen Widerstand dann aber auf. Ungewöhnlich apathisch ließ er sich wenig später in den hellgrünen Waggon der Standseilbahn verfrachten und zum Gipfel transportieren, wo er die grandiose Aussicht über die Stadt im Tal keines Blickes würdigte, sondern sich über die Kälte beklagte und Hunger auf Kuchen anmeldete.

»Können wir bitte dort einkehren?«, fragte er wie ein braves Kind und deutete mit seiner steifen Hand zum Gipfelrestaurant.

Clara verbiss sich ein Grinsen. Kein Zweifel, irgendetwas behagte dem alten Mann nicht und er wollte möglichst elegant seinen Willen durchsetzen. Wahrscheinlich wollte er ihnen in Wirklichkeit nur den kurzen Anstieg zum Aussichtsturm ersparen. Aber das kam ja gar nicht in Frage.

Energisch half sie Gregor, den Rollstuhl bergan zu schieben.

»Nein«, rief Paps, und noch einmal: »Nein, bitte!«

Spaziergänger drehten sich um und tuschelten.

Gregor sah sie an. »Sollen wir umkehren? Wenn er es doch partout nicht will?«

»Ich kenne ihn. Er will uns nur keine Umstände machen. Bestimmt freut er sich insgeheim, nicht wahr, Paps? In dem Turm ist in den siebziger Jahren ein Aufzug eingebaut worden, wir kommen ganz bequem nach oben. Mach dir keine Sorgen, du fällst uns nicht zur Last.«

Aber ihr Vater antwortete nicht, sondern griff sich an die Brust und rang nach Luft. Dann sackte er still zusammen, eine Hand in der Herzgegend, mit weißen Lippen und großen angstvollen Augen.

Für eine Schrecksekunde konnte Clara sich nicht rühren. Um Gottes willen, ein Herzanfall! Bitte, bitte nicht! Er durfte nicht sterben! Sie war schuld! Sie hatte ihm ihren Willen aufgezwungen, ihn behandelt wie ein kleines Kind, anstatt seinen deutlichen Wunsch zu respektieren! Und jetzt?

»Hilfe«, piepste sie und kniete sich neben ihn.

»Nitro«, röchelte er, und sie begann, seine Taschen zu durchwühlen.

Aber ihre Finger wollten ihr nicht gehorchen. Sie fand nichts. Nichts! Das Röcheln wurde leiser, ging stoßweise, er war kreidebleich und sah so ängstlich aus, als säße ihm der Leibhaftige auf der Brust.

Mit ein paar raschen Handgriffen holte Gregor ihren Vater aus dem Rollstuhl, legte ihn auf den Boden, lagerte ihn seitlich und knöpfte ihm den Mantel auf, was Paps ein wenig Erleichterung verschaffte. Dabei redete er unablässig beruhigend auf ihn ein.

Dann versuchte Gregor per Handy Hilfe zu holen, während Clara weiter alle Taschen ihres Vaters durchsuchte. Hier, die Kapsel! Sie bekam sie fast nicht aus der Verpackung. Paps führte ihr schließlich die Hand, zerbiss das rettende Medikament und atmete zum ersten Mal wieder tief durch.

Passanten rannten herbei. Einer rief: »Ich bin Arzt!«, stieß sie beide weg und versetzte ihrem Vater einen Schlag auf den Brustkorb.

Clara schrie entsetzt auf und wollte den Mann fortreißen, doch Gregor zog sie an sich und hielt sie fest. »Er weiß, was er tut«, beruhigte er sie. »Ich kenne ihn von früher, ein guter Internist.«

»Ich bin schuld«, stöhnte sie. »Er wollte nicht hierher, aber ich ... «

Gregor nahm sie in seine Arme und klopfte ihr wie einem Baby auf den Rücken. »Niemand ist schuld, niemand. Schscht ... «

Tatsächlich fühlte sie sich ein wenig getröstet. Sie vergrub ihren Kopf in seinem Parka und blinzelte von dort in Richtung ihres Vaters. Der Arzt schien wirklich alles im Griff zu haben. Paps schien ihm antworten zu können. Irgendwann machte der Mediziner ein Zeichen und Gregor und er hievten ihn in den Rollstuhl zurück.

»Ich habe die Notrufzentrale verständigt, der Krankenwagen kommt zur Talstation. Sie können ihn bis dorthin mit dem Rollstuhl transportieren. Ein Anfall von Angina pectoris, kein Grund zur Beunruhigung. Es sollte trotzdem in der Klinik abgeklärt werden. Vielleicht sollte er ein paar Tage dort bleiben.«

»Bella«, wisperte ihr Vater heiser. »Bitte, ich möchte nicht ins Krankenhaus. Ich möchte nach Hause. Geht das bitte?«

Sie sah den Arzt fragend an.

Er machte ein bedenkliches Gesicht. »Ich kann allerdings keine Garantie ...«

Nun, ein zweites Mal würde sie sich nicht über den Kopf ihres Vaters hinwegsetzen, außer er schwebte wirklich in Lebensgefahr und so sah es nicht mehr aus. Seine Wangen hatten wieder Farbe bekommen, die Augen blitzten und sein Kinn war vorgeschoben. Keine Frage, auch er würde sich nicht noch einmal zu etwas überreden lassen, was er nicht wollte.

Sechzehn

Claras Vater war so erschöpft, dass er nicht einmal ansatzweise protestierte, als Gregor ihn die Treppe hochtrug. Der Hausarzt kam relativ schnell, ein älterer Mann mit weißem Kinnbart und fröhlichen Augen. Er kannte sich offenbar in der Villa gut aus, wenngleich Clara ihn noch nie gesehen hatte. Auch er musterte sie misstrauisch.

»Wie geht es Ihrer Mutter?«, fragte er knapp und machte eine sehr ernste Miene, als sie ihn leise unterrichtete. »Und Sie meinen, Sie schaffen das hier allein?«

»Ich helfe ihr«, sagte Gregor.

»Ah, an Sie erinnere ich mich! Sie haben mich im Oktober gerufen! Gut, ich verschreibe Herrn Funke jetzt etwas zur Stärkung und Sie sorgen dafür, dass er es regelmäßig nimmt. Das müsste reichen. Er ist zäh.«

Während Gregor die Arznei aus der Apotheke holte, kochte Clara ihrem Vater Tee, deckte ihn zu und ließ ihn bei geöffneter Tür ruhen. Auch das Schlafzimmer war nun relativ kalt, die Heizkörper fühlten sich nur noch lauwarm an. Es duldete keinen Aufschub mehr; sie musste endlich herausfinden, woran das lag. Hoffentlich war es nur ein kleiner Defekt, vielleicht musste nur Wasser nachgefüllt oder die Steuerung am Brenner neu eingestellt werden. An sich hätte sie gleich bei ihrer Ankunft nachsehen müssen. Es war eindeutig der falsche Zeitpunkt für einen Heizungsausfall.

Nicht gerade begeistert stieg sie in den Keller, pochte an den antiquierten Öltank, an dem sie keinen Füllstandsanzeiger entdecken konnte; er klang für ihr laienhaftes Verständnis zwar hohl, aber nicht leer. Auch am Brenner konnte sie nichts Ungewöhnliches entdecken. Der Kessel klopfte oder fauchte nicht oder war gar außer Betrieb, im Gegenteil, er schnurrte wie ein VW-Motor. An den verschiedenen

Temperaturanzeigen ließ sich ebenfalls nichts Auffälliges feststellen.

Mit einem Mal fiel ihr ein, dass früher, als sie noch zuhause wohnte, manchmal die Ventile der alten Heizkörper geklemmt hatten. Ihre Mutter hatte ihr einmal gezeigt, wie man sie reparieren konnte, denn schon als Mädchen hatte sie sich mehr für handwerkliche Dinge interessiert als für Blümchen. Sie brauchte also nur Werkzeug.

Ihre Mutter war eine ordentliche Frau. Im Raum neben dem Heizungskeller hing im Schrank die Gartenkleidung, in der Kommode lagen Samentütchen, im Regal waren ausrangierte Blumentöpfe der Größe nach sortiert und Eimer und diverse Säcke mit Düngemitteln verstaut.

Im nächsten Raum stand Mutters Giftschrank, zu dem nur sie einen Schlüssel hatte – wahrscheinlich der, den sie stets um den Hals trug. Clara wollte schon weitergehen, da sprang ihr in einer Ecke eine Umzugskiste ins Auge, die mit ihrem Namen beschriftet war, mit »Clara« – statt mit »Kind« oder »Mädchen«, wie Mutter sie sonst immer genannt hatte. Neugierig hob sie den Deckel hoch. Hier also waren ihre Kindheitsschätze, ihre zerfledderten Märchenbücher, Kritzeleien, die Schulhefte mit ihren ersten Schreibversuchen im hinteren Teil, Zeichnungen, kleine Muttertagsbriefchen, Fotos. Das konnte sie unmöglich im Keller lassen. Prustend trug sie ihren Schatz hinauf in die Bibliothek, um den Inhalt noch einmal in Ruhe zu begutachten. Tatsächlich, es war alles da, nichts weggeworfen, wie sie es die ganze Zeit über angenommen hatte. Hatte ihr Vater also doch recht gehabt?

Bedächtig grub sie sich durch die Vergangenheit, bis ihr Vater oben rumorte und sie sich um ihn kümmern musste. Wie versprochen kam Gregor vorbei und half ihr, Paps nach unten zu tragen, wo er sich sichtlich wohler fühlte. Objektiv betrachtet wäre es besser gewesen, ihn für die nächsten Tage ganz im Erdgeschoss einzuquartieren, aber oben war das Badezimmer, auf das er auch nicht verzichten wollte.

Sein erster Blick fiel natürlich auf die Kiste, die mitten im Raum stand, und er schien zusammenzuzucken.

»Oh, du räumst den Keller auf. Gut. Mach das, das ist gut«, hüstelte er, kroch tiefer in seine Strickjacke und verlangte nach seinem Fingerbreit Wein, den er natürlich nicht bekam.

Eigentlich sollte sie nun, wo Gregor sich um alles kümmern konnte, in aller Ruhe nach dem Werkzeug suchen, doch sie entschied sich fürs Erste dagegen. Es reichte, wenn die Bibliothek warm war. Wenn alle Räume beheizt würden, würde womöglich das Öl nicht über die Feiertage reichen. Sie wusste ja nicht einmal, ob sie die Stadtwerke würde überreden können, ihnen den Strom nicht abzuklemmen. Vielleicht waren sie mit Ratenzahlungen einverstanden, dann würde sie aus ihrem privaten Überziehungskredit etwas überweisen. Aber dann waren da immer noch die offenen Beiträge für die Krankenversicherung. Auch die hatte vor drei Wochen gedroht, keine Arztkosten mehr zu übernehmen, auch nicht für ihre Mutter. Ging das überhaupt?

Bedrückt schlich sie in die Küche, während Gregor ihrem Vater ein Wunschkonzert zusammenstellte und begeistert auf dessen mit schwacher Stimme vorgetragene Belehrungen reagierte. Vielleicht konnte ein schönes Kaminfeuer ihre Stimmung heben. Clara schloss die Seitentür auf und ging ums Haus, um ein paar Scheite Holz zu holen. Aber der Unterstand, in dem das Holz normalerweise lagerte, war leer. Der kleine Vorratsrest in der Kiepe neben dem Kamin würde höchstens noch für ein, zwei Stunden reichen. Himmel! Sie konnte doch nicht auch noch Brennholz kaufen!

Ratlos lehnte sie sich an die Hausmauer und sah zu den Sternen hinauf. Es war bitterkalt, aber die Verzweiflung fuhr ihr noch eisiger in die Glieder als die Winterluft. Nur schwach konnte sie die Umrisse des verdammten Gartens erkennen, der an allem schuld war. Sie waren erledigt wegen eines abfallenden Hanggrundstücks unterhalb der Villa, das man sowieso nicht im Blickfeld hatte; nur die Nachbarn im Tal konnten ihn bewundern oder Besucher, falls es überhaupt noch offene Gartentage gab. Früher waren diese Tage sehr beliebt gewesen, sie hatte dann Kanapees herumgereicht und aufpassen müssen, dass ihr die rutschigen kleinen Brote nicht von der Platte fielen, wenn sie die endlosen Treppen nach unten oder wieder nach oben zum Haus stieg, um die Gäste zu bedienen. Wie hatte sie diese Tage gehasst, all die aufgesetzte Heuchelei! Das blöde Rosenkleid, auf dessen Saum sie trat, wenn sie bei den Stufen nicht achtgab. Mutters Hand, die ihr gedankenlos über den Kopf strich, solange Fremde anwesend waren.

Clara horchte in sich hinein, aber sie konnte die gewohnte Wut nicht mehr finden. Eher Mitleid und Bedauern darüber, dass sie wohl nie den Grund für das Verhalten ihrer Mutter erfahren würde. Vielleicht war sie gar nicht gefühlskalt gewesen, sondern ganz im Gegenteil erfüllt von Angst, Gefühle zu zeigen?

Ach, egal. Sie war mit Anstand erwachsen geworden. Männer und Beruf einmal ausgeklammert, ging es ihr gut. Sie war gesund und hatte keinen allzu großen seelischen Schaden aus ihrer Kindheit davongetragen. Es war überhaupt albern, in ihrem Alter noch an Qualen von früher zu denken. Sie hatte doch alle Chancen gehabt und die meisten genutzt, um sich aus eigener Kraft ein erfülltes Leben aufzubauen. Dass sie – nach sehr glücklichen Jahren, die sie auch ausschweifend genossen hatte – in Ehe und Beziehungen langfristig immer wieder scheiterte, hatte nichts mit ihrer Vergangenheit zu tun, sondern ausschließlich damit, dass sie sich die falschen, nämlich gleichaltrigen Männer ausgesucht hatte, die sich irgendwann lieber niedlichen, spritzigen Kindfrauen zuwandten. Das war vielleicht sogar biologisch bedingt, es war ihnen wahrscheinlich gar kein Vorwurf zu machen.

Fröstelnd ging sie ins Haus zurück und bereitete ein mageres Abendbrot vor. Ihr Vater war bereits eingenickt, als sie mit dem Tablett ins Zimmer kam. Gregor hatte den *Don Giovanni* leiser gedreht und stand vor den mächtigen Bücherwänden. Als er sie hereinkommen hörte, drehte er sich um und sein Lächeln wärmte sie, wie es das größte Kaminfeuer nicht geschafft hätte. Sie war gern mit ihm zusammen, stellte sie erstaunt fest.

»Wein?«, wisperte sie.

»Nur ein halbes Glas. Ich habe mir den Bestand Ihres Vaters angesehen, weil ich hoffte, ich könnte etwas Wertvolles finden und es Ihnen für das Antiquariat abkaufen. Aber – wie soll ich sagen: Er hat wunderbare Bücher hier, nur sind sie leider für meinen Laden, wie Sie ja inzwischen selbst wissen, ziemlich unbrauchbar. Schade, schade. Gibt es vielleicht irgendwo alte Stiche? Im Keller vielleicht?«

»Ich sehe morgen nach. Bis jetzt ist mir nichts aufgefallen.«

Clara rüttelte ihren Vater sacht, doch der wollte nichts essen, sondern nur noch ins Bett. Angespannt sah er aus und seine ohnehin große Nase ragte ganz besonders weit hervor. Auch die Partie um seine Augen wirkte wie zerknittertes Pergamentpapier, durchscheinend und erschreckend greisenhaft. Hoffentlich ging es ihm wirklich gut. Sie ließ eine Klingel neben seinem Bett, damit er sie jederzeit rufen konnte. Besser wäre er im Krankenhaus auch nicht aufgehoben, beruhigte sie sich, als sie ihn zudeckte und das Licht löschte.

Unten hatte Gregor die Deckenlampe gedimmt und zwei Gläser eingeschenkt, einen *Barolo* aus den *Langhe*-Bergen im Piemont, wie sie auf dem Flaschenetikett erkennen konnte. Wenigstens der Weinkeller in diesem Haus war gut bestückt und offenbar unerschöpflich, wenngleich es natürlich keine Spitzenlagen gab, die sie vielleicht hätte versteigern können. Paps hatte sich immer an trinkbare Weine gehalten, die er bezahlen konnte.

»Es tut mir sehr leid, dass meine Idee mit dem Ausflug so enden musste«, sagte Gregor leise.

»Oh, nicht doch. Ich bin es, die sich Vorwürfe machen muss, aber wer weiß, vielleicht hätte er den Anfall auch hier bekommen. Es scheint ja noch einmal gutgegangen zu sein.«

»Manchmal haben Sie große Ähnlichkeit mit ihm, jetzt zum Beispiel, wenn Sie versuchen, mich zu trösten. Danke.«

Clara nippte am Wein. Ihr fiel keine passende Antwort ein und so kostete sie von dem Käse, dem sie, allem Sparzwang zum Trotz, nicht hatte widerstehen können. »Dieser *Pecorino* wurde von ausgewählten Schafen auf schwer zugänglichen Höhenwiesen im Apennin gewonnen. Probieren Sie.«

Gregor nahm einen Krümel. »Ihr Vater und Sie scheinen italienisches Blut in den Adern zu haben. Diese Bildbände hier, die Musik, das Essen, der Wein ... Wo in Italien hat es Ihnen am besten gefallen?«

»Gar nicht. Weder er noch ich waren je dort.«

»Das kann ich nicht glauben. Sie haben sogar die typische Gestik einer Italienerin, wenn ich nur an unseren ersten Zusammenstoß im Antiquariat denke.«

»Unser Italo-Tick war eher eine kleine Verschwörung zwischen ihm und mir. Meine Mutter hasste nämlich alles, was fremd war, und ganz besonders die Italiener, die damals als erste Gastarbeiter ins Land kamen. Schon den Knoblauch, den sie mitbrachten, konnte meine Mutter nicht ausstehen.«

»Hm. Und doch hat sie ihre berühmte Rose ›Carlotta‹ genannt. Wenn das nicht italienisch ist?«

»Darüber habe ich noch gar nicht nachgedacht. Ihre Rosen haben mich nie besonders interessiert, muss ich gestehen, wahrscheinlich, weil ich sie immer als Konkurrenz gesehen habe.«

»Wegen der ›Carlotta‹ wurde Ihre Mutter Ende der fünfziger Jahre zur Rosenkönigin von Baden-Baden gekürt.«

»Wegen der ›Carlotta‹? Ich dachte, wegen ihres Garten-spleens.«

»Anfangs muss dies hier noch ein recht überschaubares Areal gewesen sein, das sie erst nach und nach ausgebaut hat. Ein herrlicher Garten, muss ich sagen, viel Arbeit, aber sagenhaft! Und welche Ideen sie umsetzte, das war begnadet! Ich bewundere sie sehr für ihre Stilsicherheit und ihr Gespür für das Große wie für die Details. Haben Sie den neuen Pavillon am Teich gesehen?«

Clara schüttelte den Kopf. Sie war seit Jahren nicht mehr im Garten gewesen, aber das gab sie ihm gegenüber nur ungern zu.

»Wir haben uns gegenseitig mit Ignoranz bestraft und ich weiß eigentlich gar nicht, warum. Sie mochte mich nicht, also mochte ich ihren Garten nicht.«

Clara biss die Zähne zusammen. Das hatte sie nicht sagen wollen, vor allem nicht vor Gregor. Was ging diesen jungen Mann ihre Vergangenheit an. Andererseits – sie fühlte sich außer ihrem Vater im Augenblick niemandem näher als ihm. Wieder der falsche Mann! Diesmal zu jung. Er würde sie für eine Zwanzigjährige verlassen, die ihm einen Stall voller Kinder schenken würde. Verwirrt schüttelte sie den Kopf. Der Wein, das musste der Wein sein.

Gregor stützte seine Ellbogen auf den Knien ab und beobachtete sie scharf, sagte aber nichts. Seine Augen wurden dunkel, fast schwarz, soweit sie das im Dämmerlicht erkennen konnte.

»Es ist ein charaktervoller Garten, ein echtes Denkmal. Ihre Mutter hat etwas Großartiges geschaffen und ich bedaure sehr, dass sie es nie zugelassen hat, dass jemand ein Buch darüber schreibt oder einen Bildband verfasst. Glauben Sie mir, ich kenne mich mit Gärten aus, sie sind meine Leidenschaft, so, wie Italien die Ihre ist. Nur dass ich meine Leidenschaft wenigstens eine Zeitlang konkret ausleben durfte. Ich habe Gartenbau studiert, bevor mein Vater verunglückte und ich den Laden übernehmen musste. Mir hat das Wühlen in der Erde schrecklich gefehlt und deshalb habe ich Ihrer Mutter so gern geholfen. Wir haben lange Fachgespräche geführt. Sie hat ein umfassendes Wissen über Rosen und Gartengestaltung. Sie hätte Seminare halten können, wenn sie gewollt hätte, und sie hätte mit Rosenzucht Geld verdienen können, sie hätte einen gut funktionierenden Familienbetrieb daraus machen können. Wir haben oft darüber geredet, aber sie wollte davon nichts wissen. Einmal sagte sie mir, es solle Ihnen nicht so ergehen wie mir mit dem ungeliebten Erbe. Der Rosengarten sei ihre eigene, ganz private Leidenschaft, die sie niemandem aufdrängen wolle.«

»Hört sich nicht nach meiner Mutter an.«

»Wäre es Ihnen lieber, ich würde sagen, sie sei herrschsüchtig, unbeugsam und immer viel zu ernst gewesen, dass es an Bitterkeit oder Verachtung für die Mitmenschen grenzte?«

»Klingt schon eher nach ihr. Aber ich will mich nicht beklagen. Ich habe mich mit ihr ausgesöhnt.«

»Sie haben sich ausgesprochen? Gut. Das lag ihr sehr am Herzen.«

»Nicht direkt ausgesprochen. Sie liegt ja immer noch im Koma.«

»Sie hat Ihnen nichts sagen können?«

»Nur etwas, das wie M-a-nnn... klang. Haben Sie vielleicht eine Ahnung, was sie damit gemeint haben könnte?«

»Sie hat mit mir nie über private Dinge gesprochen.«

»Nun, es hätte ja ein Handwerker sein können oder eine Pflanze, um die ich mich kümmern soll oder ...«

»Ich hatte eher den Eindruck, es sei etwas, das sie seit Langem sehr bedrückt und beschäftigt hatte. Auch wenn sie ziemlich verschlossen ist, so ist sie doch ein sehr einfühlsamer Mensch. Sie hätten sie sehen sollen, wie sie Marienkäfer an die Rosen trägt, damit sie die Läuse fressen. Oder wie sie mit einem Gemisch aus Milch und Wasser gegen Mehltau vorgeht, mit einer kleinen Sprühflasche in dem riesigen Garten. Oder wie sie Jungvögel wieder ins Nest setzt oder den Igeln ein Winterquartier baut. Sie hat auch mir früher einmal sehr geholfen, damals, als das mit meinem Vater passierte.«

»Wie war das mit seinem Unfall eigentlich?«

Er presste die Handflächen zusammen. »Um noch einmal auf die Rosen zurückzukommen. Ich habe im letzten Frühjahr einen Steckling von der Carlotta gezogen. Die Rose ist sehr alt und es existiert nur dieses eine Exemplar. Diese Farbe! Und erst die Blüte: ein blutroter Märchentraum, gefüllt, mit ganz leicht gelben Rändern, die im Abblühen leuchtend orange glühen. Dazu der Duft – einfach betörend. Ich habe niemals eine schönere Rose gesehen. Aber sie ist vergreist und krank. Auch Rosen leben nicht ewig. Deshalb habe ich sie unbedingt retten wollen. Ich musste es heimlich tun. Ihre Mutter hatte es mir zwar nicht ausdrücklich verboten, aber sie weigerte sich generell, über die Carlotta zu reden. Als ich einmal sagte, was ich vorhatte, hat sie mich angesehen, als würde sie mich verachten.«

»Oh, das kenne ich.«

»Es war mir jedoch egal. Ich will das letzte Exemplar retten. Die Carlotta ist eine sehr wüchsige Kletterrose, ich habe den Setzling an den neuen Pavillon gepflanzt und sie wird ihn bestimmt bald überwuchern. Das wird Ihnen auch gefallen. Ich fürchte, Ihrer Mutter hat die Idee nicht gefallen. Für sie war diese Züchtung Privatsache, sie war die Schöpferin und wollte die Verfügungsgewalt darüber behalten. Nun, ich hoffe, sie wird mir gnädig gestimmt sein, wenn die Rose nächstes Jahr zum ersten Mal blüht.«

»Ich fürchte, das wird sie nicht erleben«, erwiderte Clara langsam.

So, wie sie ihre Mutter früher aus der Distanz mit viel Argwohn gesehen hatte, so überrollte sie nun eine Mischung aus Mitgefühl, Trauer und Respekt, wenn auch ohne Liebe. Für Liebe waren die Verletzungen zu tief gegangen.

Gregor erhob sich. »Bleiben Sie sitzen. Ich komme morgen früh wieder, mit Sonntagsbrötchen, einverstanden?«

Sie sah ihm zu, wie er sich im Aufstehen ein wenig reckte, sein Glas in die Küche trug, noch einmal zurückkam und ihr leise, fast zärtlich eine gute Nacht wünschte, dabei aber seine Hände in den Hosentaschen behielt. Dann klappte die Haustür und wenig später tuckerte die Ente den Berg hinab in die Stadt und war noch lange auf ihrem Weg auszumachen. Plötzlich bedauerte sie, dass er schon gegangen war. Er fehlte ihr.

Er entsprach überhaupt nicht ihrem Klischee vom kindischen, oberflächlichen Mann um die Dreißig, der noch nichts vom Leben wusste. Im Gegenteil, sie hatte in ihm einen einfühlsamen, selbstbewussten und hilfsbereiten Freund gefunden.

Der Schatz an Erfahrungen und Freundschaften wird sich reichhaltig auf Ihr Leben auswirken. So war es. Und sie konnte nur hoffen, dass er ihr noch lange als Freund erhalten blieb. Und wenn sie in seiner Gegenwart am liebsten ihr Gesicht in seinen Rollkragenpullover drücken, noch einmal seine Arme um sich, seine Hand in ihren Haaren, seine Wange an der ihren spüren wollte, so war das falsch. Eine Ersatzhandlung, weil sie mit München noch nicht fertig war. Man konnte nicht so schnell von einer Beziehung in eine andere – noch dazu in eine altersmäßig vollkommen indiskutable – springen. Derartige Anwandlungen sollte sie schleunigst vergessen. Sie brauchte einen Freund, keinen jugendlichen Liebhaber. *Basta.*

Erst beim Einschlafen fiel ihr ein, dass er ihr eine Frage nicht beantwortet hatte.

Siebzehn

Auch am nächsten Morgen lag beim gemeinsamen Frühstück ein Zauber in der Luft, und ihrem Vater fiel trotz der eigenen Beschwerden auf, dass sich ihr Ton geändert hatte und dass sie eine neue Art hatten, sich in die Augen zu sehen und sich aus dem Weg zu gehen, als könnte die kleinste Berührung sie verbrennen.

»Ich freue mich, ich freue mich«, hauchte er, als Gregor kurz das Zimmer verließ, und tätschelte ihre Hand. »Ein netter Junge, glaub es mir.«

»Paps! Was denkst du nur. Er könnte mein Sohn sein. Ich bitte dich.«

Doch ihr Vater kicherte und mümmelte, und wenn er nicht so elend ausgesehen hätte, hätte man meinen können, es ginge ihm richtig gut.

Gregor maß ihm Blutdruck, beharrte trotz aufkeimender Abwehr darauf, ihn ins Bett zu tragen, und stand dann etwas ratlos in der Küche, in der Clara fürs Mittagessen einen kleinen Kalbsbraten mit Thymian, Rosmarin und Knoblauch spickte. Beim Essen würde sie als Allerletztes sparen, hatte sie sich vorgenommen, auch wenn das unklug war. Aber zwanzig Euro für eine Mahlzeit, die bei drei Personen Leib und Seele zusammenhielt, ließen sich nun einmal leichter aufbringen als tausend für unsichtbare Nebenkosten oder zehntausende für Zinsen auf dem Papier.

»Er hat mich gefragt, ob ich einen Interessenten für den Flügel kenne«, unterbrach Gregor ihre innere Rechtfertigungsarie.

»Ich habe gehofft, er bekommt nicht mit, wie es finanziell steht. Zwangsräumung! Die spinnen doch. Die können uns doch nicht auf die Straße setzen!«

»So schlimm?«

Clara unterdrückte ein Stöhnen. »Schlimmer. Wenn ich wenigstens helfen und die nächsten Wochen überbrücken könnte. Aber ich bin ja selbst pleite.«

»Ihre Bücher laufen doch gut.«

»Dachte ich auch, aber dann bekam ich das Schreiben vom Verlag, dass dem nicht so ist und dass sie daher kein weiteres Buch veröffentlichen wollen.«

»Ihre Mutter hat mir noch im Sommer erzählt, wie erfolgreich Sie seien. Ich glaube, sie war richtig stolz auf Sie.«

»Phh ... Ich habe das etwas anders in Erinnerung. Aber lassen wir das. Ich gebe ja die Hoffnung nicht auf, dass ich noch etwas finden werde, das sich zu Geld machen lässt. Allerdings habe ich schon das ganze Haus auf den Kopf gestellt und nichts entdeckt. Heute wollte ich den Keller durchforsten. Vielleicht gibt es ihn ja, den unentdeckten Van Gogh oder wenigstens eine Sammlung Meißner Porzellan. Alles wäre mir recht.«

»Dann gehen Sie. Ich übernehme den Küchendienst.«

»Aber ...«

»Ich kann drei Gänge auf nur zwei Platten zubereiten, dann schaffe ich das hier auch. Also: Ich brate das Fleisch an, gieße Wein und Fond auf und lasse es im Ofen bei 180 Grad garen. Richtig? Dazu soll es, wenn ich die Berge hier sehe, Salzkartoffeln und Kohlrabigemüse geben. Was ist daran schwer? Nun gehen Sie schon. Hier komme ich klar. Bin ja froh, wenn ich mich nützlich machen kann.«

Erleichtert machte Clara sich davon. Im Vorratskeller waren die Regale bestückt wie vor einem drohenden Krieg. Die meisten Konserven waren allerdings abgelaufen oder bestanden aus weißen Bohnen, Sauerkraut, Dosenfleisch oder Kohleintöpfen, die ihr Vater nicht vertrug. Verwundert besah Clara sich das Sammelsurium und begann zu ahnen, dass es ihrer Mutter wohl schon seit Längerem schlecht gegangen war.

Als Nächstes kam der Bügelkeller an die Reihe, der verbotene Raum. Schon als sie die Türklinke niederdrückte, hämmerte ihr Herz im Hals, als sei sie wieder ein kleines Mädchen. Immer noch lag der rote Sisalläufer wie eine Stolperfalle auf dem Betonboden, der ausrangierte Ledersessel aus der Diele war hierher verfrachtet worden und gammelte vor sich hin, und der große Tisch unter dem halbhohen Kellerfenster diente immer noch als Unterlage für Bügeleisen und Wäschemangel. Sogar das alte Laken, das wie früher darüber ausgebreitet war und fast bis zum Boden reichte, wies noch an den gleichen Stellen Sengflecken auf wie vor Jahrzehnten. Im Schrank war Bett- und Tischwäsche soldatisch gestapelt und der Geruch nach Waschmitteln und Bügellotion versetzte Clara augenblicklich zurück in einen unvergesslichen Sommernachmittag ihrer Kindheit.

Vier oder fünf war sie damals gewesen. Ihr war die Anwesenheit in diesem Raum nicht erlaubt gewesen, aber er zog sie wegen dieses sauberen Geruchs magisch an. Freitags war traditioneller Wasch- und Bügeltag gewesen und sie hatte einfach nicht widerstehen können. Sie war in einem unbeobachteten Augenblick in den kühlen Keller geschlichen, um an einem Stapel Handtücher zu schnuppern, als sie plötzlich Schritte hörte. Schnell hatte sie sich unter den Tisch verkrochen, aber ausgerechnet dort hatte ihre Mutter Platz genommen. Clara hatte schrecklichen Hunger gehabt und dringend auf die Toilette gemusst, sich aber nicht zu rühren getraut, aus Angst vor der Strafe, die unweigerlich gekommen wäre. Natürlich kribbelte es genau in diesem Moment in der Nase und das Herz war ihr fast stehen geblieben, als ihrer Mutter ein Wäschestück zu Boden gefallen war und sie es aufheben musste. Mit angehaltenem Atem hatte sie eine kleine Ewigkeit auf die klobigen Schuhe ihrer Mutter gestarrt, an denen noch Erde klebte und die so gar nicht in die saubere Frische des Raumes passten.

Wenn sie erwischt würde, würde sie die pieksenden Rosen auslichten helfen müssen, das ahnte sie schon, und sie hatte Angst davor. Deshalb hielt sie sich die Hände vor den Mund, presste die Beine zusammen und dachte sich Geschichten aus, um sich irgendwie abzulenken. Vielleicht eine Minute, bevor sie sich in die Hose gemacht hätte, hatte Mutter ihre Arbeit beendet und sich langsam entfernt.

Clara lehnte im Türrahmen und lächelte angesichts der kindlichen Erleichterung, an die sie sich immer noch erinnern konnte. Merkwürdig, dass selbst unschöne Erlebnisse einen rosa Mantel erhielten, wenn sie nur alt genug waren. Ob das an der Wehmut allgemein lag, mit der man in die Kindheit zurückblickte? Irgendwie ging es nicht mehr um erlittene Kränkungen, sondern um die Glorie der einstigen Unbeschwertheit.

Sie konnte nicht widerstehen und hob das Tuch hoch, um unter den Tisch zu sehen. Ach, die Rosenkiste. Die hatte sie ganz vergessen. Auf der hatte sie an jenem Nachmittag gesessen. Sie war kalt gewesen, jedenfalls war es ihr damals so vorgekommen. Nun, auch heute sah sie immer noch beeindruckend aus, weniger wegen ihrer Größe – sie hatte ungefähr die Ausmaße von vier großen Keksdosen – als vielmehr wegen der aufgemalten verschnörkelten Rosenbilder. Clara beugte sich tiefer, um die Kiste vorzuziehen, aber es ging nicht. Sie musste sich verhakt haben. Sie zog stärker – vergebens. Also schob sie den Tisch weg und versuchte die Kiste hochzuheben. Ein entsetzlicher Schmerz fuhr ihr ins Kreuz, die Kiste jedoch bewegte sich keinen Millimeter. Festgenagelt. Komisch. Warum hatte man die Kiste derart gesichert? Sie bestand aus schwerem Metall, Eisen vielleicht? Wie ein Safe.

Mit »M-a-nnn…« hatte ihre Mutter vielleicht den Mangel-Tisch gemeint, dämmerte ihr plötzlich, beziehungsweise die Kiste darunter! Aber hätte das nicht anders geklungen? Und hätte sie nicht »Kiste« versucht zu sagen oder »Safe« oder zumindest »Keller«?

Mit Stemmeisen und Hammer bearbeitete Clara das Teil, aber so einfach war das nicht, denn das Material war noch echte Wertarbeit, vielleicht eine Spezialanfertigung? Aber wozu? Und weshalb befand sich die Kiste seit Jahrzehnten unter dem Tisch? Sie legte sich bäuchlings auf den kalten Boden und betrachtete das Stück näher.

Der Deckel saß ohne Zwischenraum auf dem Korpus. Es gab keine Möglichkeit, einen Hebel anzusetzen, um ihn wegzubiegen. Aber an der Breitseite befand sich ein Schloss. Das Loch lag quer, wie für einen Safeschlüssel gemacht, und war relativ schmal. Wahrscheinlich ließ es sich mit einer Haarnadel öffnen, wie ihre Tagebücher früher oder ihr magersüchtiges Sparschwein.

Clara versuchte es mit verschiedenen Werkzeugen, aber sie konnte die verdammte Kiste keinen Millimeter bewegen. Sie klang dumpf, wenn man draufschlug, also schien sie gefüllt zu sein. Womit wohl? Geld? Aktien? Verflixt, das blöde Ding musste doch irgendwie aufgehen, zur Not eben mit Gewalt.

Leider rief Gregor sie in diesem Augenblick zum Mittagessen.

Paps sah erheblich besser aus als beim Frühstück, er hatte sogar gerötete Wangen, was Clara misstrauisch machte. Hatte Gregor ihm etwa den berühmten Fingerbreit genehmigt? Seinem übertrieben harmlosen Gesichtsausdruck nach zu urteilen, lag sie mit dieser Vermutung wahrscheinlich nicht falsch. Paps schien das verbotene Schlückchen zum Glück gut zu bekommen. Aufgekratzt gab er eine seiner bekannten Schulanekdoten zum Besten, über die Clara tatsächlich immer noch lachen konnte.

Am liebsten hätte sie ihn über ihren Fund informiert, aber in letzter Sekunde kam ihr der Gedanke, dass ihre Mutter die Kiste nicht nur vor möglichen Einbrechern, sondern vielleicht auch vor ihm versteckt hatte.

Beim Nachtisch klopfte sie auf den Busch. »Gibt es eigentlich einen Safe oder ein geheimes Versteck im Haus?«, fragte sie ihren Vater, während sie ihren Löffel in eine

Quarkspeise tauchte, die zwar etwas nach künstlichen Aromen schmeckte, aber akzeptabel war.

Gregor Morlock hatte seine Kochprüfung bestanden, keine Frage, auch wenn er länger gebraucht hatte als vorgesehen, denn inzwischen war es schon nach drei.

Auch Paps schien es geschmeckt zu haben. »Vorzüglich«, murmelte er, ohne auf ihre Frage einzugehen. »Erstaunlich, meisterhaft.«

Gregors Wangen röteten sich. »Nicht der Rede wert«, wehrte er ab.

Clara wollte schon gegen seine falsche Bescheidenheit protestieren, da trafen sich ihre Blicke, vertieften sich ineinander und sie spürte, wie ihre Wangen heiß wurden. Er hatte sie während der gesamten Mahlzeit kaum aus den Augen gelassen. Flirtete er etwa mit ihr? Mit einer »Frau in ihrem Alter«?

Sie war stark versucht, ihn wegen ihrer Entdeckung im Keller um Hilfe zu bitten, doch dann wiederum stellte sie sich vor, wie sie beide auf dem Boden herumkrochen und die Kiste erneut untersuchten, wie sich womöglich ihre Hände und ihre Köpfe berührten und sie in etwas hineinschlitterten, das ihnen anschließend leidtun würde.

Also beschloss sie, ihn nach dem Nachmittagstee, den er gerade vorbereitete, wegzuschicken. Sie würde mit ihrem Vater gut allein zurechtkommen, er war schon wieder so weit zu Kräften gekommen, dass er mit ihrer Hilfe die Treppe schaffen würde. Gregor Morlock sollte sich gar nicht erst daran gewöhnen, in diesem Haus Dauergast zu sein.

Während er die Küche in Ordnung brachte, bugsierte sie ihren Vater zu seinem Lieblingssessel, dekorierte mit der einzigen Packung Lebkuchen, die sie gekauft hatte, eine Platte und stellte fest, dass sie vollkommen vergessen hatte, wenigstens einen Adventskranz zu besorgen.

Zweiter Advent und kein Weihnachtsschmuck? Das hatte es noch nie gegeben. Kerzen taten es jetzt aber fürs Erste auch. Sie stellte alle, die sie finden konnte, aufs Fensterbrett, auf den Kaminsims und auf den Tisch und zündete sie an. Draußen wurde es bereits dämmrig, denn es war ein trüber Tag gewesen, und sie schaltete das Deckenlicht aus. Gut. Wunderbar. Ein Kerzenmeer im Advent – das weckte doch Bilderbuchgefühle.

Dann opferte sie die letzten drei Scheite Kaminholz, schichtete sie übereinander und hielt den Anzünder daran. Eine erste Flamme zündelte empor, dann noch eine. Fauchend geriet das obere Scheit in Brand.

Die Tür ging auf, Gregor kam mit dem Tablett voller Teegeschirr herein und blieb wie angewurzelt stehen. Clara konnte erkennen, wie sein Mund sich öffnete und wieder schloss, aber es war nichts zu hören außer einem winzigen erstickten Laut. Das Tablett rutschte ihm aus der Hand, Tassen und Teller zerbarsten in tausend Scherben, aber er kümmerte sich nicht darum, stand nur da, blass, mit aufgerissenen Augen, als sehe er ein Gespenst und könne nicht aufhören, es bewegungslos anzustarren.

Clara sprang auf und rannte zu ihm. Dieser Mann hatte ein Problem, das war nicht zu übersehen. »Herr Morlock!«, schrie sie, aber er rührte sich nicht, stand wie unter Schock. Sie packte ihn an den Armen und versuchte, ihn zu schütteln. »Gregor!«

Keine Reaktion. Schweiß perlte ihm die Schläfe hinunter in den Rollkragen.

»He!« Sie boxte ihm die Faust in die Brust, wie sie es gestern bei dem Arzt gesehen hatte.

Doch er blinzelte noch nicht einmal, sondern drehte sich mit immer noch aufgerissenen Augen um und lief aus dem Haus, ohne einen Ton von sich zu geben. Clara wollte ihm folgen, aber schon knallte die Haustür zu, dann heulte der Motor der Ente auf.

Der Mann war ja komplett verrückt geworden!

Sprachlos kehrte Clara in die Bibliothek zurück und sank auf die Lehne des Ledersessels, in dem ihr Vater fast verschwand. Er hüstelte und sie ging zum Kamin, um die Glasscheibe vorzuschieben. Natürlich war offenes Feuer nichts für einen Asthmatiker, aber er liebte das Knistern von Holz genauso wie sie.

»Vielleicht haben ihn die Flammen erschreckt?«, brummelte er.

»Was kann ein Mensch gegen Kerzen haben?«

»Nun, wenn man bedenkt, wie sein Vater zu Tode kam ...«

Clara strich ihrem Vater über seine babyweiche Kopfhaut, dann über das stachelige Kinn. Nur selten brachte er Sachen durcheinander und dann waren es auch lediglich winzige Details. Im Augenblick konnte er sich wohl nicht mehr richtig daran erinnern, dass Helmut bei einem Verkehrsunfall ums Leben gekommen war. Wahrscheinlich fiel es ihm gleich wieder ein. Kein Grund zur Besorgnis. Am besten überspielte sie das Thema.

Sie begann die Scherben des Rosengeschirrs aufzusammeln. Zum Glück waren nur Tassen und Teller zu Bruch gegangen, die heiße Kanne stand noch unversehrt in der Küche.

»Wir trinken jetzt trotzdem unseren Tee, nicht wahr, Paps?«

»Oh ja, gerne. Oder ... oder meinst du, du könntest mir vielleicht ...?«

Also bekam er seinen Fingerbreit. Aber nur einen.

Achtzehn

Hören Sie heute auf Ihren gesunden Menschenverstand, denn er wird Sie nicht im Stich lassen. Sehen Sie auch einmal über die nackten Zahlen hinweg und lassen Sie Ihr Bauchgefühl sprechen. Manchmal verhüllen Zahlen und Fakten mehr, als sie offenbaren.

Na bitte! Vor dem Gespräch mit der Bank konnte es doch kein treffenderes Orakel geben! Beruhigt faltete Clara die Zeitungsseite zusammen und stopfte sie in ihre Handtasche. Joe hatte für elf Uhr einen Termin mit seinem Chef vereinbart, aber vorher musste sie noch etwas anderes erledigen, für das es leider keinen so eindeutigen Hinweis gab.

In der Nacht hatte sie von der Szene unter dem Bügeltisch geträumt, war aber diesmal erwischt worden und hatte zur Strafe das Rosenkleid anziehen müssen, welches im Traum viel zu eng und über und über mit echten Rosen besetzt gewesen war. Sie hatte geweint und ihre Mutter hatte sich zornig über sie gebeugt. Dabei war ihr die Kette aus dem Ausschnitt gerutscht und Clara war aufgewacht, weil sie plötzlich wusste: Der Schlüssel am Hals ihrer Mutter gehörte gar nicht zum Giftschrank. Der war erst viel später angeschafft worden, nachdem Mutter sie dabei überrascht hatte, wie sie heimlich sämtliche gefährlichen Flaschen, Tuben und Dosen inspiziert hatte.

Wenn der Schlüssel aber nicht zum Giftschrank gehörte, dann konnte er eigentlich nur zur Rosenkiste passen. Sie brauchte ihn also nur vom Hals ihrer Mutter zu nehmen und war hoffentlich alle Sorgen los, weil die Schatulle natürlich voller Geld war oder voller Schmuck ... Und dann würde sie diesen eingebildeten, geldgierigen Bankleuten die kalte Schulter zeigen können.

Doch leider war es nicht so einfach, wie sie sich das ausgemalt hatte, denn die Kette war nicht da. Man hatte sie der Patientin vor der Verlegung auf die Intensivstation abgenommen und nun lag sie mit all den anderen persönlichen Gegenständen in Verwahrung der Krankenabteilung, bewacht von einem missmutigen Jungdrachen namens Schwester Jennifer.

Als spüre sie Claras Unsicherheit, verschränkte Schwester Jennifer die massigen Arme und kniff die Lippen zusammen, so dass ihr Piercing wie ein silberner Pickel aufblitzte.

»Wer sind Sie? Ihre Tochter? Frau Funke lag wochenlang hier und hat nie Besuch gehabt oder etwas von einer Tochter gesagt.«

In Claras Kopf begann sich das schlechte Gewissen zu räkeln und gegen die Schläfen zu drücken. Am besten, sie überging die indirekte Anschuldigung.

»Sie will ihre Kette haben.«

Kopfschütteln. »Frau Funke ist doch intubiert, oder?«

»Herrje, was muss ich noch tun, damit Sie mir helfen!«

»In dem Ton schon gar nicht.«

»Schwester Jennifer, meine Mutter hat diese Kette ihr Leben lang getragen. Sie braucht sie wie einen Glücksbringer.«

»Davon ist mir nichts bekannt.«

»Jetzt ist es genug!« Clara konnte ihre Hände auf dem Weg zu den Hüften ebenso wenig stoppen wie ihren Jähzorn, der vor ihren Augen flirrte. »Geben Sie die Sachen meiner Mutter heraus, oder ... oder ... ich beschwere mich. Wie heißt Ihr Vorgesetzter? Wo sind die Sachen überhaupt? Vielleicht im Nachtkästchen in einem leerem Zimmer, zu dem jedermann Zutritt hat? Ist etwas gestohlen worden? Helfen Sie mir deswegen nicht?«

Mitten in den Ausbruch traf sie ein ganz neuer Gedanke mit voller Wucht: Und wenn Mutter zusammen mit dem Schmuck auch die Kette mit dem Schlüssel versetzt hatte?

»Sie hat nichts von der Kette gesagt. Nur von einem Manuskript«, erwiderte Schwester Jennifer schnippisch und brachte Clara damit vollkommen aus dem Gleichgewicht.

»Vom Troll mit den grünen Haaren?«, kiekste sie aufgeregt und hoffnungsfroh wie ein kleines Mädchen.

»Wie bitte? Grüne Haare?«

Ihr Gegenüber zwinkerte, und Clara ärgerte sich über ihre dummen Gedanken. Als würde ihre Mutter vor Fremden mit ihr und ihrem Beruf angeben! Andererseits – hatte sie nicht ihr selbst gegenüber etwas geäußert, das wie »M-a-nnn...« geklungen hatte? Hätte es »Manuskript« heißen sollen? War sie also doch stolz auf ihre Bücher? Nein. Nicht ihre Mutter.

»Was hat sie denn über mein Manuskript gesagt?«

Schwester Jennifer löste ihre Arme und strich sich über den gestärkten Kittel, bis er knisterte.

»Weiß nicht genau. Es war ihr wichtig, daran kann ich mich noch erinnern. Na egal – kommen Sie mit!«

Resolut setzte sie sich in Bewegung und schloss im Dienstzimmer einen Schrank auf. Kurze Zeit später stand Clara wieder in der Intensivstation und der Schlüssel verbrannte ihr fast die Handfläche.

»Ich bring ihn dir zurück. Ich brauche ihn nur ganz kurz«, flüsterte sie, konnte die vorwurfsvolle Stimme ihrer Mutter aber nicht aus dem Kopf bekommen.

Eine Absolution wäre gut gewesen, irgendein noch so kleines Zeichen, dass sie das Richtige tat. Aber es kam nichts. Natürlich nicht.

Obwohl es gefroren hatte, trippelte Joe ohne Mantel vor dem Gebäude auf und ab. Unter den Achseln seines Anzugs zeichneten sich dunkle Flecken ab.

Mit »Kein Wort wegen unseres Angebots!«, begrüßte er sie.

Darüber hatte sie auch schon nachgedacht. Sie musste ihn gar nicht richtig erpressen, aber sie konnte seine wunde Stelle doch ein bisschen zum Wohl ihrer Eltern ausnutzen.

»Wenn du uns Aufschub gewährst, können wir über alles reden.«

»Herrgott, das habe ich nicht in der Hand. Du kannst mich den Job kosten. Dabei meinen Heike und ich es nur gut. Wir garantieren dir den offiziellen Verkehrswert. Vierhunderttausend. Das ist erheblich mehr, als du bei einer Zwangsversteigerung erzielen wirst. Es gibt keine anderen Interessenten. Der Garten ist zu groß und die Stadt hat für das Gebiet eine Veränderungssperre verhängt. Das heißt, dass auch kein Investor kommt und euch mit Geld überschüttet, weil er auf dem Gelände fünf Mehrfamilien-Stadtvillen bauen könnte, die hier gerade so Mode sind.«

»Es bleibt immer noch die Option, dass ein Russe das Haus haben will. Die kaufen alle großen Immobilien auf, das kann man überall lesen.«

Joc nagte an seiner Unterlippe.

»Es gab zwei Interessenten aus Moskau und einen aus Kasachstan, aber alle sind abgesprungen, weil das Haus auf der Kuppe zu einsehbar und ungeschützt ist. Du hast keine Wahl, Clara, unsere Bank besteht auf Rückzahlung der Kredite so schnell wie möglich. Sieh mal, das Haus käme in gute Hände, und Heike liebt Rosen. Wir würden nichts Wesentliches verändern.«

»Nur meine alten, kranken Eltern auf die Straße setzen.«

»Ein besseres Angebot bekommst du nie mehr. Versprich, dass du mich nicht verrätst.«

»Dann unterstütz mich bei der Fristverlängerung.«

»Drei Monate?«

»Und du lässt nach dem Kauf terminlich ebenfalls mit dir reden.«

Joe nickte fast unmerklich und hielt ihr die Tür auf.

Clara warf den Kopf zurück und machte sich innerlich auf den Kampf gefasst, während sie langsam die glänzende Treppe in die Chefetage hochstieg. *Manchmal verhüllen Zahlen und Fakten mehr, als sie offenbaren.* Wie wahr. Sie hatte gute Karten. Sie würde sich nicht unterkriegen lassen.

Doch Joes Vorgesetzter, ein Herr Häberle mit starkem Stuttgarter Akzent, erwies sich als zäher Verhandler, zahlenhörig, keinem Argument zugänglich. Alles an ihm war kleinkariert, er dachte und träumte vermutlich nur in Zahlen.

Clara hielt mit dem Schicksal ihrer Eltern dagegen.

»Dann müssen sie halt ins Pflegeheim«, seufzte Häberle. »Das scheint nach allem, was Sie sagen, ohnehin die beste Lösung.«

»Das wäre der Tod meines Vaters.«

»Unfug. Es gibt gute Einrichtungen …«

»… die wir uns nicht leisten können.«

»Ihre Mutter wird ein Pflegefall sein, wenn ich Sie richtig verstanden habe, egal ob mit Haus oder ohne.«

»Können Sie mit dem Rauswurf nicht warten, bis sich wenigstens ihr Zustand stabilisiert hat? Meinen Sie nicht, dass das alles für meinen Vater zu viel wird? Er ahnt noch nicht einmal etwas von der finanziellen Misere …«

»… Sie haben ihm nichts gesagt? Herr Oesterle, erwähnten Sie nicht, sie hätte seine Vollmacht vorgelegt?«

»Er ist schwer herzkrank. Wollen Sie wirklich, dass ich ihm einen solchen Schock versetze?«

»Ihr Problem. Ich habe eine Verantwortung für meine Bank und die Einlagen unserer Kunden.«

»Dann hätten Sie meiner Mutter niemals derartige Kredite genehmigen dürfen.«

»Das habe ich nicht zu verantworten, das war vor meiner Zeit.«

»So einfach ist das nicht. Ihre Bank hat einen Fehler begangen, und nun, wo ich mich bereit erkläre, die Finanzen zu sichten und neu zu ordnen, drehen Sie mir den Hahn ab und geben nicht einmal einen minimalen Zeitaufschub? Merkwürdig, merkwürdig. Dahinter steckt doch Methode.«

Joe rutschte in seinem Stuhl hin und her und machte ein verstohlenes Handzeichen.

»Bleiben wir bitte bei den Zahlen ...«

»Zahlen? Die verhüllen manchmal mehr, als sie offenbaren.«

Herr Häberle bäumte sich auf. »Was wollen Sie uns unterstellen?«

»Dass Sie Ihren Kunden unverantwortlich hohe Kredite einräumen, ohne Rücksicht darauf, ob diese jemals zurückgezahlt werden können. Ja, ich behaupte, das hat Ihre Bank bewusst betrieben. Und warum? Richtig: um mit den Schuldzinsen ein Geschäft zu machen. Und nun vernichten Sie Ihre ehemaligen Goldesel, um mit dem Verkauf des Anwesens wiederum Geld herauszuholen. Ich finde das unanständig.«

»Was wollen Sie?«

»Meine Mutter ist zurzeit nicht handlungsfähig. Wenn sich nichts ändert, muss ich vor Gericht die Betreuung beantragen, und das braucht Zeit. Deshalb will ich einen Aufschub von drei Monaten, um in Ruhe mit Finanzberatern und Rechtsanwälten die Situation zu besprechen, über eine Umschuldung nachzudenken und gegebenenfalls meine Eltern auf die neue Situation schonend vorzubereiten. Drei Monate, das ist doch nicht zu viel verlangt.«

»Aber das Gericht hat die Termine schon festgesetzt.«

»Nur aufgrund Ihres Antrags. Dann beantragen Sie eine Aussetzung.«

»Als wenn das so einfach ginge.«

Joe rappelte sich hoch. »Von meiner Seite kämen keine Bedenken.«

Häberle kniff den Mund zusammen. Er blätterte den Stapel Unterlagen durch, tippte etwas in seinen Tischrechner, sah wortlos von Clara zu Joe und wieder zurück, dann seufzte er. »Erster April also. Bedenken Sie aber, dass wir Ihnen die Zinsen nicht stornieren, die laufen weiter.«

»Doch nicht in voller Höhe! Hören Sie, Sie bekommen keinen Cent, wenn ich morgen private Insolvenz für meine Eltern anmelde.«

Den Begriff hatte sie von Gerhard gehört und war sich nicht sicher, ob er überhaupt auf die Situation passte, doch es schien zu funktionieren, denn Joe krümmte sich.

»Also, da ließe sich bestimmt etwas machen«, presste er schließlich hilfreich hervor.

Häberle seufzte erneut und erhob sich steif. »Das Gespräch habe ich mir anders vorgestellt, Frau Funke«, sagte er und reichte ihr die Hand. »Respekt.«

Erst jetzt wurde es Clara bewusst, dass sie während der ganzen Zeit die Kette mit dem kleinen Schlüssel fest umklammert gehabt hatte.

Bis sie den Schlüssel aber endlich benutzen konnte, musste sie noch ihrem Vater eine schnelle Mahlzeit zubereiten, nach der er gewöhnlich einnickte und tief und fest schlief.

Während sie in der Küche Zucchini und Seelachs schnetzelte, pfiff und trällerte sie vor sich hin und fragte sich aufgeregt, was wohl in der Kiste lag. Es konnte nur etwas Wertvolles sein! Gleich, gleich würde sie es wissen.

Paps war den Vormittag über in der Bibliothek geblieben. Er sah gut aus, keine Spur mehr von seinem Anfall am Samstag, er konnte sich auch wieder ohne fremde Hilfe bewegen, wie das Pochen seiner sich nähernden Krücken signalisierte.

»Das ist aus der *Traviata*. Was freut dich so, Bella?«, fragte er und ließ sich schwer atmend am Küchentisch nieder.

»Oh, sieh doch nur raus. Wie die Sonne den letzten Schnee wegleckt. Bald haben wir die dunklen Tage hinter uns«, wich sie aus.

»Aber erst kommt Weihnachten. Wie ist es, wird deine Mutter über die Festtage bei uns sein?«

Sorgsam wischte Clara das Messer ab, um sich eine Bedenkpause zu verschaffen, dann setzte sie sich zu ihm auf die Eckbank. Er war immer noch unrasiert, und in seinen Augen stand Furcht.

»Ach Paps, wenn wir das wüssten.«

Sie strich ihm über die krümelige Jacke und ertappte sich bei dem Gedanken, ihm einen neue zu schenken, eine, die weniger muffelte.

Er senkte den Kopf. »Es steht nicht gut, nicht wahr? Ach, antworte lieber nicht, ich will es ja gar nicht wissen. Ich hoffe einfach, dass sie Heiligabend bei uns ist.«

»Sie ist doch immer bei uns.«

Sein Kopf sackte noch tiefer, sein Atem rasselte leicht, die Küchenuhr tickte, ansonsten war es still im Haus, friedlich, fast andächtig.

»Wie lange kannst du überhaupt bei uns bleiben?«, flüsterte er. »Musst du nicht längst nach München zurück, zu deinem Jan?«

»Ich bleibe, solange du mich brauchst, Paps. Darauf kannst du dich verlassen.«

Er lehnte seinen Kopf an ihre Schulter und strich mit seiner großen knotigen Hand über die ihre. »Du bist ein gutes Mädchen, Bella. Meinst du, ich könnte vor dem Essen ein ganz kleines ...«

Clara lachte. »Natürlich. Ich bring dir das Glas gleich. Das Essen ist in zehn Minuten fertig.«

Sie beeilte sich mit Kochen und Servieren, dann musste ihr Vater versorgt sein, erst dann konnte sie entwischen. Immerhin musste sie damit rechnen, dass – was auch immer sie fand – nicht für seine Augen bestimmt sein würde. Warum sonst hatte ihre Mutter die Kiste so gut versteckt?

Diese Frage stellte sie sich wenig später noch einmal, als sie mit klammen Fingern den Schlüssel ins Schloss steckte und umdrehte. Es funktionierte. Einen Atemzug lang blieb sie auf ihren schmerzenden Knien und zögerte ein letztes Mal, das Geheimnis ihrer Mutter zu lüften, dann hob sie den Deckel hoch.

Verdutzt beugte sie sich über den Inhalt. Keine Juwelen, keine Geldscheine, keine Aktien, nicht einmal alte Fotografien, Anleitungen zur ultimativen Rosenzucht, Samen von ausgestorbenen Pflanzen oder Jungmädchentagebücher befanden sich darin. Alles hätte sie erwartet, nur das nicht.

Neunzehn

Papier! Ein schlichter Packen loses Papier lag in der Kiste, zusammengehalten mit einem Gummiband, das bei der ersten Berührung zerbröselte. Die Seiten waren mit einer kleinen akkuraten Handschrift eng beschrieben, die nicht ihrer Mutter gehörte, und es war nicht zu erkennen, ob sie aus der Feder einer Frau oder eines Mannes stammten. Sicher war nur, dass sie schier unleserlich und noch dazu in einer Fremdsprache verfasst waren. Italienisch? Spanisch? 537 durchnummerierte Seiten waren es, und auf der letzten stand »Fine«, weshalb Clara auf Französisch tippte. Ein kunstvoller Kringel beendete den Text, es folgte eine unleserliche Unterschrift mit einem großen »A« und einigen »I«, und das Einzige, was tatsächlich mit großer Anstrengung zu erraten war, war das Wort »Baden-Baden« und die Jahreszahl 1953.

Das also war die ersehnte Rettung aus dem finanziellen Untergang? Handschriftliche Ergüsse eines oder einer Fremden? Auf das Deckblatt war eine stilisierte Rose gemalt, die erste Seite begann mit »Per Carlotta«.

Eine historische Abhandlung über die berühmte Rose ihrer Mutter? Der Erguss eines Rosenliebhabers? Was auch immer. Ihre letzte Hoffnung löste sich in Luft auf!

Enttäuscht legte Clara das Werk zurück, schloss ab und hängte sich den Schlüssel um den Hals. Sie musste los. Gregor Morlock wartete bestimmt schon. Erst letzte Woche hatte er zweimal fallen lassen, dass er Unpünktlichkeit nicht schätzte, und sie wollte ihn nicht enttäuschen. Außerdem war sie neugierig, wie er ihr sein unglaubliches Benehmen von gestern Nachmittag erklären würde. Er hatte ja ausgesehen wie der Tod oder als seien sämtliche Dämonen der Unterwelt hinter ihm her gewesen.

Obwohl sie den Berg hinunter im Laufschritt zurücklegte, kam sie wieder einmal fast eine Viertelstunde zu spät, und es war für ihr ohnehin schon schlechtes Gewissen nicht gerade förderlich, dass der Laden dunkel und abgeschlossen war. Bestimmt hatte er bis zum letzten Augenblick auf sie gewartet, dann aber dringend zu einem Kunden aufbrechen müssen. Das würde ungemütlich werden, wenn er zurückkam. Sie konnte sich schon seinen vorwurfsvollen Blick ausmalen, mit dem er ihr bereits mehrfach auf die Nerven gegangen war. Andererseits hatte sie diesmal eine gute Entschuldigung.

Er hatte ihr für solche Fälle einen Ersatzschlüssel gegeben, also schloss sie auf. Ein paar ungeöffnete Büchersendungen lagen im Eingangsbereich, sein Wohnraum sah unbenutzt aus. Auf dem Schreibtisch lag eine handschriftliche Notiz. »Bin für ein paar Tage weg«, stand darauf, mehr nicht. Kein Wort, wann er wiederkommen würde. Offenbar hatte er sich heute überhaupt nicht ums Geschäft gekümmert.

Wieder rief sie sich die Szene am Tag zuvor in der Bibliothek ins Gedächtnis, aber ihr fiel nichts ein, auf das man mit derartiger Panik hätte reagieren können. Überall auf der Welt gab es Kaminfeuer und brennende Kerzen, besonders im Advent. Gregor hatte doch selbst einen Kanonenofen im mittleren Raum, auch wenn er nicht in Betrieb war. Nun gut, Kerzen gab es hier nicht, aber sie würde in einem Antiquariat auch nicht unbedingt mit Streichhölzern hantieren.

Wegen ein paar Kerzen rannte man doch nicht davon und ließ seinen Laden im Stich! Direkt unheimlich war das. Warum hatte er ihr nicht Bescheid gegeben? Warum hinterließ er nicht einmal, wo er zu erreichen war, wie lange er wegbleiben würde, eine Handynummer oder was er nun von ihr erwartete? Sollte sie jetzt ein Schild »Wegen Krankheit geschlossen« an die Tür hängen? Damit bestrafte sie sich im Grunde selbst, denn es machte ihr inzwischen richtig

Spaß, von alten Büchern umgeben zu sein und zu versuchen, ausgefallenen Kundenwünschen nachzuspüren. Goldgräber waren sie hier, hatte Gregor seinen Beruf umrissen, und da konnte sie nur zustimmen.

Die Türglocke ging und Herr Kaminski trat ein, wieder mit roten Wangen. Wie üblich putzte er sich sehr sorgfältig seine glänzenden Schuhe ab, bevor er mit einem erwartungsfrohen »Na?« herausplatzte. »Ist es da?«

Clara hatte das schmale Bilderbuch schon entdeckt und zeigte es ihm. »Tadelloser Zustand.«

Herr Kaminski strahlte und zählte ihr das Geld in bar auf den Tisch. »Hannelore wird sich wahrscheinlich mehr freuen als meine Enkelin. So viele Erinnerungen hängen an dem Buch. Wissen Sie, als sie es bekam, war sie ein aufgewecktes kleines Mädchen gewesen, mit dicken blonden Zöpfen und einem Dirndlkleid und Pausbacken, wie damals in der Reklame für Rotbäckchen. In dem Alter sind sie so süß. Haben Sie auch Kinder?«

»Leider nein.«

»Oh, aber die Bücher haben gewiss einen ähnlichen Stellenwert für Sie, oder? Nicht schlecht eigentlich, denn sie werden nicht krank, sie machen einem keine Sorgen, nun, sie gehen manchmal verloren – aber man kann sie ja wiederfinden, und dann sind sie noch genauso, wie man sie in Erinnerung hatte. Das kann man von Kindern nicht immer behaupten.«

Die Türglocke läutete wieder, Dr. Hagebrecht kam herein und drehte seinen Filzhut in der Hand. Einen besonderen Brockhaus-Band hatten sie für ihn ausfindig machen sollen und sie war nicht auf dem Laufenden.

»Herr Morlock ist nicht da«, entschuldigte sie sich.

»Kommt er morgen?«

»Weiß ich nicht.«

»Schade. Ich kann es gar nicht mehr abwarten …«

»Schon gut. Ich kann ja versuchen …«

Das Telefon klingelte. Jemand erkundigte sich nach einer Erstausgabe Thomas Manns und ließ sich nicht vertrösten. Allmählich wuchs Clara alles über den Kopf. Verdammt, was bildete sich Gregor Morlock ein, sie einfach im Stich zu lassen? Es wäre wirklich am besten, wenn sie den Laden abschlösse.

Wieder ging die Glocke. Jetzt wurde es eng im Laden. Ein verhutzeltes Männlein erschien mit einem wertvoll aussehenden Faksimile unter dem Arm. »Sehen Sie, was ich hier für einen Schatz habe«, begann er mit einer Fistelstimme. »Können Sie das schätzen lassen?«

Das Telefon klingelte erneut und alles begann sich zu drehen.

»Ich kann das nicht«, stöhnte Clara. »Geht das nicht nacheinander?«

»Sie ist ganz blass. Ein Glas Wein!«

»Nein, Kaffee!«

»Ach was, ein Schluck Wasser genügt!«

Die alten Herren bemühten sich rührend um sie und sie musste sich bald in Acht nehmen, um nicht lauthals loszuprusten. Alle drei hatten von antiquarischen Büchern natürlich weitaus mehr Ahnung als sie und als sie hörten, dass sie von Gregor Morlocks Abwesenheit überrumpelt worden war, schlugen sie spontan eine Art Schichtplan vor, nach dem sie Clara reihum unterstützen wollten.

»Ich kenne außerdem jemanden, der etwas von alten Stichen versteht«, ergänzte Herr Kaminski.

»Und ich kenne einen Experten für alte Handschriften«, trumpfte die Fistelstimme auf.

Clara hob den Kopf. »Ab wann gelten Handschriften als alt?«

»Nach drei-, vierhundert Jahren, warum?«

»Ach, ich habe da etwas aus dem Jahr 1953 ...«

»Ah, 1953!«, fiel ihr Dr. Hagebrecht mit schwärmerischer Miene ins Wort und drehte sich zu den anderen um. »Wurde damals nicht das Schwimmbad am Hardberg eröffnet?«

»Sie irren! Das war ein Jahr vorher. Aber 1953 fand tatsächlich ein großes Schwimmfest statt. Mit Fritz Geyer, dem deutschen Meister im Turmspringen, und mit einem Wasserballett der Isarnixen.«

»Sind Sie sicher?«

»Oh ja. Ich habe damals als Lokaljournalist gearbeitet, zwar nur als freier Mitarbeiter, aber zu Feiern haben sie immer mich geschickt. Wahrscheinlich, weil ich damals als Einziger einen dunklen Anzug besaß.« Herr Kaminski kicherte in sich hinein.

Die Herren steckten ihre Köpfe zusammen und ähnelten immer mehr Abbildern aus der »Feuerzangenbowle«.

»Warten Sie, warten Sie, 1953 habe ich mir mein erstes Auto gekauft. Kleinschnittger F 125, Zweisitzer, viereinhalb PS. Der machte siebzig Stundenkilometer! 2300 Mark habe ich dafür bezahlt. Heute unvorstellbar, nicht wahr, junge Frau? Meinen Sie, Sie könnten uns alte Dackel als Aushilfen akzeptieren?«

Drei blitzende Augenpaare starrten Clara an, lebendig, fröhlich und neugierig zugleich.

Lachend stimmte sie zu. »Wir öffnen aber nur nachmittags. Vormittags habe ich andere Dinge ...«

»Ah, das hätten wir vor lauter sentimentalem Geschwätz fast vergessen. Was hat es denn für eine Bewandtnis mit der Handschrift aus dem Jahr 1953, nach der Sie sich erkundigt haben?«

Clara überlegte kurz, dann schüttelte sie den Kopf. »Ich habe bislang nur die Jahreszahl entziffern können, mehr kann ich dazu nicht sagen. Vielleicht sind es nur belanglose Briefe.«

Und schon hatten die drei Herren ein neues Gesprächsthema: die verloren gegangene Kunst des Briefeschreibens mit Tinte und Büttenpapier.

Der Nachmittag verging wie im Flug und auf dem Heimweg fühlte Clara sich voller Energie und ausgelaugt zugleich. Wenn Morlock länger wegblieb, konnte sie den Laden für ein paar Tage weiterführen, ohne Kunden allzu sehr zu vergraulen oder sonstigen Schaden anzurichten. Es hatte gutgetan, mit den alten Herren zu scherzen. Sie hatte sich plötzlich jung gefühlt und das war in letzter Zeit nicht oft der Fall gewesen.

Paps dirigierte »Madame Butterfly« und hörte sie nicht kommen. Auf Zehenspitzen schlich sie in den Keller, befreite die Papiere aus der Kiste und brachte das dicke Bündel, begleitet von »*Un bel di vedremo*«, in ihr Mansardenzimmer.

Die Blätter rochen muffig, und die fremde Handschrift schien sie des unbefugten Eindringens anzuklagen. »Carlotta, Carlotta«, hämmerte eine fremde Stimme in ihrem Kopf und sie wünschte sich, wenigstens ansatzweise erkennen zu können, wovon das Werk handelte.

Da es keine Kapitelüberschriften gab, tippte sie auf einen Roman. Aber warum bewahrte ihre Mutter das Werk an einem geheimen Ort auf? Romane wurden doch geschrieben, um veröffentlicht zu werden. Warum war er »Carlotta« gewidmet, einer Rose, die erst Jahre später gezüchtet worden war? Und warum war er von Hand geschrieben, in einer Schrift, die weich und elegant aufs Papier geflossen war? Warum hatte der Verfasser seine Ergüsse nicht in die Schreibmaschine getippt?

Durfte sie das Werk überhaupt anderen zeigen oder war es urheberrechtlich geschützt? Sie blätterte in den losen Seiten, konnte aber keine Gliederung feststellen. Hier und da versuchte sie ein Wort zu erraten und ihr Gefühl verstärkte sich, dass es italienisch war. Warum nur hatte es ihre Mutter versteckt? Auch noch im Bügelkeller, wie bizarr.

Schade, dass sie mit niemandem darüber reden konnte. Am liebsten hätte sie alles wieder in die Kiste gestopft und so getan, als habe sie nichts gefunden. Aber wahrscheinlich wollte ihre Mutter ihr genau diese Papiere übergeben. Wahrscheinlich bezog sich jenes »M-a-nnnn...« oder auch das ominöse »Manuskript«, das sie Schwester Jennifer gegenüber erwähnt hatte, auf diesen Fund. Lag es ihr so am Herzen, dass sie an nichts anderes mehr denken konnte, ja, dass sie vielleicht nicht sterben konnte, bevor sie ihrer Tochter dieses Geheimnis anvertraut hatte?

» *Tu, tu, piccolo iddio* «, brauste die Stimme der unvergesslichen Callas zu ihr unters Dach. Die letzte Arie im letzten Akt.

Zwanzig

Für neue Freundschaften stehen die Sterne heute gut. Lassen Sie die Chance nicht verstreichen.

Clara war sich sofort sicher, dass es nur die Rückkehr Gregors sein konnte, die sich am Samstagmorgen über das Tageshoroskop ankündigte. Sie hatte ihn die ganze Woche über schrecklich vermisst, auch wenn die drei alten Herren Wort gehalten und sich abwechselnd jeden Nachmittag um die Kunden gekümmert hatten, von denen sie die meisten ohnehin persönlich kannten. Manchmal, wenn sie ihren Helfern und deren Freunden etwas Warmes zu trinken machte, glich das Antiquariat einer fröhlichen Teestube, und sie musste sich dann lautstark bemerkbar machen und das Hallo und Gelächter dämpfen, damit sie die telefonischen Anfragen überhaupt verstand. Das Geschäft lief gut und so konnte sie jeden Abend mit gewissem Stolz einen kleinen Gewinn verbuchen. Trotzdem fehlte Gregor an allen Ecken und Enden.

Das Zeitungshoroskop im Hinterkopf, machte sie sich nach dem üblichen wie immer quälenden Krankenhausbesuch und einem schweigsamen Mittagsmahl mit ihrem Vater mit einer Mischung aus Skepsis und Vorfreude auf den Weg durchs trübe, nasskalte Dezemberwetter. Sie hatte noch gestern überlegt, ob sie überhaupt aufschließen sollte, denn samstags blieb der Laden nur bis sechzehn Uhr geöffnet und eigentlich lohnte sich der Aufwand kaum. Aber nun war ja alles anders!

Vor dem Eingang fuchtelte Herr Kaminski mit den Armen, als er sie kommen sah. Mit »Ich fürchte, unsere gemeinsame Zeit ist vorüber« begrüßte er sie betrübt. »Ich habe gerade Herrn Morlocks eigenwilligen Wagen vorbeifahren sehen.«

Und wie abgesprochen teilte sich im Innern des Ladens der Vorhang, als sie gerade den Schlüssel ins Schloss steckte. Gregor sah ernst und blass aus, so dass sich Clara sofort Sorgen machte. War er krank gewesen? Hatte er womöglich in der Klinik gelegen, ohne dass jemand etwas davon wusste?

Herr Kaminski ließ ihnen keine Gelegenheit zur Begrüßung, sondern überschüttete ihn mit einer begeisterten Zusammenfassung der vergangenen Woche und überschlug sich fast mit Lob für Clara. Gregor schien seinen immer blumenreicher werdenden Ausführungen nur zerstreut zu folgen, während er sich seine Haare nervös hinter die Ohren strich und Clara nicht aus den Augen ließ. Kaum holte Kaminski Luft, zog er sie mit sich und beauftragte den überraschten alten Herrn, für die nächste Stunde noch einmal die Stellung zu halten.

»Ich bin Ihnen eine Erklärung für Sonntag schuldig, kommen Sie, ich möchte Ihnen etwas zeigen«, sagte Gregor, als sie draußen waren, und führte sie zu seinem Parkplatz in der nahe gelegenen Tiefgarage.

Clara fiel es schwer, ihn nicht mit Fragen oder Vorwürfen zu bestürmen, aber sie hatte das Gefühl, es sei besser, seine merkwürdige Flucht vorerst nicht anzusprechen.

Tuckernd setzte sich Gregors Ente in Bewegung und sie fühlte sich sofort um Jahrzehnte zurückversetzt.

»Ist das der Wagen Ihres Vaters? Aber das kann doch nicht sein, er sieht neuer aus und Helmuts war innen und außen beige gewesen.«

»Seine Ente wurde verschrottet, als ich in die Schule kam. Aber als ich diese hier vorletztes Jahr angeboten bekam, konnte ich einfach nicht widerstehen. Irgendwie hat sie Stil, nicht wahr?«

»Und himmelblau steht ihr viel besser. Wohin fahren wir?«

»Wir sind gleich da.«

»Aber das ist der Friedhof.«

»Genau.«

Unwillkürlich suchten Claras Augen vom Parkplatz aus die Villa ihrer Eltern auf dem gegenüberliegenden Hang. Der Garten sah trotz seiner winterlichen Kahlheit mit seinen abgestuften Terrassen, einzelnen Säulenzypressen, den Pavillons, Obelisken, Gartenhäusern und Marmorstatuen fast südländisch aus. Das konnte ihre Mutter nicht so gewollt haben! Nun, im Sommer spielten die Rosen die Hauptrolle, da fielen die Strukturen wahrscheinlich weniger auf.

Sie folgte Gregor bergan, an prächtigen wie auch an sehr schlichten Grabstätten vorbei. In der Nähe der Kapelle blieb er an einer eher unscheinbaren Ruhestätte stehen. Sie war, genau wie das Nachbargrab, mit niedrigen Buchshecken und Erika bepflanzt, pflegeleicht und einfallslos, so, als würden die Hinterbliebenen nur eine halbherzige Pflicht erfüllen. Zwei Steine lagen in der Bepflanzung.

»Helmut Morlock, 1.12.1950 – 31.7.2003« stand auf dem einen, »Elke Morlock, 5.1.1959 – 4.8.2004« auf dem anderen.

Sprühregen setzte ein und moderndes Laub und nasse Tannenzapfen verströmten einen erdigen Herbstgeruch.

Clara wusste nicht, was sie sagen sollte. Das war also das Familiengrab von Helmut und seiner Frau – gut. Aber was hatte sie damit zu tun? Sie hatten vor vielen Jahren Streit gehabt, jetzt war er tot und *basta*.

Gregors Hand stahl sich in die ihre, er lehnte sich leicht an sie und deutete unbeholfen auf das Grab nebenan. Der gleiche Stein, die gleichen Metallbuchstaben, die gleiche Bepflanzung.

»Svetlana Andrejewna Kowalewskaja, 28.6.1978 – 31.7. 2003« stand dort.

»Was ist damit?«

Er antwortete nicht, aber sein Griff wurde fester, so fest, dass Clara ihre Hand sanft, aber bestimmt löste, weil er ihr wehtat.

Etwas ratlos verglich sie die beiden Gräber miteinander, bis es ihr auffiel: »Die ist am selben Tag gestorben wie Helmut!«

»Im selben Auto, morgens um fünf auf dem Weg vom Schlosshotel *Bühlerhöhe* zurück nach Baden-Baden.«

»Oh!« Mehr bekam Clara nicht heraus.

Es war nicht schwer, sich den Rest zusammenzureimen: Helmut hatte eine junge Geliebte gehabt und war mit ihr nach einem Schäferstündchen auf dem Heimweg tödlich verunglückt. Tragisch. Aber warum konnte Gregor ihr das nicht einfach sagen, sondern musste sie hierherschleppen, ihr die Hand fast zerquetschen und jetzt ein Gesicht machen, als würde er jeden Augenblick in Tränen ausbrechen?

»Sie war Russin?«, begann sie zaghaft, um ihn zum Reden zu bewegen.

»Ja. Ihre Eltern waren schon lange tot, deshalb bat ihre Schwester Evgenia mich, sie hier auf dem Stadtfriedhof von Baden-Baden beizusetzen.«

Er faltete die Hände und wollte weitersprechen, musste aber mehrere Anläufe nehmen, sich räuspern, neu beginnen.

»Sie war meine Verlobte.«

»Ach du lieber Gott!« war alles, was sie erwidern konnte.

»Wir hatten endlich alle Papiere zusammen und wollten im September heiraten.«

»Oh«, sagte Clara wieder und sie schämte sich, weil ihr nichts anderes einfiel.

Gregor schien es nicht zu bemerken, sondern fuhr fort, wobei sich seine Worte nur mühsam formten: »Ich war damals Freiwilliger bei den Rettungssanitätern und einer der Ersten an der Unfallstelle. Der Wagen brannte schon.«

Er schniefte und sah lange nach oben, bevor er endlich weiterreden konnte. »Das Bild von dem brennenden Wrack werde ich nie mehr loswerden.«

Wieder rang er um Fassung. »Dass es das Auto meines Vaters war, bemerkte ich erst etwas später und dann sah ich gerade noch, dass meine Sveta halb aus der Beifahrertür hing. Und dann ...«

Seine Stimme überschlug sich, und er schnappte mehrfach nach Luft.

»Es kam jede Hilfe zu spät«, keuchte er schließlich und starrte zu Boden.

Clara wurde das Gefühl nicht los, dass er ihr nicht alles sagte, aber sie wollte ihn nicht mit womöglich unpassenden Fragen quälen, also wartete sie.

Seine Zähne knirschten, so fest presste er sie aufeinander, dann ging er langsam in die Hocke. Clara beugte sich zu ihm und strich ihm reichlich ungeschickt über die Haare. Sie waren weich wie Daunen.

Er lehnte seinen Kopf an sie und murmelte in ihren Mantel: »Ich selbst wurde bei dem missglückten Rettungsversuch verletzt und kam ins Krankenhaus. Und später musste ausgerechnet ich meiner Mutter beibringen, was wirklich geschehen war. Sie dachte ja zuerst, ich sei mit den beiden im Auto gewesen. Ich habe versucht, sie vor der Wahrheit zu schützen, aber das ging nicht, sie hätte es ja sowieso erfahren. Sie hatte sich schon aufgeregt, dass die Zeitungen den Hergang angeblich falsch geschildert hatten und von zwei getöteten Insassen ausgegangen waren, den schwer verletzten dritten Mitfahrer aber verschwiegen hatten. Sie glaubte auch der Polizei nicht, dass es anders gewesen war. Sie wollte es nicht wahrhaben.« Gregors Stimme überschlug sich.

Clara drückte mitfühlend seine Schulter und kam sich dabei schrecklich hilflos vor.

»Es war fürchterlich«, hörte sie ihn flüstern. »Sie hat es nicht glauben wollen. Niemals hätte sie je damit gerechnet, dass mein Vater ... dass er und meine Sveta ...«

Er verstummte und zog hörbar die Nase hoch.

»Es muss für Sie doch genauso ein Schock gewesen sein. Helmut und Ihre Verlobte.«

Er nickte. »Ich glaube, für meine Mutter war es schlimmer, nach so vielen angeblich glücklichen Ehejahren. Für mich war ein Zukunftstraum zerplatzt, bei dem man ja nie sicher sein kann, ob er sich wirklich so erfüllt, wie man es sich wünscht. Außerdem war sie in der letzten Zeit vor dem Unfall komisch und ausweichend geworden. Meine Mutter aber musste alles Vergangene in Frage stellen, auch die guten Stunden, und rutschte in eine Depression, die sie jedoch nicht therapieren ließ, sondern von der sie sich immer weiter in die Tiefe reißen ließ. Das ist Trauer – habe ich gedacht, das braucht Zeit. Aber es war mehr. Depression ist eine schwere Krankheit, ein Dämon. Ein Jahr hat sie sich herumgeschleppt und ist immer weniger geworden, dann hat sie Tabletten genommen.

Und wo war ich an dem Tag? In dem verdammten Laden und jagte vergammelten Büchern nach. Das kann ich mir bis heute nicht verzeihen. Wenn ich bei ihr gewesen wäre, würde sie noch leben. Sie war immer so positiv und liebevoll gewesen. Man konnte sich voll und ganz auf sie verlassen. Hast du sie gekannt?«

»Ich bin mir nicht sicher.«

»Hätte ich ihr nicht gesagt, dass mein Vater mit Svetlana ... ausgerechnet mit ihr ... Uh ...«

Clara kniete sich neben ihn auf den nassen Boden. Die Kälte drang durch ihre Strümpfe, aber es kümmerte sie nicht. Mitfühlend streichelte sie seine Wange.

»Du hast keine Schuld. Quäl dich nicht. Du hättest ihren Selbstmord vielleicht an diesem Tag verhindert, aber dann hätte deine Mutter ein anderes Datum genommen. So ist das eben bei dieser Krankheit. Das muss man akzeptieren.«

Gregor beruhigte sich etwas und sah sie an. »Ich wollte, dass du das weißt. Manchmal überkommt mich die Erinnerung und wirft mich in ein schwarzes Loch, ganz schlimm ist es, wenn ich offenes Feuer sehe. Das halte ich immer noch nicht aus, dann denke ich, ich stehe wieder am Auto und ...« Er schluckte ein paar Mal, ehe er weitersprach. »Nachdem das bei euch letzten Sonntag passiert war, bin ich zu Svetlanas Schwester nach Offenburg gefahren, wo sie gerade Freunde besucht. Wir sind immer in Kontakt geblieben, mit ihr kann ich darüber reden, das hat mir schon oft geholfen. Die Woche hat mir gutgetan. Es geht mir jetzt besser, wirklich.«

Am liebsten hätte Clara ihn in die Arme genommen, so viel Vertrautheit war plötzlich zwischen ihnen. Aber sie konnte ihn doch nicht küssen, auch wenn sie es gern getan hätte. Das würde er nur missverstehen. Deshalb zwang sie sich aufzustehen, was ihr ein leises Ächzen entlockte. Er griff nach ihrem Arm, um sie zurückzuhalten.

»Ich wollte mich noch entschuldigen. Wegen des schönen Geschirrs.«

Clara musste lachen. »Das ist ja so was von egal!«

Auch sein Gesicht hellte sich auf. Es war nur wenige Zentimeter von dem ihren entfernt, und obwohl sie wusste, dass es falsch war, konnte sie nicht anders. Es sollte nur ein kleiner Kuss auf die Wange werden, mehr nicht, aber er fiel länger und zärtlicher aus, als sie es beabsichtigt hatte, ja, sie konnte gar nicht mehr aufhören, ihn zu küssen. Gregor ließ es zunächst mit geschlossenen Augen und einem glücklichen Lächeln geschehen, nahm dann ihr Gesicht in beide Hände und sah sie lange ernst und forschend an.

Ihr Herz machte einen Satz. Das – das war unmöglich. Sie konnte sich nicht in einen so viel jüngeren Mann verlieben. Das war nur wegen dieser Situation. Sie musste sich losmachen. Was sollte er an ihr denn finden? Das – das war ein Irrtum!

Unerbittlich langsam näherte sich sein Gesicht. Es lächelte immer noch.

Dann berührten seine weichen Lippen die ihren sanft und zärtlich wie eine Feder, glitten zu ihrer Wange, ihren Augenlidern, ihrer Nase und wieder zurück zu ihren Lippen.

Es gab Augenblicke, die sollten nie vergehen.

Clara erwiderte seinen Kuss, der immer leidenschaftlicher wurde, und mit jeder Sekunde fühlte es sich richtiger an. Ja, ja, ja. Gregor sah gut aus, war sensibel, klug, zärtlich, humorvoll – genau das, was sie jetzt brauchte. Immer noch tadelte jemand im Hinterkopf, dass sie zu alt für diese Affäre sei, aber die Stimme wurde leiser, und irgendwann wurde sie übertönt von hellen Klängen.

»Wie passend«, murmelte Gregor lachend an ihren Lippen. »Ich dachte, in solchen Augenblicken würde man Geigen hören, nicht aber das Scheppern von Friedhofsglocken.«

Einundzwanzig

Am nächsten Tag wandelte Clara wie auf Zuckerwatte: Sie hatte kaum schlafen können, hatte ihrem Vater die falschen Schallplatten aufgelegt und das Mittagessen versalzen. Das Gefühl hielt den ganzen Sonntag an, sogar im Krankenhaus, und sie war froh, dass sie sich erst am Montag wieder treffen würden. Sie hätte sich sonst womöglich zu den kindischsten Sachen hinreißen lassen, an die sie gar nicht denken mochte.

Das Hochgefühl hielt allerdings nur bis zum nächsten Mittag an, bis sie vor dem Kleiderschrank stand und nicht wusste, was sie ins Antiquariat anziehen sollte. Sie betrachtete sich im Spiegel und stellte sich daneben Gregors junges Gesicht vor. Nein! Es ging nicht. Auf keinen Fall. Das musste aufhören! Sie durfte nichts mit ihm anfangen. Himmel, fünfundzwanzig Jahre Altersunterschied! Ausgerechnet! Immer hatte sie sich mehr oder weniger darüber lustig gemacht, wenn Männer sich extrem jüngere Freundinnen genommen hatten – nun ja, lustig gemacht war vielleicht nicht der richtige Ausdruck, denn es hatte sie ja auch direkt betroffen und verletzt. Und nun tat sie genau dasselbe?

Diese Knutscherei war wahrscheinlich nur ein Versehen gewesen, ein Ausrutscher, einzig zu erklären mit der aufgewühlten Situation auf dem Friedhof. Vermutlich wusste auch der arme Gregor jetzt gar nicht, wie er sich ihr gegenüber elegant aus der Affäre ziehen konnte. Sie war die Ältere und Vernünftigere, sie musste es aussprechen: »Missverständnis, tut mir leid, hätte nicht, darf nicht« – all diese Worte wirbelten ihr durch den Kopf, als sie mit zitternden Händen die Tür aufstieß und das Glockenspiel durch den Laden drang.

Gregor strahlte sie an wie ein verliebter Backfisch und stürzte ihr geradezu entgegen, wobei sich Hals und Wangen tiefrot färbten.

Am liebsten hätte sie nachgegeben, wäre in seine Arme geflogen, aber sie zwang sich, ganz kühl zu wirken.

Als er sie trotzdem umarmen wollte, machte sie sich steif und drehte den Kopf weg, obwohl es ihr schlecht wurde, so gern hätte sie das Gegenteil getan.

»Hör zu, das am Samstag auf dem Friedhof, das war ... Ich meine, hoffentlich hast du das nicht falsch verstanden ... Es ist nämlich so, dass ich ... Ach Mist! Mach es mir nicht so schwer.«

Mit jedem Wort, das sie stammelte, wurden seine Augen dunkler, bis sie schwarz waren, und das Strahlen in seinem Gesicht erlosch. Ganz langsam rutschten seine Hände in die Hosentaschen und ballten sich dort.

»Verstehe«, flüsterte er. »Entschuldigung. Tut mir leid.«

»Das braucht es nicht. Es war eine sehr emotionsgeladene Situation, da reagiert man eben manchmal falsch.«

»Falsch«, wiederholte er mit blassen Lippen.

»Es geht nicht, Gregor. Ich bin doch viel zu alt.«

»Ich glaube eher das Gegenteil. Schämst du dich mit mir?«

Clara zwinkerte sprachlos, doch ehe sie etwas erwidern konnte, ging die Ladenglocke.

Selten hatte Herr Kaminski mehr gestört als jetzt!

»Lassen Sie sich nicht aufhalten, ich möchte nur in der Lyrik-Ecke stöbern«, rief er fröhlich und steuerte einen Regalabschnitt im zweiten Ladenraum an.

Verlegen machte Clara einen Schritt zurück und sehnte sich nach dem üblichen Becher Tee, an dem sie sich festhalten konnte. Gregors Blick ging ihr durch und durch. Sie hasste solche Blicke. Warum konnte er nicht wütend werden und sie schütteln, wie sie es selbst am liebsten mit sich getan hätte? Warum stand er da wie ein verwundetes, einsames, trauriges, zurückgewiesenes Kind, dessen Enttäuschung sie fast körperlich spüren konnte? Das war nicht zum Aushalten, das machte ja alles noch viel schlimmer. Sie kam sich alt und kalt vor, dabei glühte sie innerlich.

Wie hatte es doch heute in der Zeitung geheißen? *Es fällt Ihnen schwer, Entscheidungen zu treffen und diese auch gegenüber anderen zu vertreten. Besonders bei Auseinandersetzungen fühlen Sie sich nicht in der Lage, selbstbewusst Ihre Ansichten zu vertreten. Um einem Konflikt auszuweichen, nehmen Sie Kompromisse in Kauf, die Sie sonst nicht eingehen würden. Eine bessere Taktik wäre es, solche Gespräche auf einen anderen Tag zu verlegen, an dem Sie mehr Energie dafür aufbringen können.*

Vielleicht sollte sie ihn um mehr Zeit bitten. Sein jugendliches Ungestüm war es doch, das sie an die Wand drückte. Sie war noch nicht bereit für einen neuen Flirt oder gar eine Liaison, schon gar nicht unter so komplizierten Vorzeichen.

Sie drehte sich um, um nicht von seinen Augen verbrannt zu werden. Sie war zu alt für ihn, auch wenn das Schicksal ihn sicherlich reifer gemacht hatte. Wie sollte es denn gehen? Sie konnten doch nicht jeden Abend Schlittschuh laufen gehen oder im Kino herumknutschen oder ...

»Was ist in dem Päckchen?«

Gregors belegte Stimme brachte sie wieder in die Gegenwart zurück. Er deutete auf das eingewickelte Manuskript, das sie neben der Kasse abgelegt hatte.

Erleichtert über den Themenwechsel riss Clara vorsichtig die Verpackung auf. »Kannst du dir das bitte ansehen? Ich glaube, das ist das berühmte Geheimnis meiner Mutter. Ich habe es über eine Woche hin- und hergewälzt, aber ich kann nichts damit anfangen und hätte deshalb gern deine Meinung dazu gehört.«

Sofort wurde Gregors Miene sachlich. Sorgfältig legte er die losen Blätter vor sich und hob konzentriert die Augenbrauen, während er sie begutachtete. Erstes Blatt, letztes Blatt – gründlich drehte er die Seiten hin und her.

»Per Carlotta«, murmelte er. »Hm. Vielleicht ein Roman über die berühmte Rose deiner Mutter?«

»Sieh dir die Jahreszahl an. Damals hat sie noch gesungen, keine Rosen gezüchtet.«

»1953. Hm.«

»Kennst du die Unterschrift? Kannst du mir sagen, in welcher Sprache das geschrieben ist? In Italienisch vielleicht?«

»Ah, ist dies die berühmte Handschrift?« Herr Kaminski schob sich zwischen sie. »Erlauben Sie mir, einen Blick darauf zu werfen? Woher haben Sie das? Ja, das könnte italienisch sein. Von wem ist es? Darf ich es mitnehmen ans Licht?«

Mit jeder Frage wurde Clara unsicherer. Zum Teufel, es musste einen Grund gehabt haben, warum ihre Mutter das Werk mehr als ein halbes Jahrhundert versteckt hatte. Es war ein Geheimnis, und sie als Tochter war nicht befugt, es herumzuzeigen. Sie sollte die Papiere besser wieder mitnehmen. Das alles ging niemanden etwas an, solange ihre Mutter noch lebte.

»Lieber nicht, Herr Kaminski. Das – das gehört mir nicht.«

Gregor sah sie fragend an, und Herr Kaminski vergaß seine Kinderstube und betrachtete sie mit offenem Mund. »Aber so ein Fund ...«

»Ich habe keine Erlaubnis, darüber zu verfügen und erst recht keine Genehmigung, es der Öffentlichkeit zu zeigen.«

»Aber es könnte spannend sein. Vielleicht ist es wertvoll ... vielleicht stammt es aus der Feder eines bekannten Autors. Viele große Schriftsteller haben mehr oder weniger lange in Baden-Baden gelebt und gearbeitet. Das Manuskript sollte auf jeden Fall untersucht werden und dann ...«

»Genau das will ich nicht!«

»Aber wenn dies ein Werk eines weltberühmten ...«

»Herr Kaminski, Sie sind quasi Angestellter in meinem Antiquariat. Damit unterliegen Sie der Pflicht zur Verschwiegenheit«, ließ sich Gregor vernehmen.

Dankbar drückte Clara ihm den Arm, und er antwortete mit leichtem Gegendruck gegen ihre Rippen.

Kaminskis Blick wanderte hin und her, dann hob er die Hände. »Aber natürlich. Ich muss mich für mein Betragen entschuldigen. Mir spukte gerade eine gewisse Geschichte aus dem Jahr 1953 durch den Kopf. Aber Sie haben recht, es geht mich nichts an. Ich sehe dann morgen wieder vorbei, guten Tag!«

Vor der Tür setzte er sich umständlich seine Baskenmütze auf die weißen Haare, blickte noch einmal zurück und ging dann gestikulierend seines Wegs.

Eine gewisse Geschichte aus dem Jahr 1953? Claras erster Impuls war, ihn zurückzuholen, aber ehe sie ihm nachlaufen konnte, spürte sie Gregors warme Hand auf ihrem Rücken. Wie auf Knopfdruck begann ihr Körper gegen alles zu rebellieren, was ihm der Kopf einflüsterte. Irgendetwas schien in ihrem Brustbereich zu explodieren und sandte einen Hitzeschauer durch ihre Blutgefäße. Niemals zuvor hatte sie etwas Ähnliches erlebt, es war auch nicht mit dem merkwürdigen Anfall am letzten Abend in Jans Wohnung zu vergleichen. Die Feuerkugel raste bis zu den Füßen und zurück in den Kopf. Es war so heiß, dass sich Clara am liebsten die Kleider vom Leib gerissen hätte. Das war doch nicht normal. So reagierte kein Mensch auf eine Hand auf dem Rücken.

Schweiß drang ihr durch alle Hautporen, rann ihr die Schläfen herunter und durchnässte ihre Haare. Es war entsetzlich unangenehm. Sie konnte nicht anders, als ein paar Bögen des Manuskripts zu greifen und sich mit ihnen Luft zuzufächeln.

Gregor warf ihr einen belustigten Seitenblick zu. »Geh vor die Tür. In zwei Minuten ist es vorbei.«

»Woher willst du das wissen?«

»Bei meiner Mutter fing das auch gerade an.«

Päng. Da war das Alter wieder. »Na danke.«

»Clara, das ist ein ganz natürlicher Vorgang, manche Frauen haben das schon mit Mitte vierzig. Deshalb bist du doch nicht alt. Für mich sowieso nicht. Ich habe noch nie einen so lebendigen, spontanen, witzigen und intelligenten Menschen getroffen, mit dem ich so gern zusammen war und mit ich am liebsten meine Erinnerungen und Geheimnisse teilen würde, den ich nie mehr loslassen möchte. Ich, ich muss dir etwas sagen ...«

»Hör auf«, keuchte Clara und legte ihm die Hand auf den Mund. »Lass uns einfach nur Freunde sein, ja? Es ist sowieso schon kompliziert genug.«

Die Hitze verflog und nun lag Feuchtigkeit wie ein Gruß aus der Eishölle auf ihrer Haut.

Gregors Augen wurden dunkelgrau. Er beugte sich zu ihr, fast berührte seine Stirn ihre Schulter, als er flüsterte. »Ich wollte nur, dass du weißt, was ich für dich empfinde. Du kannst dich immer auf mich verlassen. Bella ...«

»Oh, nenn mich nicht so.«

»Okay. Okay. Ich habe begriffen. Sorry. Ich wollte dich nicht belästigen.« Er trat zurück.

Wo eben noch seine Hand gelegen hatte, breitete sich nun Kälte aus. Ihr Rücken fühlte sich nackt an, ihr Gefühlskarussell blieb stehen und die Leere, die wie in ein Vakuum in sie hineinströmte, war das Traurigste, was sie je erlebt hatte. Aber es war vernünftig. Einen ersten Vorgeschmack darauf, was eine solche Beziehung anrichten konnte, hatte sie gerade bekommen. Das musste aufhören, bevor es begann. Sie hatte schon genug Probleme.

Gregor wandte sich wieder dem Manuskript zu.

»Scheint tatsächlich italienisch zu sein«, murmelte er wenig später. Das Telefon klingelte, und er streckte gedankenverloren die Hand nach dem Hörer aus. »Lässt du es mir ein paar Tage? Dann versuche ich mehr herauszufinden.«

Clara konnte nur nicken, denn schon kam ein neuer Kunde durch die Tür, mit einem länglichen, in Luftpolsterfolie verpackten Bild. Bestimmt ein alter Stich, also ein Fall für Gregor. Sie bat ihn zu warten, ließ das Manuskript zurück in den Umschlag gleiten und begann am Computer mit Nachforschungen für einen Stammkunden, der die Gesamtwerke Ludwig Tiecks aus dem Verlag Georg Reimer suchte.

Den Rest des Nachmittags gingen Gregor und sie äußerst vorsichtig miteinander um, als könnte nur ein einziges unbedachtes Wort tödlich sein. Clara fühlte sich von Stunde zu Stunde schlechter, und auch Gregor wurde blass und traurig. Es war fast nicht auszuhalten. Am besten wäre es wohl gewesen, den Kontakt ganz abzubrechen. Wer sich nicht sah, konnte sich auch nicht verletzen. Aber Flucht war feige.

Gregor war jung, er würde darüber hinwegkommen. Und sie? Sie musste sich eben in ihren alten Schutzpanzer zwängen und darauf warten, dass dieser Wirrwarr vorüberging. Sie hatte wahrlich genügend Übung darin, sich ihre Gefühle aus dem Herzen zu reißen.

Zweiundzwanzig

»Gregor ist an Weihnachten bestimmt allein«, fing an diesem Abend auch noch ihr Vater an. »Letztes Jahr hat er uns einen kleinen Baum mitgebracht und ihn geschmückt und hat mit uns zusammengesessen und gefeiert. Das ist schön gewesen ...«

Clara hätte sich am liebsten wie ein kleines Mädchen die Ohren zugehalten. Seit dem Abend auf der Eisbahn existierte zwar diese spontane Einladung für den Heiligabend, aber nach der jüngsten Entwicklung war das wohl keine gute Idee mehr.

Ihr Vater sah sie sehr sonderbar an, ließ sie aber in Ruhe. Am nächsten Morgen allerdings ließ er wie ein tropfender Wasserhahn erneut fallen, wie schön es wäre, wenn ein wenig Weihnachtsschmuck im Hause wäre und dass Gregor wüsste, wo man das frischeste Tannengrün besorgen könnte.

Aufgebracht verließ Clara das Haus. Sie wollte nicht an Gregor denken, aber das war gar nicht so leicht. Im Traum war er ihr natürlich trotz aller Vorsätze erschienen und hatte ihr seine Hand wieder auf den Rücken gelegt. Sie war davon aufgewacht und hatte nicht mehr einschlafen können, weil sie Herzrasen gehabt hatte.

Herrje, sie wollte sich nicht mit einem Dreißigjährigen abgeben. Die Wahrscheinlichkeit, dass er sich irgendwann eine deutlich Jüngere nahm, lag bei hundert Prozent. Wer tat sich so etwas freiwillig an? Doch nur jemand, der vollkommen verrückt war.

Mit einem Mal sehnte sich Clara nach einer Freundin. Nach einer aus der Schulzeit, oder noch besser nach einer Schwester, der sie nichts erklären musste, die alle Hochs und Tiefs ihres Lebens mitverfolgt hatte, die sie nun einfach nur in Arm nehmen und in allem bestätigen und beruhigen würde.

Simone wäre fast so jemand gewesen. Über dreißig Jahre waren sie durch dick und dünn gegangen, bis das mit Britta passiert war. Mit Simones Wissen von Anfang an. Freundin! Auf so eine Freundin konnte sie pfeifen.

Der Verkäufer im Klinik-Kiosk hielt ihr schon wortlos die Zeitung hin und sie schlug automatisch die gewohnte Seite auf, während sie wie im Schlaf den Weg zur Intensivstation nahm.

Manche Fragen beantworten Sie einfach besser aus dem Bauch heraus als durch endloses Abwägen. Übertreiben sollten Sie es dennoch nicht. Falls Sie eine Sehnsucht nach größeren Umwälzungen im Privaten verspüren, denken Sie daran, nichts zu überstürzen.

Fast hätte sie gelacht. Nun verfolgte sie schon seit Jahrzehnten jeden Morgen ihr Horoskop und hatte sich manchmal gewundert, wenn es zutraf. In den letzten Wochen allerdings war die Trefferquote geradezu sensationell gewesen. Als ob jemand bei der Zeitung sie beobachtete.

Die Vorlesebücher ließ sie heute unberührt und nahm allen Mut zusammen. »Mutter, ich will mit dir über das Manuskript sprechen«, sagte sie. »Was soll ich damit tun? Verkaufen oder vernichten? Wie hättest du es gern? Ich kann es noch nicht mal lesen, weil es auf Italienisch verfasst ist.« Während sie die Worte aussprach, fiel ihr mit einem Mal die Ungeheuerlichkeit auf. »Italienisch, Mutter! Wo du doch alles jenseits der Alpen verabscheut hast! Ich durfte nicht einmal mit meiner Abiturklasse nach Rom! Nur heimlich und immer mit schlechtem Gewissen habe ich mir die Bildbände über die Toskana, über Sizilien, Venedig und Florenz angesehen. Ich habe mich bis heute nicht getraut, die Sprache zu lernen, weil ich immer deine Abscheu im Ohr hatte. Und jetzt das: Du hinterlässt mir ein Werk in genau dieser Sprache. Was soll das? Was hast du dir jetzt wieder ausgedacht?«

Genauso sah es doch aus: Es war der letzte Hieb ihrer Mutter, irgendeine Gemeinheit, die sie noch nicht richtig durchschaute.

»Rede mit mir, verdammt! Was soll ich mit dem Manuskript?«

Keine Reaktion.

Clara ging näher an das Bett und wartete auf das berühmte Flimmern vor ihren Augen, die Wut, die in ihr wie gewohnt hochsteigen würde. Doch es kam nichts. Diese kranke, alte, verbitterte, unglückliche Frau brauchte alles, nur keine Beschimpfungen. Resigniert zupfte sich Clara einen kleinen Wattebausch aus einer Tüte im Regal, benetzte ihn mit Wasser und fuhr damit über die trockenen Lippen der Kranken. Dann strich sie ihr traurig und hilflos zugleich über die Wange.

Auf dem Weg zur Villa malte sie sich aus, wie es wohl wäre, wenn dieses Manuskript tatsächlich wertvoll war. Erst vor zwei oder drei Jahren hatte ein vergessen geglaubtes Werk von Truman Capote auf einer Auktion hunderttausend Dollar gebracht, und zwar nur für das Manuskript. Was würden dann erst Druck-, Übersetzungs- und Filmrechte noch zusätzlich einbringen! Sie sah schon die Schlagzeilen vor sich und hörte im Stillen das Geld klimpern.

Erheblich besser gelaunt als am Morgen breitete sie in der stillen Küche die Zutaten für das Mittagsmenü aus. *Involtini*, *Gnocchi* und mit Parmesan gratinierten Staudensellerie sollte es geben. Italienischer ging es nicht. Merkwürdigerweise war die nörgelnde Stimme ihrer Mutter niemals in ihrem Kopf zu hören, wenn italienisches Essen im Spiel war.

Ganz anders ihr Vater. Genüsslich ließ er sich das Wort »*Involtini*« wenig später auf der Zunge zergehen. »Bella, du bist die beste Köchin Baden-Badens!«, sagte er mit dem für ihn typischen tonlosen Lachen, und erst mit Verzögerung bohrte sich ein fast hauchfeiner Stich in ihre Magengrube, schwach wie ein fernes Echo hinter einem Berg.

München war weit weg. Sie war bereit für ein neues Leben ohne Jan. Das musste gefeiert werden. Doch es war niemand greifbar, der mit ihr das Glas erhoben hätte.

Paps hing schief in seinem geliebten Lehnstuhl und schnarchte, obwohl ihn Verdis *Rigoletto* in voller Lautstärke umwogte. Clara kannte die meisten Opern auswendig und sie wusste, dass gleich »*La donna e mobile*« ertönen würde. Sie konnte der gesamten Oper nichts abgewinnen, aber vor dieser abgedroschenen Arie grauste es sie.

Mit einer schnellen Handbewegung stellte sie den Plattenspieler ab. Dabei fiel ihr Blick auf die Rücken der zahllosen Plattencover, die ihr Vater im Laufe seines Lebens angesammelt hatte. Italienische Opern waren seine Leidenschaft gewesen, aber er hatte sie nur abgespielt, wenn ihre Mutter draußen im Garten gewesen war.

Genauso war es mit den Bildbänden gewesen, die er ihr heimlich gezeigt hatte, obwohl sie doch offen in den Regalen standen. Was war das bloß für ein Spiel zwischen den beiden gewesen? Mutter konnte die Bücher und Plattencover doch sehen! Was war daran heimlich gewesen?

Paps röchelte leise. Sie schob ihm die Wolldecke hoch und nahm ihm ganz vorsichtig die Brille ab, als sich draußen im Flur ihr Handy meldete.

Vor der Intensivstation nahm Dr. Hoffmann, der noch müder als am ersten Tag aussah, sie beiseite. »Ich habe gehört, dass Sie heute Vormittag bei ihr waren?«, fragte er streng.

»Ich, ich ...«

»Kaum waren Sie weg, ging es los. Sie dürfen Ihrer Mutter gern Kindergeschichten vorlesen oder etwas vorsingen, aber bitte beunruhigen Sie sie nicht!«

»Darf ich zu ihr?«

Dr. Hoffmann öffnete die Tür. »Und bitte keine Aufregung mehr!«, raunte er hinter ihr her.

Ihre Mutter wirkte unverändert, wie eine zerbrochene Puppe, die man hübsch zugedeckt hatte, damit man die Schäden nicht sah, teilnahmslos, das Gesicht immer noch voll brauner Flecken, aber ihre Züge hatten sich entspannt. Alle Schläuche waren noch an ihrem Platz, ein neuer Tropf hatte sich dazugesellt, das war alles.

»Der Kreislauf geht runter«, flüsterte eine Schwester und legte ihr die Hand auf die Schulter. »Soll ich einen Geistlichen holen?«

Verzweifelt schüttelte Clara den Kopf. Ihre Mutter durfte nicht sterben. Nicht jetzt. Nicht wegen ihr.

Der Druck auf ihrer Schulter verstärkte sich. »Sie finden mich draußen«, flüsterte die Stimme, dann entfernten sich Gummisohlenschritte.

Die Hand ihrer Mutter fühlte sich kalt und weich an. Früher war sie groß und hart gewesen und übersät mit kleinen Kratzern, mit Schmutz unter den Fingernägeln.

»Gregor hat einen Ableger deiner Carlotta gerettet. Er hat sie an den Pavillon am Teich gesetzt«, plapperte sie drauflos und schielte zu den Geräten.

Alles unverändert.

»Gregor hilft mir mit Paps.«

Nichts.

Sie traute sich nicht, das Thema Manuskript noch einmal anzusprechen. Bestimmt hatte das die Verschlechterung ausgelöst.

»Paps vermisst dich. Ich soll dich von ihm grüßen. Er lässt fragen, ob du Weihnachten bei uns bist.«

Stille.

»Ich bleibe bei ihm, solange er mich braucht, und sorge für ihn. Mach dir keine Gedanken um ihn.«

Allmählich ging ihr der Gesprächsstoff aus. Das Wort Manuskript lag ihr auf der Zunge und wurde immer dicker, bis sie es fast nicht mehr bei sich behalten konnte. Keine Aufregung, hatte der Arzt gesagt. Sie musste den Mund halten! Nicht dieses Thema!

»Ich arbeite jetzt bei Gregor im Laden. Mir macht es Spaß, nach alten Büchern zu forschen, hättest du das für möglich gehalten?«

Schweigen.

»Meine Güte. Was hast du dir eigentlich für mich gewünscht? Dass ich auch Rosen züchte oder Gärten anlege? Ach nein, Rechtsanwältin sollte ich ja werden. Ich habe mich bemüht, Mutter, wirklich! Aber ich sag dir, Jura war für mich entsetzlich langweilig. Nur deshalb habe ich Gerhard geheiratet: damit ich erlöst wurde und ich dir wenigstens einen erfolgreichen Anwalt als Schwiegersohn präsentieren konnte. Ein Leben in München, in Wohlstand. Gefühle zählten ja nicht. Ja, ja, ich gebe es zu, das war ein Fehler gewesen. Aber was hätte ich machen sollen? Ich wollte dir doch nur gefallen, nur ein einziges Mal.«

Diese Stille!

Nicht nur dass ihre Mutter reglos dalag, auch die Stimme im Kopf war verstummt. Hörte Mutter ihr zu? War es das? Oder war sie schon ... aber nein, die Geräte funktionierten noch. Kein durchgehender Strich, kein Warnton.

»Hilf mir, Mutter. Ich weiß nicht, was ich tun soll.«

Ein neuer Ton mischte sich unter das Summen und Piepen der Apparate und er schwoll an, wurde immer durchdringender. Die Tür hinter ihr flog auf, jemand packte sie und schob sie aus dem Raum. »Defi!«, hörte sie noch. »Dalli!«

Schon hatte man sie wieder auf die Holzbank vor der Station gesetzt. Und dort wartete sie. Endlos lange, wie ihr schien. Sie wagte nicht, sich zu rühren, denn sie fürchtete, jede Bewegung könnte das Schicksal ihrer Mutter besiegeln. Am liebsten hätte sie den Atem angehalten, wenn es der Kranken nur geholfen hätte. Sie würde ihrem Vater nicht mit einer Todesnachricht unter die Augen treten können, nicht jetzt, nicht heute. Sie hatte ihre Mutter schon wieder zu sehr aufgeregt, obwohl sie sich so bemüht hatte, es nicht zu tun! Zum dritten Mal musste Mutter nach einem Besuch von ihr behandelt werden. Elektroschocks diesmal. Immer war es ihre Schuld gewesen. Und so würde es ewig weitergehen.

Dreiundzwanzig

Den gesamten endlosen nächsten Tag verbrachte sie auf der Holzbank der Klinik, hin- und hergerissen von ihren Gefühlen, nicht nur was ihre Mutter betraf. Auch der Gedanke an Gregor ließ sie nicht los, so sehr sie auch dagegen ankämpfte. Es war nicht gerade pietätvoll, an einen Mann zu denken, während die eigene Mutter im Sterben lag und ihr Vater sich mit gefalteten Händen in seiner Krümeljacke aufzulösen schien, aber sie konnte Gregor nicht wegradieren. Nur ein kurzer Anruf hatte genügt und er versorgte ihren Vater, brachte ihr Essen in die Klinik, das sie wortlos wegschob. Man ließ sie nicht zu ihrer Mutter, aber sie sollte sich aufs Schlimmste gefasst machen, hieß es. Wie konnte sie da essen?

Seine Hand legte sich wieder auf ihren Rücken und diesmal schüttelte sie sie nicht ab. Scheibchenweise ließ sie zu, dass sich ihre Gefühle zu ihm wandelten, auch wenn es für sie immer noch ein Rätsel war, warum er sich ausgerechnet für sie interessierte.

Clara lehnte sich zurück und Gregor ließ seine Hand auf ihre Schulter wandern. Wie ein rohes Ei zog er sie an sich, als fürchtete er Widerstand. Aber der kam nicht. Es war einfach nur wunderbar, festgehalten zu werden, die Augen zu schließen und sich an ihn zu kuscheln. Das gab Kraft.

»Ich bin so leer, dass ich mir schon gar keine Sorgen mehr machen kann«, klagte sie leise. »Tausend andere Dinge gehen mir durch den Kopf, aber nicht sie.«

»Das ist normal. Wahrscheinlich machst du dir auch noch Vorwürfe, weil sich ihre Werte verschlechterten, als du bei ihr warst. Glaub mir, das hat ganz bestimmt nichts mit dir zu tun. Es war gut, dass du bei ihr warst, als es losging.«

Seine zweite Hand erreichte ihre Haare, dann ihre Wange. Sie erwiderte seine Umarmung, presste ihr Gesicht an seinen flauschigen Rollkragenpullover, der nach Sandelholz und Vanille roch, und er hielt sie fest.

Gegen Abend schickte Dr. Hoffmann sie nach Hause. »Immer noch kritischer Zustand, aber stabil.«

»Kommt sie durch?«

»Wir hoffen es.«

»Wie stehen ihre Chancen?«

Dr. Hoffmann sah sie böse an. Unter seinen Augen lagen dunkle Ringe, er zwinkerte nervös. Der Kaffee, den er in einem Plastikbecher jonglierte, schwappte bedenklich, so zitterte seine Hand. »Ich bin Arzt, kein Wahrsager. Im Augenblick sind wir vorsichtig optimistisch.«

»Wann kann ich zu ihr?«

»Sie braucht absolute Ruhe, dann sehen wir weiter. Erkundigen Sie sich morgen wieder. Aber lassen Sie in der Zwischenzeit das Handy an. Auch nachts. Für alle Fälle.«

Gregor half ihr hinaus auf den dunklen Parkplatz und hielt ihre Hand. »Ich werde immer für dich da sein«, flüsterte er. »Ich kann gut verstehen, wie du dich jetzt fühlst.«

Ach zum Teufel mit ihren Bedenken. Bei einem Mann in ihrem Alter würde sie solch ein Mitgefühl niemals erfahren. Der würde, um seine Ruhe zu haben, alles versuchen, um die Situation zu bagatellisieren. »Das wird schon wieder, sei stark, das schaffst du« – mit solchen Worten hatte Jan sie zum Beispiel oft abgespeist, wenn es ihr nicht gutgegangen war.

»Wenn das hier vorbei ist, müssen wir reden«, murmelte sie in seine dicke Winterjacke hinein. »Vielleicht habe ich etwas falsch gemacht.«

Aber da sich in diesem Augenblick ein Rettungshubschrauber näherte, konnte Gregor sie nicht verstehen.

Paps schlief fest im Sessel, als sie nach Hause kamen. Die Rotweinflasche neben ihm war halb leer, seine Hände hatte er so fest gefaltet, dass sie sie nicht lösen konnten. Es war auch unmöglich, ihn zu wecken. Wahrscheinlich hatte er zusätzlich etwas zur Beruhigung eingenommen. Seine Medikamentenschachteln lagen ja immer in Griffweite. So trug Gregor den dünnen alten Mann wieder einmal mühelos und behutsam hinauf.

»Wir lassen ihn angezogen schlafen«, beschloss sie. »Später bekomme ich ihn bestimmt wach.«

Gregor blieb stehen und sah sie fragend an.

»Danke für alles. Wenn etwas sein sollte, rufe ich dich an.«

Er sah sie immer noch an. Sie konnte seinen Blick nicht deuten. War er liebevoll? Fordernd? Enttäuscht?

Ach, zu viel für heute.

»Gute Nacht!«

Seine Hände fuhren wieder in die Hosentaschen, er drehte sich um und schlich die Treppe hinunter. Vom Dachgeschoss aus konnte sie das Tuckern seines Wagens noch lange hören, und je leiser es wurde, umso lauter wurde ihre Einsamkeit.

Trotz allem schlief sie in der Nacht wie ein Baby, und das brachte ihr den Verstand zurück. Da sie nicht zu ihrer Mutter durfte, konnte sie sich endlich an die Strategie für ihren Umgang mit der Bank machen. Doch schon bald schob sie den Papierberg zur Seite und nagte nachdenklich an ihrem Stift. Wenn sie ehrlich war, war Joes Vorschlag fair. Vierhunderttausend waren zwar nicht üppig für das Riesenanwesen – dafür hatte sie aber keine Maklerkosten und keine Wartezeit, und Haus und Garten kamen in liebevolle Hände. Lachen würde die Räume füllen, die alten kalten Mauern würden endlich laute, unbeschwerte, glückliche Kinder herumtoben sehen. So sollte es sein.

Wenn da nur nicht ihre Eltern wären. Vollkommen gegen alle Vernunft weigerte sie sich, daran zu denken, dass ihre Mutter es nicht schaffen oder als Pflegefall enden würde. Die beiden konnten im Prinzip recht gut in der Villa wohnen bleiben, wenn nur ein paar Kleinigkeiten geändert würden. Wohnzimmer und Teesalon könnten zu Schlafräumen umfunktioniert werden, eine Pflegekraft müsste dreimal am Tag helfen kommen, um den Rest würde Gregor sich kümmern.

Und was war mit ihr? Ganz sicher würde sie nicht nach München zurückgehen. Dort hatte sie nichts mehr verloren. Sie hatte keine Wohnung, keinen Lebensabschnittsgefährten, keine beste Freundin und auch keinen Verlag mehr. Sie hatte nicht einmal ein geregeltes Einkommen. Im März wurden normalerweise ihre Tantiemen überwiesen, aber nach dem Schreiben des Verlags zu urteilen, würde sie davon höchstens ein paar Tage satt werden.

Und wenn sie den »Troll mit den grünen Haaren« einem anderen Verlag anbieten würde? Seit Harry Potter waren Kinder- und Jugendbücher zwar »in«, aber leider war der Markt inzwischen überschwemmt, außerdem war der »Troll« Teil einer eigens für jenen Verlag konzipierten Reihe gewesen. Damit konnte sie nicht einfach zu einem anderen Haus wechseln.

Das neue Buchprojekt, an dem sie manchmal nachts arbeitete, fiel ihr ungewohnt schwer. Wie konnte man sich auch fröhliche Geschichten über geliebte und tapfere Kinder in einer Umgebung ausdenken, in der man selbst ganz anders gelebt hatte? Ständig lugten die Gespenster der Vergangenheit über ihre Schulter und torpedierten ihre Einfälle. Vielleicht konnten Genies unter solchen Umständen Komödien schreiben – sie nicht.

Das neue Buch würde also Zeit brauchen. Ein finanzieller Erfolg würde sich daher, wenn überhaupt, frühestens in einem Jahr einstellen. Ein Jahr, herrje, bis dahin war sie verhungert. Normalerweise begann sie viel früher mit der Arbeit für das nächste Buch, so dass die Übergänge fließender waren. Aber diesmal hatte sie viel Zeit verschenkt, weil sie auf eine glanzvolle Zukunft mit Jan gebaut hatte. Mit anderen Worten: Sie hatte fast ein Jahr lang keine Zeile geschrieben und einfach nur das Leben genossen, weil Jan ihr immer wieder versichert hatte, sie müsse sich nie mehr um Geld Gedanken machen. Wie kindisch war das denn gewesen!

So gesehen war der Fund aus dem Bügelkeller ihr letzter Strohhalm. Es gab solche Geschichten, oh ja! In Filmen hatten Leute schon ihr Glück mit geerbten Stühlen oder einem hinterlassenen Mops gemacht. Warum sollte das nicht auch mit einem alten Manuskript funktionieren?

Am Nachmittag klang sogar die Ladenglocke gereizt, als sie die Tür aufstieß. Gregor telefonierte und Herr Berwein, ebenfalls ein Stammkunde, war auch schon da. Der zierliche, verhärmte Mann mit dem gepflegten weißen Schnurrbart und dem weißen Seidenschal sah mehrmals in der Woche die zwanzig Bände von Meyers Konversationslexikon von 1917 durch, das in einem ganz besonderen Ständer neben der Tür untergebracht war. Jedes Mal nahm er einen Band nach dem anderen heraus, strich sanft über den Ledereinband, blätterte ihn durch, ohne ihn zu lesen, pustete über die Schnittkanten und stellte ihn sorgsam wieder zurück ins Regal. Inzwischen war es ungeschriebenes Gesetz, dass das Lexikon auf keinen Fall an einen Fremden veräußert werden durfte. Letzte Woche, als Gregor nicht da gewesen war, hatte sie Berwein einen günstigen Preis inklusive Ratenzahlung angeboten, aber er hatte regelrecht erschreckt abgelehnt, ohne zu sagen, warum.

Gregor beendete das Gespräch und winkte sie aufgeregt an seinen Schreibtisch. »Gut, dass du kommst. Ich habe dich schon anrufen wollen, aber ich wusste ja nicht ...«

Seine schwarzen Augen brannten ein flammendes Loch in ihr Herz, doch sie war nicht bereit, sich hier vor aller

Augen gehen zu lassen. Deshalb verschränkte sie stumm die Arme und schüttelte leicht den Kopf. Er schien zu verstehen und klopfte geschäftig auf den Packen Papier neben sich.

»Ich habe die Unterschrift entziffert, und es wird dich umhauen, wenn du erfährst, aus wessen Feder das Manuskript stammt.«

»Ja?«

»Später.« Er schielte zu Herrn Berwein, der allerdings erst bei Band elf war.

Draußen näherte sich eine bekannte Gestalt mit Baskenmütze. Dieses Antiquariat war ein Taubenschlag, wahrlich kein Ort für den Austausch von Geheimnissen.

»Sag schon!«

Die Türglocke ging, Herr Kaminski trat freundlich grüßend ein. »Na, Ewald, besuchst du deine Freunde wieder?«

Berwein zuckte zusammen, als habe ihm jemand das Hörgerät laut gestellt, dann lächelte er abwesend, blies den imaginären Staub vom Band zwölf und wandte sich Nummer dreizehn zu.

Herr Kaminski kam strahlend näher. »Ich habe gestern Abend mit meiner Tochter telefoniert und ihr erzählt, dass Sie die ›Gitti‹ gefunden haben. Stellen Sie sich vor, sie konnte immer noch den gesamten Text auswendig.«

Clara nickte ihm freundlich zu und zog Gregor am Ärmel ein Stück nach hinten, in Richtung Vorhang.

»Sag!«

»Es scheint von Giacomo Agostini zu sein.«

»Habe ich gerade Agostini gehört?« Herr Kaminski kam herbeigeeilt, während Herr Berwein Band dreizehn ins Regal schob, auf die Uhr sah und diskret verschwand.

Kaminski ließ nicht locker. »Es geht doch um die Handschrift aus dem Jahr 1953?«

Claras Hände fuhren in die Hüften. »Ich würde gern mit Herrn Morlock unter vier Augen reden.«

»Oh, ich störe. Entschuldigen Sie vielmals, aber ich möchte nur helfen. Wie Sie wissen, war ich zur damaligen Zeit Mitarbeiter der Zeitung. Gesellschaftsreporter, um genau zu sein.«

»Wegen des dunklen Anzugs.«

»Richtig. Woher ... ah, es tut mir leid, wenn man alt wird, schwätzt man zu viel. Hab ja sonst niemanden, mit dem ich reden kann. Hoffentlich bin ich nicht zu unhöflich, wenn ich so hereinplatze, aber ich habe schon letzte Woche gesagt, dass mich die Sache an etwas erinnert. Agostini, sagten Sie, nicht wahr?«

Clara nickte gespannt und Gregor ging zur Ladentür und sperrte ab, ehe er seiner Begeisterung ebenfalls freien Lauf ließ.

»Ich habe über einen Kollegen eine Abbildung seiner Handschrift gefunden und mit der der ›Carlotta‹ vergleichen können. Natürlich bin ich kein Sachverständiger, aber warum sollte dies eine Fälschung sein? Mensch Clara, ein Originalroman von Giacomo Agostini!« Erwartungsvoll blickte er sie an, doch sie hob ratlos die Augenbrauen.

»Nie gehört. Wer soll das sein?«

Herr Kaminski holte bedeutungsvoll Luft, doch Gregor kam ihm zuvor.

»Er ist der Verfasser so bekannter Werke wie ›Die Katzen von Rom‹, ›Wasser bei Nacht‹, ›Wintersonne über dem Wald‹ oder ›Wer die Muse küsst‹, um nur einige zu nennen. Über ein Buch mit dem Titel ›Carlotta‹ habe ich in den Archiven allerdings kein Wort gefunden. Mitte des letzten Jahrhunderts war er weltberühmt. Leider ist er in den letzten Jahrzehnten in Vergessenheit geraten, vollkommen zu Unrecht. Seine Werke sind vergriffen und werden merkwürdigerweise nicht mehr nachgedruckt. Damals jedoch hatte man ihn sogar mehrfach für den Literaturnobelpreis vorgeschlagen. 1953 starb er leider, viel zu früh, mit zweiundvierzig. Tja. So weit meine Nachforschungen. Allerdings kann ich mir nicht erklären, wie sein Manuskript nach Baden-Baden gekommen sein könnte.«

»Darf ich jetzt?« Aufgeregt knöpfte sich Herr Kaminski seinen Lodenmantel auf. Darunter trug er einen feinen dunkelblauen Anzug und ein weißes Hemd mit Fliege. »Agostini kam Anfang Mai 1953 auf Einladung der Stadt hierher, um die Laudatio auf Reinhold Schneiders fünfzigsten Geburtstag zu halten.«

»Reinhold Schneider?«, wiederholte Clara verwirrt.

»Das Gewissen der Nation«, warf Gregor ein. »Er setzte sich intensiv mit dem totalitären Regime auseinander und schrieb dagegen an. Als Beispiel sei sein Gedicht *Nun baut der Wahn* genannt. Moment, ich suche es dir heraus.«

»Gregor, jedes Kind in Baden-Baden weiß, wer Reinhold Schneider war. Im Zweiten Weltkrieg wurden vor allem seine Sonette gegen Größenwahn und Krieg heimlich von Hand zu Hand gereicht, sein Name stand wiederholt auf der Liste unerwünschter Autoren, und 1945 entging er nur knapp einer Anklage zum Hochverrat. Sein Theaterstück hieß ...«

»Las Casas vor Karl V.«, ergänzte Herr Kaminski und verbeugte sich leicht, als stünde er selbst auf der Bühne. »Eine kritische Szenenfolge, in der Unterdrückung, Rassenwahn und falsch verstandene Religiosität angeprangert werden. Das Stück wurde anlässlich seines fünfzigsten Geburtstages im Kurhaus aufgeführt, und auch die Gesangschule Funke brachte Darbietungen ihrer Meisterschüler. Da fällt mir ein: Sind Sie Friedrich Funkes Tochter?«

Clara nickte.

Gregor kam mit ein paar Büchlein in der Hand zurück. »Schneider war ein bewundernswert mutiger Mann, der nie nachließ. Hier habe ich seine berühmten Friedensaufsätze.«

Clara blätterte in den dünnen Schriften und versuchte gleichzeitig, Szenen in ihrem Kopf beiseitezuschieben. Ohne Erfolg.

Schließlich sagte sie: »Dein Vater und ich haben nächtelang mit dem Schülerrat und später während des Studiums in Freiburg über ihn diskutiert, Gregor. Dort hat er ja seit 1938 gelebt. Für mich ist er vor allem ein politischer Held gewesen. Er hat sich der Remilitarisierung von Anfang an widersetzt. Aus der ›Gnade des Unglücks‹ erwachse der Auftrag zum Frieden, hat er immer gesagt. Unmittelbar nach dem Zweiten Weltkrieg hat er bereits appelliert, nicht schon wieder mit der Aufrüstung zu beginnen, sondern mit friedlichen Mitteln auf die Vereinigung Deutschlands hinzuarbeiten. Merkwürdig, dass man ihm in Zeiten der Friedensbewegung nicht bundesweit mehr Aufmerksamkeit geschenkt hat. Heute redet offenbar kaum noch jemand von ihm.«

Gregor grinste. »Wie man's nimmt. 2003 wurde ihm immerhin eine Briefmarke gewidmet.« Dann tippte er auf die Schriften. »Vielleicht ist das der Grund: Seine Friedensaufsätze sind teilweise in marxistischen Zeitschriften erschienen. Das war damals in den fünfziger Jahren nicht besonders gesellschaftsfähig.«

Clara hob die Hand.

»Nun, 1956 hat man ihm allerdings den Friedenspreis des Deutschen Buchhandels verliehen.«

»Andererseits wurde er beruflich vollkommen isoliert. Öffentliche Rehabilitierung erfuhr er wenigstens ansatzweise posthum nach Veröffentlichung des letzten Buchs, ›Winter in Wien‹.«

Clara versank in seinen Augen. Da war sie wieder, die Magie der Gemeinsamkeit. Mit niemandem machte es dermaßen Spaß, war es so ein Gewinn, über Literatur zu reden. Seine Augen hielten sie fest und drangen tief in ihr Innerstes, bis sie ihr unsägliches Hitzezentrum erreichten und eine unangenehme Welle sie wiederum überspülte. Möglichst unauffällig fächelte sie sich mit einer der Schriften Luft zu und wandte sich an Kaminski, der die Diskussion interessiert verfolgt hatte.

»Gut«, sagte sie. »Jetzt wissen wir, dass und warum Agostini im fraglichen Jahr in Baden-Baden gewesen war. Aber was hat ihn bewogen, ein fertiges, unveröffentlichtes Manuskript zurückzulassen?«

Sie blickte in verwirrte Mienen, aber schon während sie die Frage stellte, keimte ein Gedanke in ihr auf, und sie konnte ihn nicht daran hindern, immer weiter von ihr Besitz zu ergreifen.

Vierundzwanzig

Ihr Innerstes brannte lichterloh, während sie hilflos mit dem Schlüssel herumfummelte. Dankbar registrierte sie, dass Gregor erst gar nicht versuchte, mit ihr zu diskutieren oder sie aufzuhalten, sondern dass er ihr nur sanft den Schlüssel abnahm, aufschloss und ihr mitfühlend über den Arm strich, als sie sich an ihm vorbei ins Freie drückte. Ein scharfer Wind war aufgekommen, so dass es erheblich kälter zu sein schien, als es tatsächlich war. Null Grad zeigte das Thermometer an einem nahen Optikergeschäft, aber für sie fühlte es sich beim Laufen an wie Sibirien, vielleicht auch deshalb, weil ihr Hitzeschub sich wieder in einem Wasserfall entladen hatte und alles nass und eisig an ihr klebte.

»Ich bin ganz ruhig«, sagte sie sich wie ein Mantra vor und machte dabei automatisch einen großen Bogen um das Areal des Hotels *Löwenbräu*, an dem sie gerade vorbeikam.

Der vorgelagerte Biergarten war vollgestopft mit Schlitten, Pseudo-Geschenkpaketen, Rentieren, kletternden Weihnachtsmännern und Lichterketten, und diese Dekoration setzte sich hinter den weiß besprühten erleuchteten Fenstern des Wirtshauses fort. Aus Lautsprechern dudelten die immer gleichen Weihnachtslieder, die einen in den Wochen vor dem Fest in allen Geschäften, auf dem Weihnachtsmarkt und im Radio verfolgten, bis man sie einfach nicht mehr hören konnte. Warum wehrte sich eigentlich niemand gegen diese Inflationierung der Weihnachtsromantik allüberall? Vielleicht musste nur einmal jemand gegen diese musikalische Umweltverschmutzung vor Gericht ziehen, damit man endlich vom ewigen »Jingle bells« verschont blieb, wenn man sich doch einfach nur ein Päckchen Butter oder ein paar Unterhosen kaufen wollte.

Sie schlug einen Haken und ging zurück zum Leopoldsplatz, der zwar auch in weihnachtlicher Sentimentalität badete, jedoch in ihren Augen mit den wenigen überdimensionalen Kugeln in der mächtigen Tanne geradezu geschmackvoll aussah.

Am Bankhaus, in dem Joe arbeitete, blieb sie stehen und sah hinauf in den ersten Stock, wo sie ihren einstigen Schulkameraden hinter einem der Fenster vermutete. Wenn das Manuskript tatsächlich aus der Feder eines berühmten Dichters stammte, konnte es Geld bringen. Man musste die Welt nur wieder an seine Werke erinnern. Das konnte doch nicht so schwer sein. Vielleicht löste schon die Nachricht vom Manuskriptfund eine neue Begeisterungswelle aus, weltweit womöglich!

Allerdings hatte sie persönlich den Namen Agostini noch nie in ihrem Leben gehört und das war mehr als merkwürdig, wenn man bedachte, wie italophil die Buchbestände in der Bibliothek ihres Vaters waren. War er also doch nicht so bekannt gewesen, wie Gregor es behauptete? Aber man hatte ihn mehrfach für den Nobelpreis vorgeschlagen, schon allein daraus ließ sich doch Kapital schlagen.

Sie stand immer noch gedankenverloren vor dem Bankgebäude, als Joe aus einer Seitentür glitt, den Mantelkragen hochschlug und seine Hände in die Taschen stopfte. Als er sie entdeckte, zuckte er zusammen, als habe sie die Bank mit einem Protestplakat belagert.

»Was ist?«, fragte er pampig.

»Wenn ich hunderttausend aufbringen könnte, rein theoretisch, wie lange könnten wir das Haus dann halten?«

»Hast du im Lotto gewonnen?«

»Habe ich gesagt, dass ich das Geld schon habe?«

»Du, ich muss nach Hause. Heike hat Geburtstag. Da habe ich keine Zeit für theoretische Gedankenspiele.«

»Nun, ganz theoretisch ist das nicht.«

»Clara, was willst du? Seit zwei Wochen warte ich auf ein Konzept von dir. Warum meldest du dich nicht? Warst du krank? Was ist los mit dir? Das ist nicht professionell. Ich habe Häberle schon vertrösten müssen. Der war kurz davor, die Terminverschiebung wieder rückgängig zu machen.«

»Meiner Mutter geht es schlechter. Ich will und kann nichts über ihren Kopf hinweg entscheiden.«

»Dann kümmere dich endlich um eine Betreuung.«

»Das geht nicht so einfach und auch nicht so schnell, glaub mir, ich habe es versucht.«

»Also?«

»Was wäre, wenn ich Geld auftreiben würde? Natürlich nicht genug, um alle Schulden zu tilgen, aber vielleicht genug, um – sagen wir mal – das Haus vom möglichen Käufer noch eine Zeitlang zu mieten?«

»Mieten?« Joe sah auf seine Uhr und kaute auf den Lippen. »Komm mit. Ich soll etwas auf dem Weihnachtsmarkt besorgen. So lange können wir reden. Du hast also rein theoretisch Hunderttausend?«

Clara nickte. Warum sollte Agostinis Manuskript weniger wert sein als das von Truman Capote?

Joe machte lange Schritte und wich scherzend ein paar kleinen Mädchen aus, die mit großen Augen um das altmodische Karussell am Eingang der Kolonnaden standen. Er schien Kinder wirklich zu lieben.

Zielstrebig schritt er mit ihr durch die dekorierte Budenstraße, vorbei an Sektständen, Schupfnudelpfannen und Kunsthandwerk. Clara staunte, wie viel Mühe man sich gegeben hatte, um sich von den üblichen Weihnachtsmärkten mit ihren Massenwaren, Tand, Bratwürsten und billigen Glühweinen abzusetzen.

Vor dem langgestreckten Kurhaus bog Joe an einer Krippe mit lebenden Tieren ab und blieb schließlich am Stand einer Wohltätigkeitsorganisation stehen. Man kannte und begrüßte ihn.

»Meine Frau hat etwas bestellt«, brauchte er nur zu sagen, schon zauberten die eleganten Pelzmäntel-Damen ein hübsches Adventsgesteck unter dem Verkaufstisch hervor.

Er zahlte einen Preis, den sie lieber nicht in D-Mark umrechnete, und atmete auf.

»So, jetzt bin ich ganz Ohr. Ihr wollt die Villa also mieten? An wie viel im Monat hast du gedacht?«

»Tausend?«

»Du spinnst. Sie ist viertausend wert. Wir zahlen unser Haus monatlich mit zwei fünf ab.«

»Gut. Wenn wir dir das Gleiche zahlen, dann hättest du also keinen Verlust, oder?«

»Hör mal, wir wollen die Villa renovieren und möchten spätestens im Sommer einziehen.«

»Da muss nichts renoviert werden.«

»Jetzt bitte. Allein das Bad mit den braunen Fliesen ... Ich bin letztes Jahr mit deiner Mutter durchgegangen, aber sie hat das leider nicht ernst genommen.«

»Vielleicht war sie damals schon krank und überfordert.«

»Hilfe hätte sie gewiss gebraucht, wie wahr.«

Wieso hörte sie beim Thema Mutter immer diesen leichten Vorwurf heraus, egal, um was es ging? Schon lag ihr eine bissige Antwort auf der Zunge, die sie jedoch herunterschluckte.

»Der Aufwand kann nicht besonders hoch sein.«

»Hast du eine Ahnung. Erstens eine zusätzliche Dusche, zweitens: Die Küche muss komplett erneuert werden, und dahinter planen wir einen verglasten Anbau.«

»Aber es gibt doch schon am Wohnzimmer einen Wintergarten.«

»Wir wollen *unsere* Villa so herrichten, wie *wir* das für richtig halten.«

Oh weh. Das Gespräch lief wirklich nicht, wie sie es sich gewünscht hatte. »Schon gut. Aber noch gehört sie euch nicht.«

»Träum weiter. Sag mal, passt es dir, wenn wir nach Weihnachten schnell mit dem Architekten durchgehen? Es wäre hilfreich, damit es im März gleich losgehen kann. Von mir aus könnt ihr noch wohnen bleiben, während die Bauarbeiten laufen. Gemütlich wird das allerdings nicht, das sage ich dir gleich. Wann erwartest du das ominöse Geld, rein theoretisch, meine ich?«

Das klang so sarkastisch, dass Clara ihre Hände ballte, die Fäuste lockerte und sie wieder ballte. Manchmal half das gegen das Flimmern und die Wut. Aber noch etwas anderes stieg in ihr hoch. Es sammelte sich im Brustbereich, erhitzte sich und übergoss sie mit einem kochend heißen Schauer. Seufzend knöpfte sie sich den Mantel auf.

»Das klärt sich in den nächsten Tagen; ich melde mich dann bei dir. Alles Gute für Heike«, stieß sie hervor und drehte sich rasch um, damit er nicht sah, wie enttäuscht sie war.

Es war doch alles hoffnungslos. Sie würde kein Geld bekommen, sie würde nicht einmal die Summe für eine minimale Miete aufbringen können. Weder für die Villa, noch für einen Platz in einer Seniorenresidenz, geschweige denn für eine eigene Wohnung.

Nach all dem Lichterglanz tat der Anblick der dunklen Baumreihen der Lichtentaler Allee wohl, aber hier, in der Ruhe des berühmten Parks, abseits der Lichter und der Hektik, kehrte ihr Verdacht wie auf Zehenspitzen zurück. Eigentlich lag der Weg des Manuskripts auf der Hand: Agostini hatte es geschrieben, Mutter hatte es bekommen. Es gab nur zwei Möglichkeiten, wie das geschehen war: Entweder war Agostini ein Freund der Familie gewesen. Dichter und Musiker – das war doch eine gute Kombination. Aber warum lag das Manuskript dann in der Rosenkiste unterm Bügeltisch? Und warum hatte Mutter den Schlüssel dazu um den Hals getragen? Nein, diese Möglichkeit schied aus. Paps hätte es ihr doch tausendmal erzählt, wenn er einst mit einem Nobelpreis-Aspiranten befreundet gewesen wäre. Und es hätte ein gesondertes Regal mit dessen Büchern gegeben.

Dass dem nicht so war, bedeutete, dass Paps ihn nicht gekannt hatte.

Blieb also nur die zweite Alternative, die sich Clara gar nicht weiter auszumalen wagte. Aber es gab keine andere Möglichkeit, denn wenn Mutter das Manuskript rechtmäßig erhalten hatte und Agostini damals so berühmt gewesen war, dann hätte sie es doch gewiss stolz der Öffentlichkeit präsentiert und es wäre erst recht Thema am Familientisch gewesen. Sie hatte es jedoch verborgen. Also war es wahrscheinlich illegal in ihre Hände geraten. Nur das würde das Versteck erklären und ihren Drang, ihr, der Tochter, das Geheimnis vor ihrem Tod anzuvertrauen, damit ... ja genau: Damit sie es, falls sie es finden würde – und das wäre ja spätestens bei der Haushaltsauflösung der Fall – auf keinen Fall an die große Glocke hängte!

Die Knie wurden ihr weich und sie rettete sich auf eine harte, kalte Bank in der Nähe des hell erleuchteten Burda-Museums, vor dem sich eine kleine Schlange von Besuchern gebildet hatte, die noch kurz vor Feierabend in die aktuelle Ausstellung drängten. Es dauerte eine Weile, bis sie ihre Erkenntnis verdaut hatte und die Kälte ihr von den Zehen bis unter die Kopfhaut kroch, so dass sie frierend aufstand.

Vorn hörte sie Musikfetzen, die von der Eisarena herüberwehten, und mit einem Ziehen in der Magengegend erinnerte sie sich an den zauberhaften ersten Abend mit Gregor. Er war so ausgelassen gewesen wie ein Kind und gleichzeitig fürsorglich wie ein Kavalier alter Schule. So ... so ...

Fünfundzwanzig

Als sie ankam, verließ gerade eine zierliche Blondine mit einer auffallenden, dicken, schneeweißen Pelzmütze das Antiquariat. Clara konnte ein junges Gesicht mit Wolfsaugen und unnatürlich vollen Lippen erkennen und roch teures, schweres Parfüm. Hatte sie gerade ein Riesengeschäft verpasst? Neugierig drehte sie sich nach der Frau um, aber als diese im Gehen ein Handy aus der Tasche zog und ein Gespräch auf Russisch begann, verflüchtigte sich ihr Interesse. Es gab viele Russen in der Stadt, die alles kauften, was luxuriös war, exklusive Markenkleidung, Juwelen, ärztliche Runderneuerungen und riesige Villen, in denen sie dann doch nicht wohnten. Dinge, die es in einem Antiquariat nicht gab. Wahrscheinlich hatte die Frau nur nach dem Weg gefragt.

Erschrocken fuhr Gregor hoch, so heftig stieß sie die Ladentür auf. Auch Herr Berwein, der an sein Regal zurückgekehrt war, quiekte überrascht und drückte sich gegen den alten Bücherschrank, um sie vorbeizulassen. Egal, egal.

»Ich muss mit dir reden. Jetzt. Sofort. Allein«, raunte sie vernehmlich, ehe sie der Mut verlassen konnte.

»Ich geh dann wirklich. Bis nächste Woche«, wisperte Herr Berwein dankenswerterweise und schlüpfte hinaus.

Der Schlüssel steckte noch, und Clara schloss hinter dem sonderbaren, zierlichen Mann ab und wandte sich dem Schreibtisch zu.

»Du kannst doch nicht einfach ...«

»Doch, denn mir ist gerade etwas klar geworden.«

Mit skeptischer Miene stand Gregor auf und vergrub seine Hände wie üblich in den Hosentaschen. Alles an ihm sandte Vorsicht aus, und das machte es noch schlimmer.

»Ich ... Wie soll ich nur sagen? Also ... Es ... Ich ... Es tut mir alles furchtbar leid.«

»Ja?«

Das Telefon klingelte, aber er nahm nicht ab, sondern versenkte seinen Blick in ihren Augen, sah hinab bis in ihr Innerstes. So kam es ihr jedenfalls vor.

»Verstehst du nicht?«

»Was?«

»Was ich dir nach dem Friedhof gesagt habe, das …«

Oh nein, ihre persönliche Hitzebombe machte sich schon wieder bereit zum Platzen. Offenbar hatten diese verdammten Wallungen gar nichts mit Hormonen zu tun, sondern mit kniffligen Situationen.

Ein feines Lächeln stahl sich auf Gregors ernstes Gesicht. »Komm, wir gehen nach hinten. Du bist ja ganz außer dir.«

Dankbar folgte sie ihm. In seinem Wohnraum beeindruckte es sie wieder einmal, wie friedlich und gemütlich es hier war: Auf dem Plattenkocher simmerte eine Suppe, die nach Huhn, Lauch und Ingwer roch, der Küchentisch war belegt mit Bücherstapeln, Geschenkpapier, Geschenkbändern und Bestellzetteln.

Gregor deutete auf einen der einfachen Holzstühle, aber sie wollte sich nicht setzen. Sie wollte nicht, dass eine Tischplatte zwischen ihnen war. Sie wollte … Gott, war das schwer! »Los doch«, feuerte sie sich innerlich an und konnte ihre Puddingbeine immerhin zu einem Schritt nach vorn überreden. Gregor wich zwar nicht zurück, half ihr aber auch nicht. Sie stand so dicht vor ihm, dass sie seinen Atem spüren, Sandelholz und Orangenschale riechen und seine Wärme fühlen konnte.

Um seine Lippen zu erreichen, musste sie sich auf Zehenspitzen stellen. Leicht und zärtlich berührte ihr Mund den seinen, aber es kam immer noch keine Reaktion, nur dieses schreckliche Abwarten.

Enttäuscht sackte sie auf ihre Absätze zurück und ließ sich nun doch auf einer Stuhlkante nieder. »Nun mach es mir nicht so schwer. Es tut mir leid. Ich war ein Idiot. Komplett verrückt. Ich bin nur schon so oft enttäuscht worden ... «

Er setzte sich ihr gegenüber und sah sie an wie damals auf dem Friedhof. »Das kannst du doch nicht von einem Mann auf den nächsten übertragen.«

»Das ist mir eben klar geworden. An der Eisarena.«

Seine Augen schmolzen zu flüssigem Quecksilber, aber sein Mund blieb schmal und seine Hände steckten fest. »Wie ernst ist es dir?«

»Ernst? Wie das klingt. Wie meinst du das? Ich will doch einfach nur ... «

Was war nur mit ihr los? Das war doch nicht sie! Sonst ging viel zu oft die Leidenschaft mit ihr durch, und dieses Mal, bei diesem Mann, stammelte sie wirres Zeug wie ein Schulmädchen! Dass er ihren Kuss nicht erwidert hatte, hatte sie vollkommen aus der Bahn geworfen. Aber wenn sie seine Augen betrachtete, seinen Mund, der inzwischen sehr wohl lächelte, seine Hände, die sich in ihre Richtung bewegten, dann war es gut so. Genau richtig. Er war der erste Mann, der in ihre wirren Locken greifen und sie noch weiter zerzausen durfte. Alles war möglich, alles war gut.

Seine Lippen näherten sich nun freiwillig, immer noch lächelnd, und es wäre nun Zeit für Glocken, Geigen oder störende Telefone. Aber da war nichts, nur Mann und Frau und dieses Vibrieren in der Luft. Lippen auf Lippen, Lippen auf Nase, Lippen auf Stirn, Hände in den Locken, Hände am Hals, Fingerspitzen auf der Wange und den Augenlidern, und wieder Lippen so zart und einfühlsam, wie man es sich als Siebzehnjährige erträumt. Jede Sekunde, jede Bewegung, jede Berührung und jeden Atemzug kostete sie aus und hoffte, er würde einfach immer weitermachen, bis in die Ewigkeit.

Der Abstand zwischen ihren Stühlen war zu groß, sie sanken gemeinsam auf die Knie, auf den Holzboden, immer noch Lippen an Lippen, Wange an Wange, Arm in Arm.

Aber so ging das nicht.

»Erbarmen, ich bin eine alte Frau. Meine Knie. Der Boden ...«, flüsterte sie und verzog das Gesicht.

Sie erntete ein leises Lachen.

»Dann komm!«

Er zog sie hoch, umarmte sie und wollte sie in Richtung Schlafcouch drängen, doch nein, so hatte sie sich das nicht vorgestellt, neben brodelnder Hühnersuppe im Licht einer nackten Glühbirne, mit einem Kunden, der draußen ungeduldig an der Türklinke rüttelte und nicht nachließ. Nein! Das musste warten. Selbst wenn die Hitzebombe in ihrem Körper ganz anders tickte.

Auch Gregor seufzte ungeduldig, ließ sie aber los. »Nicht sehr romantisch, was? Das sollten wir besser und schöner planen«, flüsterte er und lachte noch einmal sein vorsichtiges, leises Lachen, von dem sie gar nicht genug bekommen konnte.

Dann gab er einen Kuss auf die Nasenspitze, stand auf und ging zu dem kleinen Kühlschrank im Eck. »Aber wenigstens einen Schluck Sekt, oder?«

Sie nickte und staunte. Es gab zwar nur abgestoßene Wassergläser wie in ihrer Studentenzeit, aber Krimsekt vom Feinsten.

Draußen klopfte wieder oder immer noch jemand an die Tür.

»Willst du nicht aufschließen?«, fragte Clara vorsichtig.

Gregor schüttelte den Kopf. »Sag mir lieber endlich, was dich bedrückt. Du kommst doch bald um vor Kummer, das spüre ich schon eine ganze Weile.«

Eine Schrecksekunde fühlte sie sich schutzlos und ertappt, dachte an unverbindliche Worte des Rückzugs, überlegte eine Ausrede, doch dann drängte plötzlich alles ohne ihr Zutun aus ihr heraus, alles. Sie redete und redete, fing am letzten Tag in Jans Wohnung an und hörte beim heutigen Gespräch mit Joe auf. Es tat gut, sich auszusprechen, stellte sie überrascht fest.

Gregor hatte sie nicht unterbrochen, nur ab und zu genickt, gelacht, ihr zugestimmt, Missfallen signalisiert, vor allem beim Thema Jan und als die Sprache auf Joe und die Bank kam.

Jetzt lehnte er sich vor und strich ihr über die Wange. »Du armes Ding!«

Sie konnte nur nicken, so leid tat sie sich plötzlich selbst.

»Was machen wir denn jetzt mir dir? Wie kann ich dir helfen?«

»Es hat mir schon geholfen, dass du mir einfach nur zugehört hast. Es geht mir deutlich besser.«

»Aber vom Tisch sind deine Sorgen damit noch nicht. Lass uns überlegen, wo wir anfangen. Was ist das dringendste Problem?«

»Die Schulden.«

»Die kannst du ohne Hausverkauf niemals vollständig tilgen, selbst wenn das Manuskript tatsächlich Geld brächte. Im Grunde war dein Vorschlag mit der Miete gut, wenn dieser Joe nur nicht so ein schrecklicher Egoist wäre.«

»Er hat mir ein gutes Angebot für die Villa unterbreitet. Das hätte er nicht tun müssen.«

»Moment! Er hat es nur gemacht, weil du dahintergekommen warst, dass er als Bankangestellter sie kaufen will. So was ist illegal.«

»Ach was, es gibt immer Hintertürchen. Man arrangiert sich. Seine Frau kauft und *basta*.«

»Und du bist sicher, dass du noch nie in Italien warst?«

»Wie bitte?«

»Ach nichts. Wenn die Villa offiziell versteigert wird, ist es nicht sicher, ob der Verkehrswert überhaupt erzielt wird und selbst wenn, dann bleiben mehr als hunderttausend Euro ungedeckt, nicht wahr?«

Clara nickte.

»Hm. Was ist das Inventar wert?«

»Das wollte ich dich fragen. Die Bibliothek ist doch voller alter Bücher ...«

»Da kann ich dir nicht viel Hoffnung machen. Nun ja. Die Schallplatten vielleicht ... «

»Kommt nicht in Frage. Wo immer mein Vater hingeht, die nimmt er mit, zusammen mit dem alten Plattenspieler. Musik braucht er zum Leben. Wenn er schon nicht mehr Klavier spielen oder singen kann, so kann er doch hören und mitdirigieren und sich an jedem altbekannten Ton freuen. «

»Gut, aber der Flügel, der bringt bestimmt fünfzigtausend, wenn nicht noch mehr. «

»Daran habe ich auch zuerst gedacht, aber ich habe mich anders entschieden. Wer weiß, wie sehr er in dem kalten Wohnzimmer gelitten hat, ich will nicht über den Preis feilschen. Und selbst wenn alles in Ordnung mit ihm wäre – er ist uralt und gebraucht. Aus der Not heraus erzielt man nie den Preis, den ein Objekt wert ist. «

Gregor machte ein nachdenkliches Gesicht. »Und du? Wenn ich dich letzte Woche richtig verstanden habe, sagt dir der Verlag einfach, sie bringen dein neues Buch nicht, weil die vorigen Bände nicht mehr gut laufen? Was ist denn das für ein Verlag? Normalerweise ist es gerade umgekehrt: Ein neues Buch kurbelt den Verkauf der alten an. «

»Ich glaube, die wollen mich nicht mehr. Der Eigentümer hat gewechselt, der Lektor ist gegangen – vielleicht hat das gar nichts mit mir zu tun. Vielleicht stellen sie nur das Programm um. «

»Wie soll das gehen bei einem Kinderbuchverlag? Warum werfen sie ihre beste Autorin raus? «

»Ich – ich weiß nicht, ob ich das je war. «

»Die am höchsten Motivierte auf jeden Fall, oder? «

Dem gab es nichts entgegenzusetzen außer falscher Bescheidenheit.

»Bleibt also Agostinis Manuskript. «

»Ich fürchte, meiner Mutter wäre es nicht recht. «

»Wie kommst du darauf? «

Clara biss sich auf die Lippen und schüttelte stumm den Kopf.

Gregor schwieg eine Weile. »Ich glaube, ich verstehe«, sagte er dann langsam. »Man kann eine Situation aber nur dann richtig beurteilen, wenn man sie bis auf den Grund kennt.«

»Und?«

»Forsche nach, wie lange sich Agostini in Baden-Baden aufhielt, mit wem er Kontakt hatte. Vielleicht klärt es sich so auf, warum deine Mutter das Manuskript aufbewahrt hat. Vielleicht stand etwas darüber in der Zeitung. Er war immerhin ein berühmter Mann. Liefe Dostojewski hier lebend herum, gäbe alles, was er täte, Riesenschlagzeilen.«

Clara lachte. »Bestimmt nur, weil er notorischer Spieler war.« Schon schoss ihr ein neuer Gedanke durch den Kopf. »Vielleicht hat er es versetzt!«

»Wie bitte?«

»Das wäre doch möglich: Vielleicht war auch Agostini ein leidenschaftlicher Spieler und geriet wie Dostojewski in Geldnot. Der Russe hat seinen letzten Mantel verpfändet, der Italiener vielleicht sein neues Manuskript?«

»Klingt gut. Aber warum hat er es einer Carlotta gewidmet und deine Mutter Jahre später einer Rose diesen Namen gegeben?«

Sechsundzwanzig

Das Stadtarchiv befand sich im »Baldreit«, einem der romantischsten Gebäude Baden-Badens. Man erreichte es als Fußgänger nur über sehr schmale, verwinkelte Gässchen und Durchlässe, es lag so versteckt, dass an Hausecken kleine Wegweiser angebracht waren. Der Innenhof wirkte selbst an diesem trüben Dezembermorgen verwunschen wie auf einem der alten Stiche in Gregors Laden. Efeu und das kahle Geäst von wildem Wein wucherten die Wände empor, es gab Treppen, die sich ans Gemäuer schmiegten, Sprossenfenster, Butzenscheiben, Kopfsteinpflaster. Früher war hier neben dem Archiv auch das städtische Museum untergebracht gewesen, jetzt standen die Räume leer beziehungsweise wurden als Lager benutzt. In eine Ecke des Gevierts duckte sich ein kleines Lokal, dessen Speisekarte sich verlockend las. Im Sommer war der Innenhof, wie Fotos im Aushang demonstrierten, bewirtschaftet, und Clara begann sich auszumalen, wie es wäre, mit Gregor einen lauen Sommerabend an einem der verträumten Tische zu verbringen.

Die hohen, durchgekühlten Räume des Archivs waren mit grauem Nadelfilz ausgelegt, das Mobiliar wirkte schäbig und altmodisch. Man merkte, dass die Stadt es für wichtiger erachtete, ihre Steuereinnahmen für andere, zukunftsweisende Investitionen zu verwenden. Mit einer Mischung aus Furcht und Neugier ließ Clara auf einem antiquierten Computerschirm die auf Mikrofilmen archivierten Seiten der alten Zeitung ab Mai 1953 an sich vorüberspulen. Als Erstes stieß sie auf Theophil Kaminskis mit vollem Namen gezeichneten Artikel über die Feier zu Reinhold Schneiders Geburtstag. Neben der erwähnten Theateraufführung und einer Lobesrede des damaligen Oberbürgermeisters Schlapper waren auch über Agostinis Festbeitrag ein paar Zeilen verloren worden, enttäuschend wenig allerdings, aber natürlich war Schneider die Hauptperson gewesen. Clara scrollte die Zeitungsseiten zurück. Wenn Agostini ein so berühmter Mann gewesen war, musste doch etwas über seine Ankunft in Baden-Baden veröffentlicht worden sein. Aber sie fand nichts. Es kamen ständig berühmte Menschen in die Stadt, das war wahrscheinlich nichts Besonderes für die örtliche Presse, weder damals noch heute.

Clara suchte trotzdem weiter nach Berichten über Agostini, stolperte aber lediglich über eine europäische Außenministerkonferenz, die auf Einladung Konrad Adenauers in Baden-Baden abgehalten wurde, über eine internationale Rosenschau, die zum zweiten Mal in der Gönneranlage stattfand, die Große Rennwoche, die Schwimmveranstaltung, über die ihre Freunde im Antiquariat sich unterhalten hatten, sie fand jedoch keine weitere Erwähnung des gesuchten Namens.

War Agostini also nur für ein paar Tage in der Stadt gewesen? Aber warum hatte er dann ein dickes handschriftliches Manuskript hiergelassen? So etwas brachte man auf einer Auslandsreise nicht einfach so im Gepäck mit. So etwas schrieb man auch nicht innerhalb weniger Tage, dazu brauchte man Monate.

Mitte September 1953 brach Clara die Suche enttäuscht und mit schmerzenden Augen ab. Vielleicht war er damals erkrankt und ohne Abschiedszeremoniell abgereist? Immerhin war er noch im gleichen Jahr gestorben. Aber auch dann ließ man doch nicht einfach ein Werk zurück, an dem man so lange geschrieben hatte.

So kam sie nicht weiter. Vielleicht konnte Gregor mit seinen schier unerschöpflichen Quellen mehr herausfinden. In den alten Zeitungen jedenfalls fand sie nichts mehr.

Im Laufschritt legte sie den kurzen Weg zurück, doch Gregor reagierte merkwürdig, als er sie sah.

»Du bist aus der Zeit, Bella, ich kann mich nicht um dich kümmern«, rief er gereizt.

Ein Speditionslastwagen stand vor seinem Laden und lud mehrere Paletten ab, die Gregor sorgfältig überprüfte.

»Was ist das?«, fragte sie neugierig und überging seine schlechte Laune.

Doch er stellte sich ihr breitbeinig in den Weg. »Nichts, ich nehme nur etwas in Verwahrung. Warst du schon im Krankenhaus?«

»Heute Morgen.«

»So. Na dann – bis heute Nachmittag!« Damit gab er ihr zwar einen liebevollen Klaps auf den Rücken, drängte sie aber unmissverständlich aus dem Weg.

Schon spürte sie das altbekannte Flimmern vor den Augen. Er konnte sie nicht einfach beiseiteschieben. Bockig blieb sie stehen, während er genervt zur Uhr sah.

»Bella, bitte. Wenn die Streife kommt, muss ich eine saftige Strafe zahlen. Es ist schon nach elf, der Laster müsste die Fußgängerzone längst verlassen haben. Ich muss mich beeilen.«

»Wenn ich euch beim Entladen helfe, geht es schneller.«

»Sei lieber heute Nachmittag pünktlich. Tschüss, du! Ich erklär dir das später.«

Das war deutlich. Aber es war im Freien viel zu ungemütlich, herumzustehen und zu streiten oder ihm beim Schleppen der Kisten zuzusehen. Sie hatte sowieso schon den ganzen Vormittag dieses Kratzen im Hals gespürt, es jedoch ignoriert. Was man nicht wahrnahm, das gab es auch nicht, war ihre Devise, wenn sich kleine Wehwehchen ankündigten. Jetzt ließen sich die Schluckbeschwerden jedoch nicht mehr verleugnen. Wahrscheinlich hatte sie sich im Archiv etwas verkühlt. Ein heißes Bad, und sie war wieder wie neu! Schließlich war bald Weihnachten, da wurde man nicht krank, *basta*! Auf dem Heimweg kaufte sie vorsichtshalber Halsschmerztabletten und warf, um sich abzulenken, schnell einen Blick in die Zeitung.

Im privaten Umfeld sind Sie leider auch einigen Rei-
bereien ausgesetzt und fühlen sich schnell angegriffen. Ver-
suchen Sie bei Gesprächen genauer hinzuhören. Wenn Sie
sich matt und angeschlagen fühlen, genießen Sie den Abend
lieber mit einem schönen Tee auf dem Sofa. Dies wirkt wahre
Wunder.

Tee auf dem Sofa – wie verlockend. Verträumt verstaute
Clara das Blatt in ihrer Manteltasche.

Paps hing wie üblich mit schiefer Brille im Lehnstuhl, als
sie kam. Ein Fotoalbum drohte, ihm von den Knien zu rutschen, und Clara bemühte sich, es zu retten, ohne ihn auf-
zuwecken. Sie wollte das Album gerade zuklappen, als ihr
auffiel, dass auf der aufgeschlagenen Seite ein Bild fehlte.
Man hatte es mit Gewalt herausgerissen, so dass ein Loch im
Karton entstanden war.

Nachdenklich nahm sie das Album in die Küche und
blätterte es durch. Es war die Bildersammlung der Mu-
sikschulzeit. Die hatte sie nie sonderlich interessiert, weil
sie bislang nicht gewusst hatte, dass ihre Mutter gesungen
hatte. Neugierig ging sie die Aufnahmen nun durch und versuchte, sie zu erkennen. Schwarz-weiße Gruppenfotos mit
stecknadelgroßen Köpfen, Bilder von Aufführungen und
Ehrungen, chronologisch ab 1947 bis 1957 geordnet. Die
Mädchen hatten Wespentaillen, weite, bauschige Röcke,
eng anliegende Oberteile mit tiefen Ausschnitten, gewellte
Haare und junge Gesichter, die erwachsen wirken wollten.
Die Jungen sahen wie verkleidet aus in ihren dunklen An-
zügen oder Kombinationen. Die Jacken waren zu weit, als
hätten sie sie von riesigen älteren Verwandten ausgeliehen.
Kurze Haare, wache Augen. Wahrscheinlich warteten sie
nur darauf, dass der Fotograf endlich fertig war, dann würden sie sich in hautenge Nietenhosen zwängen und ihre
Tanzpartnerinnen zu Rock-'n'-Roll-Klängen in die Luft
schwenken.

Das fragliche Bild fehlte in der Kollektion des Jahres 1953. Die restlichen Aufnahmen zeigten laut ihrer Beschriftungen auf der Rückseite Auftritte beim Frühlingsfest, beim Abschlusskonzert des sechsten Jahrgangs, bei Schulfesten und einem Gesangswettbewerb in Karlsruhe.

Warum wühlte Paps ausgerechnet heute in Erinnerungen aus jenem Jahr, mit dem auch sie sich heimlich beschäftigte? Er konnte nichts von dem Manuskript mitbekommen haben, ausgeschlossen. Und welche Bewandtnis hatte es mit dem ausgerissenen Foto?

Beunruhigt begann Clara mit dem Mittagessen. Hähnchenpfanne süßsauer sollte es geben, leider ohne Curry und Ingwer. Die Kopf- und Halsschmerzen verstärkten sich minütlich, aber sie kümmerte sich nicht darum. Sie würde nach dem Essen noch eine Tablette nehmen und *basta*.

Lustlos und frierend rührte sie die Zutaten auf dem Herd. Es machte ihr keinen Spaß, mittags unter Zeitdruck zu kochen, noch dazu nur einen Gang und den auch noch möglichst fettarm. Besonders sinnlich war das nicht. Abends konnte man hingegen Stunden mit Kleinschneiden, Ausprobieren, Würzen, Braten, Andünsten, Abschmecken zubringen und sich über die Frische und Qualität der Zutaten freuen und dazu ein Glas Wein genießen, Arien trällern und leidenschaftlich diskutieren. So hatte sie es jahrelang mit Jan erlebt; wahrscheinlich waren das die glücklichsten Momente ihrer Beziehung überhaupt gewesen. Jetzt sollte sie sich bereits vormittags über Essen Gedanken machen und ohne großen Appetit bei Mineralwasser oder Hagebuttentee über die Zusammenstellung von Gewürzen und Kräutern nachdenken, die auch noch möglichst magenschonend sein sollten. Ihr persönlich reichte mittags ein Imbiss aus Kaffee und einem Blätterteigteilchen.

Heiseres Räuspern hinter ihrem Rücken ließ sie zusammenfahren. Sie hatte Paps trotz der Krücken nicht kommen hören. Er nahm auf der Eckbank Platz, schob das Album weg und machte mit Zeige- und Mittelfinger sein berühmtes Zeichen. Sie brachte ihm den Schluck und zog das Album wieder heran.

»Da fehlt ein Bild.«

»M-hm.«

»Hat das jemand herausgerissen?«

»Deine Mutter. Es gefiel ihr nicht. Und wir sollten das respektieren.« Ungewohnt streng und energisch klappte er das Album zu.

Siebenundzwanzig

Es war kalt im Antiquariat, obwohl die Heizung auf vollen Touren bullerte. Clara fröstelte in ihrem Winterpullover und den gefütterten Schuhen und hätte sich am liebsten für ein paar Stunden ins Friedrichsbad verzogen – allein der Raum des Heißluftbads mit seinen mit exotischen Motiven handbemalten Majolika-Kacheln hatte konstant achtundsechzig Grad, von denen sie leider nur träumen konnte, denn ausgerechnet jetzt besichtigte Gregor einen Nachlass; das konnte Stunden dauern. Auch Tee half nicht, obwohl er ihren wunden Hals fast verbrannte.

Zitternd hing sie vor dem Computer, konnte sich nicht konzentrieren und selbst Herr Kaminski und der zarte Herr Berwein zerrten heute an ihren Nerven, weil beide schier ewig brauchten, um die Eingangstür, durch die noch mehr Kälte eindrang, wieder zu schließen. Das Telefon klingelte und verstärkte ihre hämmernden Kopfschmerzen und als sie sich melden wollte, bekam sie irgendwann nur ein unverständliches Krächzen heraus, bis Herr Kaminski sich erbarmte und die Bestellung entgegennahm.

Als Gregor endlich zurückkam, glühte und zitterte sie gleichzeitig, so dass er sie gegen alle Proteste umgehend ins Bett schickte.

Dankbar schleppte sie sich nach Hause. Tee und Couch? Diesmal irrte das Horoskop. Bett und Tabletten, das war, was sie brauchte. Sie war so schlapp und ihr war so übel, dass sie nicht einmal in der Lage war, nach ihrem Vater zu sehen. Sie ging direkt in ihr Zimmer, zog die Bettdecke über den Kopf und versank in quälenden Fieberträumen. Umschlingende Rosen, erhobene Zeigefinger, tadelnde Stimmen, das meckernde Lachen von Joe, etwas Kühles auf ihrer Stirn – alles vermengte sich zu einem Sturm, der sie im Bett hin- und herwarf wie auf hoher See. Sie verlor jegliches Zeitgefühl, merkte nur ab und zu, wie ihr jemand etwas Heißes einflößte oder sie ins Bad brachte. Es war ihr alles egal. Sie wollte nur ihre Ruhe haben und schlafen, schlafen, schlafen. Manchmal träumte sie, Gregor säße neben ihrem Bett und redete mit ihr, dann war sie wieder allein und alles um sie herum war dunkel und still. Wie lange ging das so? Tage? Wochen? Es spielte keine Rolle.

Irgendwann wachte sie auf und hatte endlich wieder einen klaren Kopf. Es war dämmrig; sie hatte keine Ahnung, ob es Morgen oder später Nachmittag war. Draußen quietschte das Gartentor, dann knirschten gedämpfte Schritte. Es hatte offenbar geschneit. Neben ihrem Bett stand eine Thermosflasche mit Tee, daneben lagen ein Tablettenröhrchen und ein Berg Papiertücher. Welchen Tag hatten sie? Was war mit ihrem Vater? Sie hatte Hunger! Gab es in diesem Haus überhaupt etwas zu essen, wenn sie so lange ausgefallen war?

Schwungvoll wollte sie sich auf die Bettkante setzen, fiel aber gleich zurück, weil sich alles drehte. Sie brauchte einen starken Kaffee und etwas Ordentliches zu essen.

Erneut quälte sie sich hoch, blieb stehen, bis der Schwindel vorbei war, stakste ein paar Schritte, die ihr unendlich schwerfielen. Dann hatte sie das Badezimmer erreicht. Wenig später tastete sie sich die Treppe herunter, eine Hand am Geländer, die andere an der Wand, wie eine Greisin.

Draußen wurde es langsam heller. In der Küche stand ein großer Teller mit Weihnachtsgebäck auf dem Tisch, genau die Sorten, die Paps früher gebacken hatte, die nun aber höchstwahrscheinlich auf das Konto eines anderen gingen, und schon bei diesem Gedanken begann in ihrer Brust erneut ein Feuer zu lodern, das sie im Handumdrehen von Kopf bis Fuß überschwemmte. Nicht zum Aushalten! Sie fingerte die Tür zum Garten auf und atmete erleichtert die frische Schneeluft ein.

»Bist du wahnsinnig? Mach sofort die Tür zu.«

Gregor stand mit einer Brötchentüte hinter ihr. Auf seiner Strickmütze glitzerten Schneeflocken, und seine Wangen waren krebsrot vor Kälte. Jetzt spürte sie auch, wie eisig es war.

Zitternd schloss sie die Tür und ließ es geschehen, dass Gregor sie sanft an sich zog.

»Du musst dich schonen«, murmelte er. »Du hast vier Tage hohes Fieber gehabt. Eigentlich wärst du im Krankenhaus besser aufgehoben gewesen, aber das habe ich deinem Vater nicht antun wollen.«

Clara begann zu rechnen. »Wie geht es ihm und was ist mit meiner Mutter?«

»Dein Vater schlägt mich im Schach und das Krankenhaus meldet unveränderten Zustand.«

»Ich muss zu ihr.«

Aber damit musste sie warten, denn sie konnte sich kaum mehr auf den Beinen halten und schwankte zurück ins Bett.

Erst Heiligabend wurde es etwas besser. Entschlossen kramte Clara Make-up hervor und suchte ihr Kleid heraus, schwarz wie alles in ihrem Schrank. Das war in München sehr schick gewesen, aber es passte im Grunde nicht zu ihr. Sie liebte fröhliche Farben. Rot zum Beispiel sah dramatisch an ihr aus. Warum hatte sie sich nur seit Jahren so trist verkleidet? Jan hatte mit Vorliebe Schwarz getragen, ebenso Simone, einfach alle. Nur Britta nicht, der Schmetterling ...

Dumpfes, rhythmisches Pochen von Krücken brachte sie zurück in die Gegenwart und zu ihrem ganzen Weltschmerz. Weihnachten! Sie hatte keine Geschenke, und für ihren Vater würde dies nach einundneunzig Jahren definitiv das letzte Fest in seinem Elternhaus sein. Mit aller Kraft hielt sie sich am Geländer fest und versuchte sich zusammenzureißen. Bloß kein Selbstmitleid jetzt!

»Bella?«

Die leise, heisere Stimme ihres Vaters machte es noch schlimmer.

»Komme gleich!«, rief sie und hoffte, man würde ihr nicht anhören, wie es ihr gerade ging.

Unten klapperte ein Besteckteil zu Boden.

»Bella?«

Das war Gregor. Oh Gott. Er sollte sie so nicht sehen. Zu spät.

Mit langen Schritten kam er die Treppe hoch und nahm sie in den Arm. Das war zwar nett gemeint, verschlimmerte alles aber noch.

»He, beruhige dich. Alles wird gut. Glaub mir. Verlass dich auf mich. Ich helfe euch. Hab noch ein bisschen Geduld.«

»Was redest du da? Niemand kann uns helfen.«

»Lass dich überraschen. Und jetzt komm. Hör auf, dich zu beklagen, das regt deinen Vater nur auf. Es ist alles fertig, wir warten nur noch auf dich.«

Behutsam nahm er sie an der Hand und ging mit ihr nach unten, wo Paps stand und ihnen lächelnd entgegensah.

»Na endlich! Dass ihr euch gefunden habt, ist mein größtes Glück.«

Clara zog ihn vorsichtig an sich, darauf bedacht, ihn nicht aus dem Gleichgewicht zu bringen. Dann trat sie erschrocken einen Schritt zurück. »Meine Güte, Paps!«

Er machte ein wichtiges Gesicht. »Es ist Heiligabend, Bella. Da habe ich doch immer eine ordentliche Jacke an. Es liegen ja genügend im Schrank.« Ein Hustenanfall erstickte sein Kichern.

Erst jetzt bemerkte Clara, dass die Tür zum Wohnzimmer weit geöffnet war. Es war warm! Gregor hatte einen kleinen Weihnachtsbaum aufgestellt und ihn mit roten Kugeln, goldenem Lametta und einer elektrischen Lichterkette geschmückt. Außerdem hatte er den großen Esstisch hergeschleppt und ihn ebenfalls festlich dekoriert.

Unter dem Baum lagen drei Päckchen: ein antiquarischer Bildband aus den fünfziger Jahren über die mondänen Reiseziele an den oberitalienischen Seen für Paps, ein Astrologiebuch mit Goldschnitt und schwer lesbarer Frakturschrift für sie und ein Buch über die Zucht und Pflege alter Rosen, das sich Gregor selbst geschenkt hatte.

Alte Rosen – sofort fiel Clara die »Carlotta« ein und das mysteriöse Manuskript. Kein Wort hatte Gregor in den letzten Tagen darüber verloren und ihr war es zu schlecht gegangen, um sich damit auseinanderzusetzen. Aber hatte er nicht vorhin gesagt, es werde alles gut, sie solle sich überraschen lassen? Bestimmt hatte er etwas herausgefunden und sparte es sich für nachher auf, wenn ihr Vater außer Hörweite im Bett lag. Wie konnte sie nur ruhig am Tisch sitzen und die Suppe auslöffeln, wenn es vielleicht sensationelle Neuigkeiten gab, die sie aus ihrer Misere retten würden?

Nach der Vorspeise hielt sie es nicht mehr aus und folgte Gregor in die Küche.

»Was ist mit dem Manuskript?«, flüsterte sie, doch er warf einen besorgten Blick Richtung Wohnzimmer.

»Nicht jetzt!«

»Hast du etwas herausgefunden?«

»Das schon, aber es macht alles nicht leichter.«

»Was denn?«

»Später. Sieh nur, er spitzt schon die Ohren.« Damit drückte Gregor ihr die Platte mit den entgräteten gedünsteten Forellen in die Hand.

Doch der Appetit war ihr vergangen. Es würde nicht leichter? Was meinte er damit? Zappelig wartete sie, bis Mozarts Jupiter-Sinfonie verklungen, alle Musikschul-Anekdoten wiederholt waren und Paps seinen dritten Fingerbreit geleert hatte.

Endlich waren sie allein.

»Jetzt erzähl doch!«

Gregor drehte sein Weinglas nachdenklich, ehe er zögerlich begann: »Laut Herrn Kaminski verbrachte Agostini 1953 den gesamten Sommer in der Stadt. Er hat ihn einmal interviewen wollen, aber das hatte Agostini abgelehnt mit dem Hinweis, er schreibe an einem neuen Werk und habe keine Zeit für ihn.«

»Was noch?«

»Hm ... wie soll ich dir das nur beibringen? Er ist ... er ist im Oktober 1953 gestorben.«

»Das ist bekannt.«

»Aber er starb hier, in Baden-Baden.«

»Und weiter?«

»Es war kein natürlicher Tod. Er hat sich vom Merkurturm gestürzt.«

»Um Himmels willen! Wegen des Manuskripts?«

»Keine Ahnung. Herr Kaminski sagt, dass es damals einen Ehrenkodex bei der Presse gab, über Selbstmorde nicht zu recherchieren und auch nicht zu berichten.«

»Aber Agostini war eine Berühmtheit und der Merkurturm ein öffentlicher Ort, viel zu spektakulär, um einen Selbstmord geheim halten zu können. Wieso steht das nicht in den Biografien? Da ist nur vermerkt, wann er gestorben ist, aber nicht wie und wo. Und überhaupt – die Zeitungen können das doch nicht einfach totgeschwiegen haben!«

»Es gab nur eine kleine Notiz, dass seine Witwe mit ihrer kleinen Tochter zwei Tage später anreiste und seine sterblichen Überreste nach Italien begleitete.«

»Die Ärmste.«

»Genau. Die literarische Gesellschaft hat Weihnachten 1953 eine Spendenaktion für sie organisiert.«

»Spenden? Aber warum? Agostini war doch berühmt!«

»Das bedeutet nicht zwangsläufig, dass er auch reich war. Über zwanzigtausend Mark kamen damals zusammen, zehntausend stammten von einem einzigen, nicht genannten Wohltäter.«

»Wer war das?«

»Herr Kaminski sagt, es gab die wildesten Gerüchte darüber, auch, ob Agostini wirklich freiwillig in den Tod gegangen war.«

»Also vielleicht kein Selbstmord? Ein Unfall? Oder meinst du ...?«

Gregor sah schweigend zu Boden.

Claras Gedanken überschlugen sich. Mord? Enthielt das Manuskript vielleicht etwas, für das jemand getötet hatte und wieder töten würde, wenn er von der Entdeckung des alten Werks erfuhr?

Und welche Rolle spielte ihre Mutter bei alldem?

Achtundzwanzig

Sie brauchte so schnell wie möglich einen Internetzugang, schoss es Clara am nächsten Morgen als Erstes durch den Kopf. Sie musste mehr über Agostini herausfinden. Das war etwas, das sie ganz allein tun musste. Es war zwar der erste Weihnachtsfeiertag, aber Gregor nahm sie bestimmt mit an seinen Computer, er würde ohnehin gleich – wie verabredet – zum Frühstück vorbeikommen.

Der Gedanke an ihn setzte wieder ihr dämliches Hitzezentrum in Gang und sie lief ins Bad, um ihre Hände unter kaltes Wasser zu halten. Dabei betrachtete sie mit leichter Verzweiflung ihr Spiegelbild. Krähenfüße unter den Augen, trockene Haut, Faltenringe am Hals. Sogar die Kontur ihrer noch vollen Lippen wurde allmählich schärfer. Was fand Gregor nur an ihr?

Sie reckte sich und was sie im unbestechlichen Spiegel sah, hob ihre Stimmung nicht gerade. Selbst lockere Kleidung konnte die kleinen Polster um die Hüften nicht kaschieren. Ihre Beine waren zwar schlank, aber etwas zu kurz geraten, ihre Füße schmerzten vom Laufen auf hohen Absätzen. Alles an ihr sah müde und verbraucht aus, bis auf diese grässlichen schwarzen Drahtlöckchen, die ihr mal wieder wirr vom Kopf abstanden. Sie band die Haare hoch, aber das ließ sie viel zu streng aussehen.

Ach, zur Hölle mit dem Altwerden. Die ersten fünfundzwanzig Jahre konnte man es kaum erwarten, endlich erwachsen zu sein, und danach verbrachte man den Rest seines Lebens damit, die Folgen des Älterwerdens zu übertünchen und zu bekämpfen.

Langsam zog sie ihre Kleider aus und stellte sich auf Zehenspitzen, um sich weiter kritisch zu beäugen. Schrecklich! Mindestens fünf Kilo zu viel, trotz der Krankheitstage. Da half es auch nicht, wenn sie die Luft anhielt und den Bauch einzog. Alles, was früher einmal attraktiv an ihr gewesen war, strebte jetzt der Erdanziehung entgegen und die Neonlampe an der Decke tat ihr Übriges. So konnte sie niemandem unter die Augen treten, schon gar nicht jemandem, der aussah wie ein Kunststudent im achten Semester.

Deprimiert stieg sie unter die Dusche und brauchte doppelt so lang wie sonst, um sich durch alle Töpfchen und Tiegel mit straffenden Cremes, glättenden Lotionen und revitalisierenden Fluids zu arbeiten. Am Ende konnte sich zumindest ihr Gesicht sehen lassen. Den Rest verhüllte gnädiges Schwarz.

Mit »Du siehst toll aus!« empfing Gregor sie am Frühstückstisch.

Der Duft von Sandelholz und frischem Wind stieg ihr in die Nase. Ja, so roch Glück.

Trotzdem machte sie einen Schritt zur Seite.

»Ich muss an den Computer, heute noch. Am besten sofort.«

Aber er bestand darauf, dass sie sich noch einen Tag ausruhen musste. Dann nahm er sie mit hinunter in die weihnachtlich stille Stadt. Der Computer fuhr hoch und er ließ sie allein, angeblich um Tee zu kochen, und er ließ sich viel Zeit damit, wofür sie ihm dankbar war.

Ein Giacomo Agostini aus Brescia, der 1942 geboren worden und mit fünfzehn Weltmeistertiteln laut Wikipedia der erfolgreichste Motorradrennfahrer aller Zeiten gewesen war, dominierte die Flut der Einträge. 265 000 Seiten gab es zu ihm, keine führte sie zu dem einst weltberühmten Schriftsteller. Es war doch nicht möglich, dass jemand, der mehrfach für den Nobelpreis vorgeschlagen gewesen war, dermaßen in Vergessenheit geraten war!

Sie versuchte es ohne Vornamen und sackte förmlich vor dem Bildschirm zusammen, als Google ihr dreieinhalb Millionen Vorschläge anbot.

Über ihr polterte es. Gregor schien im oberen Stockwerk irgendwelche schweren Dinge über den Boden zu schleifen. Merkwürdig. Die Wohnung stand doch leer.

Sie begann die Suche zu verfeinern und die Zeit verrann, der Tee war längst kalt, aber die alten gusseisernen Heizkörper spuckten knackend ihre glühende Hitze aus.

Irgendwann kam Gregor die Treppe herunter, blieb aber in seiner Wohnhöhle hinter dem Vorhang und telefonierte leise, dann wurde es still. Wahrscheinlich las er. In der Fußgängerzone draußen war kaum ein Mensch unterwegs, kein Wunder bei dem trüben Matschwetter.

Da! Da war etwas.

»Sieh dir das an!«, rief sie, aber sie wartete nicht ab, bis er hinter ihr stand.

Sie hatte eine »Agostini-Stiftung zur Förderung junger deutscher und italienischer Schriftsteller« gefunden, die Webseite konnte man auch auf Deutsch lesen. Drei Preisträger für den diesjährigen Schreibwettbewerb zum Thema »Berge« wurden vorgestellt, jeder hatte tausend Euro gewonnen, sämtliche eingereichten Beiträge waren außerdem zu einer Anthologie zusammengefasst worden, die auf Deutsch und auf Italienisch erschienen war. Für das kommende Jahr hieß das Thema »Briefe«. Jedermann konnte mit bislang unveröffentlichten Kurzgeschichten teilnehmen, egal, ob sie auf Deutsch oder Italienisch verfasst waren.

Gespannt rief sie die nächste Seite auf. Die Stiftung in Südtirol wurde vorgestellt und eine Kontaktadresse genannt: eine gewisse Marcella Agostini aus Bozen mit Telefonnummer, dazu ein Link zu einem fantastischen, romantischen Weingut in einem kleinen Dorf im Etschtal.

»Sieh dir das an!«, rief sie noch einmal. »Das ist paradiesisch!«

Sehnsüchtig starrte sie auf die Aufnahmen gepflegter Weinberge, blühender Apfelbäume, eines alten, schlossartigen Gutshauses, eines Weinkellers mit endlosen Holzfässerreihen. Auf einem weiteren Bild hob ein rotwangiger Kellermeister ein Glas mit golden funkelndem Wein, ein Hofladen wurde gezeigt, in dem selbst produzierter *Pecorino*-Käse, Salami, Marmeladen, *Sugos*, Nudeln und Brot feilgeboten wurden. Es gab einige rustikal eingerichtete Fremdenzimmer mit Ausblick auf die Bergwelt der Dolomiten, Ausflüge an den Kalterer See, Wanderwege durch blühende Apfelplantagen ...

»Warum bin ich eigentlich mein ganzes Leben nicht nach Italien gefahren?«

Gregor räusperte sich. »Familienmuster? Die Mutter lehnt alles jenseits der Alpen ab, die brave Tochter hat es verinnerlicht und strikt befolgt?«

»Früher vielleicht. Aber heute sollte ich wirklich erwachsen genug sein, um zu tun und zu lassen, was ich selber will. Ich bin schon lange keine brave Tochter mehr. War ich eigentlich nie.«

»Dann zeig dieser Marcella das Manuskript. Vielleicht ist sie Agostinis Witwe oder sonst wie mit ihm verwandt und zahlt dir ein hübsches Sümmchen.«

»Oder sie verklagt mich, weil wir ihr Erbe so lange unterschlagen haben.«

»*Ihr* Erbe? Dazu müsste sie erst erklären können, was es mit der Widmung auf sich hatte.«

»Vielleicht hieß seine Mutter oder seine Tochter so? Carlotta Agostini?«

»Fahr hin. Finde es heraus.«

»Nicht, solange es meiner Mutter so schlecht geht.«

»Es wären nur zwei Tage. Außerdem kannst du ihr sowieso nicht helfen. Und um deinen Vater kümmere ich mich.«

Clara blickte auf die Idylle auf dem Bildschirm. Alles zog sie dorthin, am liebsten hätte sie sofort ihren Koffer gepackt und wäre losgefahren. Sie konnte es sich nicht erklären, warum ausgerechnet diese Bilder ein so heftiges Verlangen in ihr auslösten. Sie war mit ähnlichen Fotos groß geworden, aber niemals hatte sie einen solch starken Drang verspürt, genau an diesem Ort sein zu wollen.

»Hallo? Jemand da?« Gregor sah sie fragend an.

»Aber dann müsste ich Paps alles erzählen. Das will ich nicht. Noch nicht. Kannst du das verstehen?«

Gregors Augen wurden dunkel. »Sehr gut sogar«, sagte er leise und starrte dann auf den Fußboden.

Seine Mutter fiel ihr ein. Er quälte sich mit der Vorstellung, er habe ihren Selbstmord verursacht.

»Egal, wie wertvoll das Manuskript ist – ich kann damit nicht an die Öffentlichkeit gehen, auch wenn ich nicht weiß, wie ich die nächsten Wochen über die Runden kommen soll.«

Seine Hand machte eine Wischbewegung. »Schon gut, Bella. Mach dir keine Sorgen. Das kommt in Ordnung. Vertrau mir.«

Sein Gesicht kam näher, sie konnte seinen frischen Atem spüren, sein Rasierwasser riechen und in seinen Augen versinken.

»Noch mal: Mein Entschluss steht fest. Ich werde nichts unternehmen, solange meine Eltern leben.«

»Willst du wissen, was damals wirklich geschah?«

Verblüfft sah sie ihn an. »Ja, natürlich!«

»Vielleicht kann Herr Kaminski dir weiterhelfen. Ich habe ihn vorhin angerufen, er müsste gleich hier sein. Ich hatte den Eindruck, er war direkt froh, dem leeren Feiertag zu entkommen.«

»Prima. Ich komme gleich wieder. War eindeutig zu viel Tee.«

Clara lief zum Vorhang. Auf der anderen Seite des Ganges befand sich ein großer Abstellraum und dahinter ein winziges Badezimmer.

»Äh, Bella!«

Fragend drehte sie sich um.

»Äh, geh bitte in den ersten Stock. Da ist auch ein Bad, ganz hinten. Hier ist der Schlüssel.«

»Aber warum?«

»Erklär ich dir später.«

Verwirrt stieg sie nach oben. Die Wohnung war eiskalt und relativ dunkel, der Lichtschalter funktionierte nicht. Sie probierte mehrere Türen, aber sie waren abgeschlossen und der Schlüssel passte nicht. Am Ende des Flures fand sie das Bad. Der Raum hatte kaum über zehn Grad. Fröstelnd beeilte sie sich, wieder ins Warme zu kommen und zwang sich, nicht über die verschlossenen Zimmer nachzudenken. Gregor Morlock konnte in seinem Haus tun und lassen, was er wollte, es ging sie nichts an.

»Gütiger Himmel, wie soll ich mich an etwas erinnern, das über fünfzig Jahre zurückliegt?«, hörte sie Kaminski bis ins Treppenhaus hinaus.

»Er war berühmt und sein Tod spektakulär. Das vergisst man nicht«, erwiderte Gregor.

»Ich habe Ihnen alles gesagt, fürchte ich. Ah, Frau Funke, wie nett. Frohe Weihnachten! Dieser junge Mann hier möchte aus mir einen Sherlock Holmes machen. Aber ich weiß doch nichts.«

Clara musste lachen, so verzweifelt sah der liebenswürdige alte Mann aus.

»Glauben Sie mir, ich würde Ihnen wirklich gern helfen, schon allein, weil Sie Friedrichs Tochter sind. Wissen Sie, dass Ihre Mutter 1953 einen sensationellen öffentlichen Auftritt hatte?«

»Ich habe bis vor Kurzem nicht einmal gewusst, dass sie überhaupt singen konnte.«

»Ich kann mich deshalb gut daran erinnern, weil es während der Feier war, über die wir vorletzte Woche geredet haben.«

»Reinhold Schneiders Fünfzigster, als Giacomo Agostini die Festrede hielt?«

»Genau. Ich kenne mich mit Opern und Operetten leider nicht gut aus, aber ich weiß noch, sie war hinreißend. Alles andere ist mir leider entfallen.«

»Erinnern Sie sich an Agostinis Tod? Gregor meinte, es gab gewisse Gerüchte.«

»Gerüchte, mehr nicht. Die Polizei hat irgendwann die Ermittlungen eingestellt, das hat nicht jedem gefallen.«

»Und wenn es kein Selbstmord war?«

Möglichst unauffällig knöpfte Clara sich die Jacke auf. Neuerdings verstand sie, warum Frauen in ihrem Alter Zwiebellook trugen. Trotzdem merkte sie, wie die Glut sich bis in ihre Haarwurzeln fraß und ihr Gesicht bestimmt knallrot überzog.

»Ist Ihnen schlecht?«, fragte Herr Kaminski prompt.

»Alles in Ordnung«, japste sie. »Oder ein Unfall?«

»Nein, nein, offiziell war es Selbstmord. Aber der Berthel, der hat das nie geglaubt.«

»Wer?«

»Berthold Daul, der damals ermittelnde Polizist. Er hat einfach nicht nachgegeben, selbst als man ihn vom Fall abzog und nach Bühl versetzte. Wie ein Terrier hatte er sich in die Theorie verbissen, dass bei dem Tod etwas faul gewesen war. Zum Schluss ist er damit allen auf den Wecker gegangen.«

»Also Mord? Gab es einen Verdächtigen? Ein Motiv?«

»Mehr hat der Berthel nicht gesagt.«

»Wie alt war er damals?« Sie wollte nicht direkt fragen, ob der Mann noch lebte.

Herr Kaminski kaute auf seinen Lippen. »Wie alt? Hm. Gerade erst im Polizeidienst. Das war sein erster Fall. Vielleicht hatte es ihn deshalb so gepackt. Also, lassen Sie mich nachrechnen. Vor vier Monaten haben wir seinen Achtzigsten gefeiert. Das macht – vierundzwanzig war er damals.«

»Sie haben noch Kontakt zu ihm?«

»Na hören Sie mal! Wir sind beide Mitglieder im Musikverein Lichtental. Wir sehen uns oft, viel zu oft, in letzter Zeit fast nur noch auf den Beerdigungen. Deprimierend ist das, sag ich Ihnen! Was sind wir dann froh, wenn es auch mal runde Geburtstage zu feiern gibt. Der ganze Verein war zu Berthels Achtzigstem aufmarschiert. Die haben gar nicht mehr aufgehört, Ständchen zu spielen. Schön war's! Zu mir kommen sie nächstes Jahr.«

Doch Clara hörte nicht mehr richtig zu.

Neunundzwanzig

Wie das Spielcasino, das Theater und das Friedrichsbad ist auch das Café *König* eine dieser Institutionen Baden-Badens, die niemals altern. Seit über hundertzehn Jahren funkeln die Kristalllüster in den altrosa ausgeschlagenen Sälen, wird die legendäre heiße Schokolade an altmodischen Chippendale-Tischchen serviert, flüstern jüngere und nicht mehr ganz so junge Pärchen oder Tortenliebhaberinnen in der Nische oder am verloschenen Kamin, hängen teuerste Pelzmäntel achtlos an der Garderobe oder über zierlichen Stuhllehnen.

Als sie das Café betrat, erinnerte sich Clara an das aufregende Intermezzo in den neunziger Jahren, als der damalige Besitzer es gewagt hatte, avantgardistische Kunstwerke in diese traditionelle Behäbigkeit zu hängen und zu seinen Kuchenkreationen einen echten Beuys, Judd oder Warhol feilzubieten. Wie sie aus den abfälligen Bemerkungen ihrer Mutter entnommen hatte, war das Experiment gründlich schiefgegangen, und nun offerierte das Kaffeehaus unter neuer Leitung wieder das, was das Publikum erwartete.

Berthold Daul war leicht zu erkennen. Er war der einzelne Herr am Fenster und hielt sich trotz Bierbauchs und Doppelkinns so gerade, wie es ehemalige Uniformträger offenbar gewohnt sind. Ein stoppeliger weißer Haarkranz legte sich um seinen Hinterkopf und seine buschigen Augenbrauen ließen ihn wie einen misstrauischen Uhu aussehen. Fast automatisch bekam Clara ein schlechtes Gewissen, als stünde ihr Auto im Halteverbot. Dem war zwar nicht so, trotzdem war sie nervös, als sie an seinen Tisch trat, denn ausgerechnet jetzt fiel ihr das Tageshoroskop wieder ein: *Ihr Weg gestaltet sich schwerer, als Sie es gedacht haben. Möglicherweise versucht man Sie von Ihrem Vorhaben abzubringen oder es sogar ganz zu vereiteln. Lassen Sie sich davon nicht*

entmutigen und sehen Sie es als Herausforderung und Probe
Ihres Willens an.

Um sich Mut zu machen, drückte sie ihren Rücken durch und stellte sich vor. Daul erhob sich halb und presste dabei seine Serviette vor den Bauch, mit der anderen Hand zerquetschte er fast die ihre.

»Danke, dass Sie so schnell Zeit hatten zwischen den Feiertagen.«

Er wischte ihre Einleitung weg und ließ sich auf das Stühlchen zurückplumpsen. »Theo sagt, Sie wollen mich wegen dieser alten Geschichte sprechen«, begann er ohne Umschweife. »Warum interessieren Sie sich dafür? Haben Sie neue Erkenntnisse?«

Clara schüttelte den Kopf und dankte Herrn Kaminski insgeheim für seine Diskretion.

»Aber es muss doch einen Anlass geben, Agostinis Tod nach sechsundfünfzig Jahren aufzurollen.«

»Ich habe etwas gefunden, das mich auf den Fall aufmerksam gemacht hat.«

Daul setzte sich auf und scheuchte die Bedienung mit einer ungeduldigen Kopfbewegung fort, so dass Clara gerade noch im Hinterherrufen Eiswasser mit Zitrone bestellen konnte.

»Ich wusste es«, sagte er und lächelte selbstgefällig. »Ich muss nur lang genug warten, dann wird der Fall geklärt. Das habe ich mir all die Jahre immer wieder vorgesagt. Die Leute haben mich für verrückt gehalten. Also, was ist es?«

Clara knöpfte sich prophylaktisch die Jacke auf. »Es hat nichts direkt mit seinem Tod zu tun. Ich habe nur etwas gefunden, das mich auf seinen Namen gebracht hat.«

Daul beugte sich vor. Es war ihm anzusehen, dass er am liebsten ein Vernehmungsprotokoll ausgefüllt hätte. Mit Blaupause. Dreifache Ausfertigung.

»Sie weichen mir aus. Sie wissen mehr, als Sie mir sagen wollen!«

Sie schüttelte den Kopf. »Ich bin hier, um von *Ihnen* zu erfahren, was Sie damals herausgefunden haben. Ich weiß so gut wie gar nichts. Herr Kaminski kann sich nicht mehr erinnern, und in den alten Zeitungen habe ich auch nichts gefunden. Sie sind meine letzte Chance.«

»Rettungsanker« hätte sie beinahe gesagt, aber das hätte den pensionierten Polizisten nur misstrauisch gemacht.

Daul musterte sie verdrossen. »Na gut«, meinte er schließlich. »Sie haben mich zwar nicht überzeugt, aber wenn Theo Sie schickt ...Was wollen Sie hören? Oder vielmehr: Was ist Ihnen selber schon bekannt?«

»Nur, dass Agostini im Oktober 1953 vom Merkurturm stürzte. Wie kam man auf Freitod? Gab es einen Abschiedsbrief?«

Daul schnaubte. »Abschiedsbrief! Mir war der von Anfang an suspekt. So schreibt doch kein Lebensmüder! Kein Wort von sinnlosem Dasein oder von Todessehnsucht, sondern nette, verbindliche Worte, fast als wollte er jemandem sensibel Lebewohl sagen. Ich hätte gern nachgehakt, aber man hat mich zurückgepfiffen. Niemand hat auf mich hören wollen. Bloß keinen Skandal. Wer weiß, was da zutage tritt. Sie haben ja keine Ahnung, was für eine Stimmung Mitte der fünfziger Jahre herrschte. Ich war jung und unbelastet. Aber die Älteren? Wo kamen ausgerechnet bei Polizei und Justiz plötzlich all die weißen Westen her, nicht mal zehn Jahre nach dem Krieg? So viel Persil gab es doch gar nicht.«

Clara klopfte das Herz bis zum Hals. »Wollen Sie einen politischen Mord andeuten?«

Das ließ das Manuskript in ganz neuem Licht erscheinen.

»Gar nichts will ich andeuten. Ich habe Fakten gesammelt und dafür hat man mich ruhiggestellt. Das war politisch! So war das damals.«

»Können Sie sich noch an den Wortlaut des Briefs erinnern?«

»Wie könnte ich den vergessen. Mal sehen. Hm. Hm.«
Daul starrte lange zur Decke, dann machte er ein zerknirschtes Gesicht. »Ich fürchte, Sie müssen mir etwas Zeit geben.
Man ist ja nicht mehr der Jüngste. Hm. Na so etwas, wie
ärgerlich! Jahrelang habe ich ihn mir vorgebetet, und jetzt
das – hm. Herrje aber auch! Vielleicht fällt es mir später
wieder ein. Der Brief selbst wird leider nicht mehr existieren. Aus diesem Grund habe ich mir all die Jahre solche
Mühe damit gegeben, mir den Inhalt zu merken. Mord, ja,
Mord, der verjährt nicht, da werden alle Unterlagen aufgehoben. Aber Freitod? Was ist das schon. Hat es eben einer
nicht mehr ertragen, das Leben. Gründe? Auch Berühmtheiten haben so ihre kleinen, unerträglichen Geheimnisse,
da muss man nicht herumrühren.«

Ihr Wasser kam und er fuchtelte der Bedienung hinterher, um sich noch einen Milchkaffee zu bestellen.

»Sie sprachen von Geheimnissen«, wiederholte Clara
zaghaft und trank ihr Glas in einem Zug halb aus, in der
Hoffnung, das aufflackernde Feuernest in ihr löschen zu
können.

Irgendwie war Daul ihr unheimlich und nicht ganz
glaubhaft mit seinen Verdächtigungen und unklaren Andeutungen und Verschwörungstheorien.

»Es war doch höchst merkwürdig, dass er angeblich so
berühmt war, seine Witwe aber nicht einmal Geld für den
Sarg und die Überführung hatte. Ich habe herausgefunden,
dass er sich gern in der Spielbank herumtrieb. Das scheint ja
eine Marotte unter Dichtern zu sein. Vielleicht hatte er also
Schulden? Das wäre ein Motiv gewesen. Als die Spendenaktion organisiert wurde und plötzlich dieser Riesenbetrag
eintrudelte, hatte ich endlich eine Spur, aber prompt hat
man mich vom Fall abgezogen. Warum wohl? Wer wusste
da etwas? Ich sage Ihnen, ich hätte den Mörder erwischt,
wenn man mich gelassen hätte. Zehntausend Mark spendet
man nicht aus dem Handgelenk, und dann noch anonym!

Das macht nur einer, den das schlechte Gewissen plagt. Ich hätte schon herausgefunden, wer das war. Aber es hörte ja niemand auf mich.«

Seine Bestellung kam und er rührte stumm in seiner Tasse, als sei ihr Inhalt der Sumpf von damals, den er gern trockengelegt hätte.

»Der Abschiedsbrief. Würden Sie versuchen, ihn für mich zu rekonstruieren?«

»Warum liegt Ihnen so daran? Kennen Sie jemanden, der oder die damals mit Agostini in Kontakt gewesen war? Das kann wichtig sein!«

Clara schüttelte den Kopf, um nicht direkt lügen zu müssen.

»Der Brief war eine falsche Spur, sage ich Ihnen! Man hat ihm viel zu große Bedeutung beigemessen. Nachdem man ihn gefunden hatte, war sogar eine wichtige Zeugenaussage plötzlich nichts mehr wert. Das werde ich niemals begreifen.«

»Welche Zeugenaussage?«

Nichts mehr von wegen Hitze! Eiskalt wurde es ihr.

»Ein Wanderer behauptete, er habe kurz vor dem – sagen wir mal – Unglück zwei Personen droben gesehen. Sie hätten miteinander gerungen.«

»Aber das ist ja ...«

»Genau. Aber der Staatsanwalt hat mir den Mann weggenommen und ihn selbst vernommen, und noch einmal und noch einmal. Bis der Zeuge sich nicht mehr festlegen wollte und meinte, es sei bereits dämmrig gewesen und er brauche eigentlich eine Brille. Wollen Sie meine Meinung hören? Da ist jemand mundtot gemacht worden!«

»Aber warum?«

»Wenn ich das wüsste. Meine rechte Hand gäbe ich dafür, wenn ich das erfahren dürfte. Auch die Schaffnerin der Bergbahn sagte zuerst, es seien zum fraglichen Zeitpunkt mindestens drei Personen auf dem Gipfel gewesen, und später wollte sie gar nichts mehr zur Anzahl ihrer beförderten Personen sagen. Über vierzig Fahrgäste hatte sie an jenem Tag transportiert, da könne sie nicht mehr sagen, wer wann ein- oder ausgestiegen sei. Das Einzige, was sie sicher wusste, war, dass an der Mittelstation niemand den Wagen verlassen hatte.«

»Man kann doch auch zu Fuß hoch.«

»Und mit dem Auto. Die Straße wurde erst nach dem Mord für den Verkehr gesperrt. Angeblich, weil Lärm und Abgase die Feriengäste störten.« Daul beugte sich vor. »Ich sage Ihnen, es war ein Eingeständnis, dass ich recht hatte!«, raunte er.

Clara konnte sich gut vorstellen, wie er damals allen auf die Nerven gegangen war. Er trug einfach zu dick auf. Auch sie hatte jetzt mehr Zweifel als zuvor. Trotzdem griff sie nach dem letzten Strohhalm.

»Also war es vielleicht ein Autofahrer?«

»Nun, dem Zeugen ist leider kein Fahrzeug speziell aufgefallen.«

Also nur vage Vermutungen, Verdächtigungen ohne konkrete Anhaltspunkte, Stochern im Nebel. Übereifer eines fanatischen Berufsanfängers. Clara seufzte innerlich. Sie hätte diesen Mann damals wahrscheinlich auch irgendwann versetzt.

»Danke trotzdem. Das war sehr aufschlussreich«, log sie höflich und winkte der Bedienung.

Ihr Gegenüber bohrte seine Augen tief in ihre im Innern schwelende Glut. »Und das alles wollten Sie jetzt aus angeblich rein privatem Interesse wissen? Funke? Haben Sie etwas mit der früheren Musikschule zu tun? Aha, Sie werden rot!«

Panik stieg in ihr auf. Sie wollte nicht ins Verhör genommen werden. Daul sah wie ein Jagdhund aus, der die Witterung aufgenommen hatte. Um Himmels willen, nur das nicht. Wenn Daul weiter herumbohrte, würde sie ihm an Ende noch etwas über ihren Fund verraten.

Dieser Blick! Sie wusste sich nicht anders zu helfen, als ihm mit einer gewollt ungeschickten Bewegung die Tasse mit der braunen Brühe über die Hose zu werfen.

Daul blieb ungerührt, selbst als die Bedienung mit einem Tuch herbeieilte. »Ich finde schon heraus, wie das alles zusammenhängt«, zischte er und heftete seine Röntgenaugen auf sie, während er an seiner Hose herumwischte.

»Es tut mir leid, das wollte ich nicht. Ich komme für die Reinigung auf«, stotterte Clara und beeilte sich, aus seinem Blickfeld zu verschwinden.

Das fehlte noch, dass dieser Terrier den Fall wieder aufrollte.

Auf der Straße fiel ihr wieder die zweite Person auf dem Turm ein. Daul hatte nicht gesagt, ob es eine Frau oder ein Mann gewesen war. Sie rangen miteinander, dann fiel einer herunter und sein Manuskript lag seitdem in einer Rosenkiste unterm Bügeltisch, eine Frau hörte auf zu singen und zu lieben und wollte im Angesicht ihres nahenden Todes plötzlich ihrer Tochter gegenüber ihr Gewissen erleichtern.

Clara überprüfte ihr Handy, aber es beruhigte sie nicht, immer noch keine Nachricht vom Krankenhaus zu haben. Sie musste ihre Mutter sehen, egal was das Klinikpersonal davon hielt.

Vor der Intensivstation musste sie lange warten, bis Dr. Hoffmann erschien. Er sah krank aus, hatte noch nicht Zeit gefunden sich zu rasieren, obwohl es bereits später Vormittag war. Seine Hände zitterten, als er sich durch seine strähnigen Haare fuhr, dann drückte er Daumen und Zeigefinger gegen die Nasenwurzel und schwankte leicht. Wie konnte er in seinem jämmerlichen Zustand eigentlich noch Entscheidungen über Leben und Tod treffen, wenn er noch nicht einmal in der Lage war, für sich selbst Verantwortung zu übernehmen und für ausreichend Schlaf zu sorgen?

»Es geht ihr unverändert. Im Augenblick ist sie vollkommen von den Apparaten abhängig. Wir müssen abwarten«, sagte er müde. Keine Spur mehr von Zuversicht oder Engagement. »Wenn Sie zu ihr wollen – bitte. Vielleicht tut es ihr gut, Ihre Stimme zu hören.«

»Wie stehen die Chancen, dass sie wieder gesund wird?«

»Wir wären keine Ärzte, wenn wir nicht bis zuletzt hoffen würden. Aber gesund? Das glaube ich kaum mehr. Sie sollten sich dringend nach einem Pflegeplatz für sie umsehen. Der soziale Dienst hier im Haus kann Ihnen dabei behilflich sein.«

»Wann kann sie die Klinik verlassen?«

»Ich kann keine Prognose abgeben.« Dr. Hoffmann ließ sich kraftlos neben sie auf die Bank fallen und steckte seine Hände in die Taschen seines Kittels. »Streng genommen ist es ein Wunder, dass sie noch lebt. Seit fast drei Monaten geht es ihr schon schlecht und es gibt wenig Aussicht, dass es ihr jemals bessergehen wird.«

Er starrte seine Schuhe an.

Ein kleiner Stich traf Clara, und bevor der Gedanke sich richtig in ihr einnisten konnte, verbat sie sich auch schon, ihn auch nur im Entferntesten zuzulassen: drei Monate, keine Aussicht auf Genesung – wie lange sollte sie noch zusehen, wie ihre Mutter sich quälte?

»Würde sie ohne Apparate am Leben bleiben?«

Er schloss die Augen, presste die Lippen zusammen und schüttelte den Kopf.

Nein, sie wollte es nicht denken. Noch weniger wollte sie es entscheiden müssen. Sie kannte die Debatten über unnötig verlängertes Leiden. Aber was war unnötig? Litt ihre Mutter tatsächlich? Sollte sie, ausgerechnet die ungeliebte Tochter, über Leben und Tod entscheiden? Was würde ihre Mutter dazu sagen? Verzweifelt horchte sie in sich hinein, aber da kam nichts, nur ein schwaches »Hast du nichts Besseres zu tun als hier herumzusitzen?«.

Wenn man mit einem Arzt besprechen wollte, ob und wie Leiden verkürzt werden konnten, musste man den Willen des Patienten kennen. Das war nicht der Fall.

Nur der Vollständigkeit halber fragte sie: »Gibt es in den Unterlagen eine Patientenverfügung?«

Dr. Hoffmann schüttelte mit geschlossenen Augen den Kopf, dann stand er wie ein alter Mann auf.

»Wollen Sie jetzt zu ihr?«

Stumm folgte sie ihm, nahm sterilen Kittel und Mundschutz und desinfizierte sich sehr sorgfältig die Hände, dann betrachtete sie mitleidig das kleine Häuflein Mensch inmitten der Apparate. Ein solches Ende hatte sie ihrer Mutter nicht gewünscht, wünschte sie niemandem. Aber darum ging es nicht. Diese Patientin brauchte die Apparate. Und deshalb blieb ihnen nicht anderes übrig, als geduldig abzuwarten, auch wenn es noch lange dauern konnte, so kämpferisch, wie ihre Mutter war.

Bedrückt trat sie näher ans Bett und fuhr mit dem Zeigefinger über die hohle Wange. »Alles in Ordnung«, sagte sie leise. »Das Manuskript lege ich einfach wieder zurück, okay?«

Diesmal kam keine Reaktion.

Dreißig

In drei Tagen war Silvester, der magische Tag, an dem man sich einbildete, mit dem vergangenen Jahr abschließen zu können und sich wie ein unbeschriebenes Blatt dem zu öffnen, was die nächsten zwölf Monate kommen sollte. Als wenn das so einfach wäre. Clara hätte es ja schon genügt, wenn sie gewusst hätte, was über dem Antiquariat vor sich ging.

Immer noch schleppte Gregor mysteriöse Kisten nach oben, die auch an diesem Morgen wieder in zwei Paletten angeliefert worden waren, Bücherkisten waren es, so viel konnte sie aus einer Ecke des Schaufensters erkennen. Natürlich durfte sie ihm weiterhin nicht helfen, geschweige denn einen genauen Blick auf die Aufkleber werfen. Fast hätten sie sich deswegen vorhin gestritten, aber alles sich Beschweren half ja nichts, Gregor ließ in diesem Punkt nicht mit sich reden. Dann eben nicht! Irgendwann würde er es ihr schon sagen – wenn sie es dann überhaupt noch hören wollte! Halb beleidigt hielt sie im Antiquariat die Stellung, während er weiter oben rumorte.

Ansonsten war es extrem ruhig. Draußen liefen die Menschen vorüber, ohne Notiz vom Laden zu nehmen, es war ein einziges Rutschen und Schlittern und Stöckeln und Klappern. Vorbei die hektische Suche nach Ruhe und Besinnlichkeit, das Weihnachtsgeschäft hatte zwar die Kauflust gestillt, jetzt stand das traditionelle Umtauschen auf dem Programm und das betraf sie hier nun einmal nicht. Eigentlich konnten sie für die restlichen Tage des Jahres zumachen. Nicht einmal Herr Kaminski würde heute kommen, er besuchte seine Enkelin, hatte er sie wissen lassen.

Allmählich kam Clara zwischen ihren bibliophilen Freunden aus vergangenen Zeiten zur Ruhe. Welch ein Unterschied zu den Büchern von heute, die ja fast als Saisonware produziert wurden, die man wie Schokohasen oder Sommerkleider auslegte und nicht nachorderte, wenn man den Stapel abverkauft hatte, oder die man an den Verlag zurückschickte, wenn sie nicht binnen kurzer Zeit optimal weggingen.

Trübsinn nagte an ihr. Warum pries niemand ihre Bücher an? Sie waren gut, es waren nette Vorlesegeschichten, die Kinder wirklich gern hörten. Aber welche Buchhändlerin in den großen Ketten hatte heute noch Zeit, sich in jedes einzelne Kinderbuch zu vertiefen, das auf den Markt geworfen wurde? Der Buchbetrieb änderte sich. Autoren waren für Verlage eher Zulieferer, an Büchern hingen keine Emotionen mehr, sondern Zahlenerwartungen, und das war verständlich: Es gab einfach zu viele und sie kamen und vergingen wie das Laub an den Bäumen. Natürlich gab es Ausnahmen, Bestseller, auch großartige literarische Neuentdeckungen. Aber das waren vielleicht zwei, drei Handvoll im Halbjahr, und C. Freudenreich und ihre Trolle gehörten nicht dazu, so gut waren ihre Ideen nun auch wieder nicht.

Über ihr war ein dumpfes Poltern zu hören – wahrscheinlich war ein Stapel Kisten umgefallen. Aber bitte – sie durfte ja nicht helfen. Um sich den Rest zu geben, klickte Clara die Webseite ihres Verlages an. Alles wie immer. Ihre Bücher wurden nur noch unter »Sonstiges« geführt.

Aber in ihren E-Mails war eine Nachricht des Verlags eingegangen. »Ihr neues Buch« lautete die Betreff-Zeile. Wahrscheinlich wollte man sich noch einmal wortreich entschuldigen, warum man es nicht genommen hatte, und so weiter ... Am besten, sie löschte die Mail, ohne sie zu lesen, und ersparte sich so den nächsten Dämpfer.

Aber das brachte sie nicht fertig. Sie öffnete die Nachricht, studierte sie erst skeptisch, dann ungläubig, dann sprang sie hoch und rannte auf den Flur.

»Gregor, sie nehmen es! Die Verkaufszahlen sind explodiert! Gregor?«

Er antwortete nicht.

»Gregor?« Unsicher stieg sie ein paar Stufen hoch.

»Nicht, Bella, komm bitte nicht hoch.« Mit abwehrender Geste kam er ihr entgegen.

»Herrje, warum denn nicht?«

»Das haben wir doch mehrfach durchgesprochen: Weil ich es nicht möchte.«

Gregor sah allerdings keineswegs verärgert aus, sondern grinste spitzbübisch. »Was ist los? Weshalb hast du mich gerufen?«

Augenblicklich vergaß sie sein seltsames Gebaren.

»Sie nehmen mein Troll-Manuskript jetzt doch! Der Verlag hat mir gerade gemailt. Meine Bücher erleben seit kurz vor Weihnachten einen wahren Boom. Ist das nicht großartig? Vielleicht kann ich einen höheren Vorschuss aushandeln, dann kann ich wieder atmen. Ach, ist das nicht herrlich? Der Verlag lässt die früheren Trollbücher schon nachdrucken.«

»Nachdrucken?«, wiederholte er, während er fast unmerklich zusammensackte. Doch dann ging ihm offenbar auf, was sie gerade gesagt hatte, und er hob die Arme. »Glückwunsch! Großartig! Komm, wir machen den Laden zu und trinken ein Glas Sekt darauf.«

»Ich möchte erst Paps die Neuigkeit überbringen.«

Gregors Miene vereiste und er machte sich mit gesenktem Kopf am Türschloss zu schaffen. »Schon klar. In Ordnung«, murmelte er leise.

Himmel, war das alles kompliziert!

»Bist du beleidigt?«

»Quatsch, keine Spur. Ich hätte nur gern ... endlich ...«

Er sah auf und zog sie an sich, küsste sie immer leidenschaftlicher, während seine Hände ihren Rücken entlangglitten und ihren Körper in Aufruhr versetzten.

Ja! Jetzt! Sie wollte ihn. Sofort. Egal, wie die Umstände waren. Ungeduldig zerrte sie an seinem hochgeschlossenen Pullover.

»Ist jemand da?« Herr Berwein platzte, untermalt von der Türglocke, herein.

Sie fuhren wie an der Keksdose ertappte Kinder auseinander.

»Oh verdammt, verdammt«, murmelte Clara und erwartete, dass das Verlangen wie ein Häufchen Asche zusammenfiel.

Aber dem war nicht so, die Luft zwischen ihnen knisterte weiter, alle Ampeln standen auf grün. Unausgesprochen waren sie sich einig, dass es eine Fortsetzung geben würde. Noch heute.

Als sie sich nach dem Abendessen endlich an der Ladentür bemerkbar machte, stellte sie belustigt fest, dass ihr das Herz wie in der Schulzeit im Hals klopfte. Nervös nestelte sie an ihren Haaren, die sie mit List und Tücke zu einer Hochfrisur aufgetürmt hatte, schnupperte noch einmal an den Handgelenken und fragte sich, ob Gregor das Parfüm mochte.

Mit »Warum schließt du nicht selbst auf?« empfing er sie fast atemlos und musterte sie überrascht. »Was ist mit deinen Haaren?«

Sie konnte nicht antworten, denn schon hingen sie wie Magnete aneinander. Gregor hörte nicht auf, sie zu küssen, während er sich langsam mit ihr rückwärts durch den dunklen Laden bewegte.

Ihre hohen Absätze klackten auf dem Holzboden, nur die Straßenbeleuchtung wies ihnen den Slalomweg zwischen den Bücherregalen, die sich heute ganz besonders freundlich zu verneigen schienen. Im zweiten Raum war es noch dunkler, aber ein schwacher Lichtschein kroch durch Spalt und Saum des Vorhangs, gerade ausreichend, um nirgends anzustoßen.

Dann löste sich Gregor von ihr und hielt ihr den Vorhang auf. Clara blieb sprachlos stehen und blickte in den Raum, der sich in ein kleines Meer flackernder Kerzen verwandelt hatte. Sie standen auf dem Tisch, dem Fußboden, den Regalen. Etwas schnürte ihr den Hals zu. Sie zwinkerte und räusperte sich.

»Gefällt es dir?« Pennäleraufregung schwang in seiner Stimme mit.

Sie nickte, denn sie fürchtete, vor Rührung gleich loszuheulen, wenn sie auch nur ein Wort sprach.

»Kerzen«, brachte sie schließlich heraus. »Ausgerechnet!«

Gregor holte Sekt aus dem Kühlschrank und mühte sich eifrig mit dem Korken.

»Ich wollte dir eine Freude machen.«

»Du bist so süß!«

Er stellte die Flasche ab. Ihre Blicke versanken ineinander. Der Zauber der Verbundenheit begann sein Band zwischen ihnen zu knüpfen.

Da löste sich der Korken mit einem lauten Plopp aus der Flasche, die Flüssigkeit schäumte über. Schnell griff Clara zu den beiden bereitgestellten Sektgläsern, unter denen noch das Preisschild klebte.

»Auf deinen Mut!«

»Auf die erfolgreiche Kinderbuchautorin!«

Hier standen sie nun, die Gläser erhoben, aber unfähig, den Blick zu wenden oder einen Schluck zu nehmen. Schließlich stellte Gregor sein Glas langsam zwischen die Kerzen auf den Tisch, machte einen kleinen Schritt vorwärts und öffnete die Arme. Alles in ihr begann zu brennen, sie konnte es nicht mehr erwarten.

»Gregor ...«

»Bella ...«

Ihre Lippen fanden sich, Hände wühlten sich durch Locken, vergruben sich in weicher Wolle, strichen über Rücken, Arme, Hüfte. Immer drängender wurde der Kuss, aber in Claras Kopf begannen kleine Teufelchen zu tanzen.

Seine Finger strichen hauchzart über ihre Brust und schalteten ihren Verstand aus, wenigstens für kurze Zeit. Erregung übernahm die Regie, drängte sie an ihn und schickte Wogen der Lust durch ihren Körper. Gregors Hände und Atem fanden Stellen an ihrem Körper, die schon zu vibrieren begannen, bevor er sie überhaupt erreicht hatte. Sehnsucht nach einem vorbehaltlosen Sichfallenlassen mischte sich mit Freude auf das bevorstehende gegenseitige Geben und Nehmen und trieb sie zueinander. Ein Beben erfasste Clara, wie sie es lange nicht mehr verspürt hatte. Sie war immer eine sinnliche Frau gewesen, aber dies hier war etwas ganz Besonderes. Es war mehr als Leidenschaft, etwas Grenzenloses, und sie bekam Angst davor.

Zum Teufel, sie wollte ihn haben! Auf der Haut, in den Armen, zwischen den Schenkeln, in ihrem Mund.

»Doch! Jetzt!«, keuchte Gregor an ihrem Ohr und sandte mit seinem Atem wohlige Schauer durch ihren Körper. Er zog sie in Richtung Sofa. »Komm!«

»Jaaa!«, seufzte sie und hoffte gleichzeitig, dass dieser Rausch sie über die Zweifel hinwegtragen würde. Sie wollte nicht denken, nur fühlen, spüren, schmecken, sich grenzenlos dem Genuss hingeben, sich verwöhnen lassen und all dies zurückgeben!

Nicht denken!

Schon gar nicht an ihre moppeligen Hüftringe, ihren Doppelpo, ihre nicht mehr straffen Brüste, die etwas zu weiche Haut ... Nein, nein, nein und noch mal nein! Sie hatte sich niemals mehr vor einem fremden Mann ausziehen und sich von ihm mustern lassen wollen. Ihr alternder Körper in seinen jungen Augen und Händen – das ging nicht, so sehr sie sich auch nach ihm sehnte. Sie konnte einfach nicht. Sie schämte sich, auch wenn das schrecklich dumm war.

Sanft legte sie ihm ihre Hand auf die Brust und machte den Arm vorsichtig lang und länger. Gregors Augen glänzten, seine Lippen waren halb geöffnet, die Haare waren ihm ins Gesicht gefallen und er strich sie nicht zurück. Er umfasste ihre Hüfte und zog sie weiter Richtung Sofa. Er verstand sie einfach nicht!

»Gregor, hör bitte auf. Ich ... kann ... nicht ...«

»Für mich bist du die wunderbarste, attraktivste Frau, die ich je kennen gelernt habe.«

»Es gibt attraktivere und jüngere!«

»Ich will keine andere. Ich will dich. Ich finde das hier ...« – er strich ihr über die Hüften – »und das hier ...« – über den Bauch – »und erst recht das hier ...« – das beginnende Doppelkinn, auch das noch! – »wunder-, wunderschön. Lebendig. Es ist alles so echt und wirklich.«

Na, das hatte noch niemand zu ihr gesagt. Claras Galgenhumor meldete sich, während sie gleichzeitig merkte, wie sie sich lang gemacht und die Luft angehalten hatte, während er über ihre Problemzonen gefahren war. Jetzt näherte sich sein Gesicht wieder und seine Arme zogen sie fest an seinen Körper. Es war deutlich zu spüren, dass er jedes Wort ehrlich gemeint hatte und wie sehr er sie begehrte.

»Du brauchst dich nicht zu genieren«, flüsterte er. »Ich verstehe dich, mehr als du ahnst.«

Trotzdem: Nein!

Beharrlich begann er, ihr Gesicht mit kleinen, hüpfenden Küssen zu bedecken. »Für jeden Komplex einen Kuss«, hauchte er dabei und lachte leise.

Zum Dahinschmelzen.

Seine Hände fuhren unter ihren Pullover, wühlten sich unter ihr Seidenhemd, berührten ihre Haut. Sie stellte sich vor, wie sie sich für ihn anfühlte, diese weiche, viel zu nachgiebige Haut, und schon kratzten die kleinen Teufel wieder in ihrem Gehirn.

Erneut machte sie eine kleine Rückzugsbewegung, die Gregor mit einem hauchdünnen Seufzen kommentierte, bevor er ihre Hand nahm, sie unter seinen Pullover führte, unter sein T-Shirt auf seine Haut.

Ihre Finger spürten etwas, das sie nicht erwartet hatten. Erschrocken zuckte ihre Hand zurück. »Was hast du da?«

Wortlos stand er auf und zog seinen Pullover über den Kopf, dann das T-Shirt, ließ die Arme sinken. Ohne etwas zu sagen, blieb er stehen und setzte sich ihren Blicken aus. Das hatte etwas unerhört Rührendes und Ungeschütztes.

Langsam ließ sie ihre Augen über seinen entstellten Körper wandern. Brust, Rücken, Bauch und Arme waren bis zum Hals und fast bis zu den Handgelenken mit hässlichen Brandnarben bedeckt.

»Ja, sieh es dir an. Ich habe es niemandem zuvor gezeigt. Es ist hässlich, aber es macht mir nichts aus, wenn du es siehst. Kein Mitleid bitte. Komm, berühr mich, wenn es dich nicht abschreckt. Es gehört ja zu mir, seit ...« Er biss sich auf die Lippen und sah ihr mit einer Mischung aus Trotz und Furcht entgegen.

Clara schluckte. »Woher?«, fragte sie, unfähig, den Blick zu wenden, aber auch unfähig, ihn zu berühren.

»Als das mit meinem Vater und Sveta passierte, war unser Rettungswagen gleich nach der Feuerwehr am Unfallort. Das Auto brannte schon, es sah aber so aus, als bewegte Sveta sich noch. Mir ging alles zu langsam, ich griff blind nach Helm und Handschuhen eines Feuerwehrkameraden und rannte los, obwohl natürlich alle hinter mir herschrien, ich solle zurückkommen, Eigensicherung ginge vor. Eigensicherung! Wenn die Verlobte verbrennt! Ich sah nur meine süße Sveta und wollte sie wegziehen, sie retten, aber als ich sie fast erreicht hatte, da kam eine Stichflamme und ich ... Ich konnte nichts mehr tun. Oh mein Gott! Eine Sekunde früher und ...«

Er setzte sich aufs Sofa und hob die Hände vors Gesicht. Ein Wimmern entschlüpfte ihm, fast unhörbar, und dieser zarte Ton erlöste Clara aus ihrer Starre.

Sie setzte sich neben ihn und strich ihm über die Haare. Sie wusste nicht, was sie tun oder sagen sollte. Sie traute sich nicht, ihn in den Arm zu nehmen, weil sie es unpassend fand und vor der Berührung der vernarbten Haut zurückschreckte, sie fürchtete aber andererseits, dass ihn genau das noch mehr verletzen könnte.

»Jaaa«, war das Einzige, was sie flüsternd herausbrachte. »Es ist gut!« Sie fuhr fort, ihm über die Haare zu streichen wie bei einem Kind, das Trost braucht.

Er vergrub sein Gesicht weiterhin in den Händen. »Ich weiß, ich sehe scheußlich aus. Wie ein ...«

»Dummkopf. Hör auf! Ich liebe dich doch.« Federleicht hüpften ihr die Worte von den Lippen. »Ja, ich liebe dich, und zwar alles an dir. Deine Jugend, deinen Duft, deine Augen, deine Lippen, deine Hände, deine Gedanken, deine Verlässlichkeit, deine Haare, deine Ohren und eben auch diese Narben. Alles. Es gehört zusammen.« Als ihr klar wurde, was sie da sagte, musste sie über sich selbst lachen. »Du hast recht, man kann sich nicht in Teile zerlegen. Ich mich auch nicht.«

Dann blies sie die Kerzen bis auf zwei auf dem Tisch aus. Mit Genuss ließ sie sich von Gregor beobachten, streifte erst ihren Pullover ab, dann den Rock, die Schuhe, die Strümpfe, die Unterwäsche. Es war keine Scham mehr da. Langsam ging sie auf ihn zu, jeden Teil ihres Körpers bewusst spürend. Alles in ihr drängte zu ihm und gleichzeitig genoss sie es, es hinauszuzögern, ihrer beider Erregung durch Langsamkeit weiter anzustacheln.

Er begehrte sie, das war unübersehbar, aber er überließ ihr die Regie, und so setzte sie sich neben ihn und begann, mit Lippen und Fingerspitzen sein Gesicht zu erforschen, seinen Hals, die Furchen und Verwerfungen seiner verbrannten Haut, die sich anfühlten wie ein kostbares gespachteltes Gemälde, wie eine Statuette Giacomettis, eine Landkarte der Schmerzen, der Trauer, der Erfahrungen und nun auch der Lust.

Neben ihm ausgestreckt genoss sie, wie nun er seinerseits seine Finger ihren Rundungen folgen ließ, wie seine Hände ihre weichen, schweren Brüste hielten und seine Zunge ihren Mund erforschte. Jede noch so kleine Bewegung und Drehung ihrer Körper brachte größere Lust, und sie versuchten es hinauszuziehen, solange es ging. Als er endlich in sie eindrang, kostete sie mit jeder Faser aus, wie er sie zum Höhepunkt trieb und sie ihn. Dabei sahen sie sich gegenseitig in die Augen und es war, als könnten sie einander bis in ihre Seelen blicken.

Schließlich warf er den Kopf zurück und stieß einen Laut aus, der tief aus seinem Inneren kam, sich in seiner Brust sammelte und sich dann entlud wie bei einem gequälten Tier. Noch nie hatte Clara mit einem Mann einen intimeren, erregenderen Augenblick geteilt.

»Sechs Jahre«, flüsterte er, als sie später wie Kinder eng aneinandergekuschelt auf dem Bett lagen. »Seit dem Unfall habe ich nicht mehr ...«

»Ich habe es gespürt, alles«, antwortete sie und küsste ihm das Geständnis weg, das sie gar nicht zu hören brauchte. »Ich weiß gar nicht, was ich ...«

»Nichts«, unterbrach er sie. »Lass uns an nichts denken. Mehr kann sich ein Mensch doch nicht wünschen als einen solchen Moment.«

Irgendwann dösten sie ein, wachten auf, flüsterten sich kleine Liebesbotschaften zu und duselten erneut ein.

Später in der Nacht wurde Clara geweckt, weil ihr etwas fehlte und ihr kalt war. Außerdem meinte sie, von einem Geräusch geträumt zu haben, das so heimlich war, dass es ihr Angst gemacht hatte. Der Platz neben ihr war leer und die Decke verrutscht. Die beleuchtete Uhr über der Spüle zeigte kurz vor zwei. Wohlig streckte sie sich und versuchte, während sie auf Gregors Rückkehr wartete, sich jede einzelne Sekunde noch einmal ins Gedächtnis zu rufen. Es war etwas zwischen ihnen geschehen, das weit über reinen Sex hinausgegangen war. Sie fühlte sich umsorgt und verletzlich zugleich, offen für die Liebe, ungeschützt gegen Enttäuschungen, wie eine Muschel, vertrauensvoll weit geöffnet.

Die Kerzen waren längst erloschen, unter der Tür zum Flur schimmerte ein Lichtstreifen. Wahrscheinlich war er im Badezimmer. Gleich würde er zurückkommen. Aber da war das Geräusch wieder. Es kam aus dem Laden. Nackt und barfuß bewegte sie sich zum Vorhang, steckte ihren Kopf hindurch und versuchte, im Dunkeln etwas zu erkennen. Gregor stand dort, ganz vorn an der Eingangstür, nur mit einem Handtuch bekleidet. Er sah hinaus, eine Hand am Ohr, und telefonierte wispernd. Das Geräusch, das sie alarmiert hatte, waren leise Zischlaute gewesen, vermischt mit seinem fast unhörbaren warmen Lachen, das er gerade wieder ausstieß. Dann wurde er eine Nuance lauter, so dass sie seine Worte verstehen konnte.

»Ich muss Schluss machen, sonst wacht sie auf. Ich ruf dich an, ja du, morgen, gleich in der Früh. Ich verspreche es. Ja. Du auch. Tschüss, du!«

Clara schauderte, so kalt wurde ihr. Hätten sie nicht soeben erst diese wunderbaren Momente miteinander geteilt, wäre sie auf der Stelle vor Eifersucht krank geworden. Das »Du« hatte so zärtlich und vertraut geklungen wie das »Bella« vor nur wenigen Augenblicken an ihrem Ohr. Unmöglich, dass Gregor es nicht ehrlich mit ihr meinte. So etwas wie heute Abend konnte selbst der talentierteste Schauspieler der Welt nicht spielen.

Trotzdem klopfte ihr das Herz bis in den Hals, als er wenig später neben sie unter die Decke schlüpfte.

»Du bist eiskalt«, murmelte sie. »Was ist los? Wo bist du gewesen?«

»Schscht«, machte er und küsste ihr Ohrläppchen.
»Vertrau mir.«

Zeitgleich erinnerten sich seine Hände an die Stellen ihres Körpers, die ganz besonders auf seine Berührung reagierten, und schon ließ sie sich noch einmal mitnehmen auf eine neue Welle von Lust und Glück, die das leise Unbehagen in ihrem Innern erst einmal erstickte.

Einunddreißig

Wenn man auf Wolke sieben schwebt, scheint die Sonne heller, singen die Vögel wie im Frühling, lächeln einem wildfremde Menschen auf der Straße zu und halten Autofahrer an Zebrastreifen. Clara strahlte mit ihrer Umwelt um die Wette und steckte alle an. Sogar ihr Vater erklärte sich einverstanden, dass sie seine geliebte Krümeljacke im neuen Jahr waschen durfte, die Klinik klang zuversichtlicher und das Horoskop – war im Grunde vollkommen egal! Genauso wie dieser winzige dumme Stich Misstrauen in der letzten Nacht. Auch er war wie weggewischt.

Sie fühlte sich wie siebzehn, vorbehaltlos und schwer verliebt, wie man es jenseits der Dreißig nicht mehr ohne Weiteres wagt. Vorbei ihre Bedenken wegen des Altersunterschieds. Es war, wie es war. *Basta.*

Fast wäre sie mit Herrn Berwein zusammengestoßen, so schwungvoll stürmte sie durch die Ladentür. Gregor hing am Telefon und beendete das Gespräch mitten im Satz, stand strahlend auf und hauchte ihr einen Kuss auf die Stirn.

»Was hältst du davon, wenn ich dir heute freigebe?«

»Kommt nicht in Frage. Ich habe genug zu tun. Wir wollten die alten Reiseführer über Baden-Baden neu sortieren. Da sind Wanderkarten aus dem ganzen Schwarzwald reingerutscht, und eine Abhandlung über Heidelberg aus dem neunzehnten Jahrhundert habe ich in dem Berg auch gesehen. Wir könnten alles in einer Schütte ordnen ...«

Einen flüchtigen Augenblick zog Gregor die Augenbrauen hoch, dann entspannte er sich wieder. »Okay, okay«, sagte er lächelnd, kehrte zum Schreibtisch zurück und raffte hastig ein paar Unterlagen zusammen, die er in die Schublade beförderte.

»Herr Morlock, helfen Sie mir nun bei der Lyrik der Romantik?«, nörgelte eine Frauenstimme aus dem Mittelraum.

Gregor verdrehte die Augen und machte sich auf den Weg.

Das Telefon klingelte, und Clara nahm ab.

»Antiquariat Morlock, guten Tag?«

Es klickte, als der Anrufer wortlos auflegte.

»Ich geh dann wieder. Guten Beschluss«, rief Herr Berwein und strich im Hinausgehen wie zufällig über »sein« Bücherregal.

Clara sah ihm amüsiert nach. Wenn sie nur wüsste, warum er die Bücher nicht mitnahm. Sie hätte sie ihm am liebsten geschenkt, aber zum Glück war sie nicht die verantwortliche Geschäftsfrau.

Im Mittelraum hörte sie die Kundin heftig mit Gregor über das Werk Eichendorffs diskutieren. Das Telefon klingelte wieder, und erneut legte der Anrufer auf, nachdem Clara sich gemeldet hatte. Allmählich begann sie sich darüber zu ärgern.

»Und wie viel wollen Sie dafür?«

»Nun, das ist sein erster Gedichtband, eine gut erhaltene Originalausgabe aus dem Jahr 1839 vom Verlag Duncker und Humblot, Berlin. Ich kann ihn unmöglich unter tausendachthundert abgeben.«

Clara spitzte die Ohren. Sie hatte gar nicht gewusst, dass es hier solche Kostbarkeiten gab.

»Tausendfünfhundert. In bar. Ohne Rechnung.«

»Tut mir leid, das geht gar nicht.«

»Ich wäre ernsthaft daran interessiert. Mein Mann wird Ende nächster Woche siebzig und liebt Gedichte, Eichendorff ganz besonders. Das Büchlein wäre eine nette Kleinigkeit, über die er sich bestimmt freut.«

»Das glaube ich, aber ich kann es Ihnen nicht billiger geben.«

»Können Sie versuchen, es günstiger zu bekommen?«

»Gern. Geben Sie mir Ihren Namen und die Telefonnummer, ich melde mich dann bei Ihnen.«

»Kein Telefon. Dann erfährt er womöglich, was ich vorhabe. Das ist mir erst vorletztes Jahr passiert, als ich ihm die Kreuzfahrt durchs Mittelmeer geschenkt habe. Mein Mann nahm den Anruf des Reisebüros entgegen und mir war dadurch die ganze Überraschung verdorben. Am liebsten wäre ich gar nicht mehr gefahren. Wissen Sie, ich komme nächsten Dienstag vorbei. Hier ist die Karte mit meinem Namen. Wir logieren noch bis Mitte Februar im *Brenner's*.«

Die beiden erschienen im Hauptraum, der sich mit einer Wolke exquisiten Parfüms füllte. Die Kundin trug einen schimmernden Nerzmantel und hatte sich trotz der glühenden Heizung nicht die Mühe gemacht, ihn aufzuknöpfen. Nur die Lederhandschuhe hatte sie ausgezogen und hielt sie wie eine Peitsche in der Hand.

»Wenn Sie nicht fündig werden, dann nehme ich in Gottes Namen diesen Band. Vielleicht lässt sich noch über den Preis diskutieren. Er erscheint mir unangemessen hoch.«

Gregor lächelte verbindlich, während Claras Hände schon in die Hüfte fuhren. Ihr waren Leute, die jeglichen Bezug zum Geld verloren hatten, einfach zuwider. Warum musste jemand, der sich wochenlang in einem Luxushotel einmietete, über den Preis eines Buches feilschen, das »nur eine nette Kleinigkeit« war, auch wenn es für andere Menschen die Rettung der Stromlieferung bedeuten könnte.

Wieder klingelte das Telefon und diesmal meldete sich Clara nur mit einem scharfen »Hallo«, um den Hörer gleich darauf wütend auf die Gabel zu werfen. »Dieser verdammte Kerl legt jetzt schon zum dritten Mal auf, ohne ein Wort zu sagen. Unverschämt!«

Die elegante Dame ließ ihren Blick betont langsam über Clara gleiten. »Dann auf Wiedersehen«, sagte sie mit spitzen Lippen und blieb vor der Ladentür stehen, wo sie ein paar Mal mit den Handschuhen in die offene Hand klatschte, bis Gregor ihr öffnete und sie mit einer kleinen Verbeugung hinauskomplimentierte.

Clara sah zur Decke. »Herrje, ich kann solche Wei...«

Gregor hielt ihr grinsend seine Hand vor den Mund. »Schscht. Tausendachthundert, sage ich nur. Die zahlt das. Ich weiß, dass das gleiche Bändchen bei einer Auktion über siebentausend gebracht hat.«

»Warum gibst du es dann so billig ab? Auch noch so einer? Warum versteigerst du es nicht auch? Bringt doch erheblich mehr ein als der Ärger mit dieser, dieser ...«

»Weil es im Augenblick niemand haben will außer dieser Dame.«

»Puh! Ich könnte nicht so freundlich bleiben.«

»Du sollst ja auch Bücher schreiben. Hast du deinem Verlag das neue Manuskript schon gemailt?«

Clara hielt den USB-Stick hoch. »Darf ich?«

Das Telefon. Schon wieder.

Gregor hob ab, meldete sich, lauschte, sah in ihre Richtung und nuschelte: »Du, das ist jetzt ungünstig. Ich ruf dich später zurück. Nein, ich kann jetzt nicht ... Ja, genau. So machen wir es. Heute Abend, ja. Tschüss, du!«

Da war es wieder, dieses undefinierbare »Du«, das ihr wie eine Nadel ins Herz stach. Clara sah ihn fragend an, doch er blieb ihr eine Erklärung schuldig, und schon war es zurück, dieses winzige Nagen. Es sprang in ihr hoch und biss sich fest, auch wenn sie es nicht haben wollte, ganz und gar nicht.

»Wer war das? Warum legt der Kerl bei mir immer auf?«

»Habe ich dir schon gesagt, dass du heute ganz besonders attraktiv aussiehst? Richtig sexy. Zum Anbeißen oder zum ...«

»Keine Geheimnisse, das haben wir uns heute Nacht versprochen.«

»Oh, da kommt der Paketbote noch mal. Kümmerst du dich ums Geschäft? Ich helfe abladen.«

Verärgert und ratlos zugleich sah sie ihm nach. Warum diese Heimlichkeiten und, ja, diese Unehrlichkeit?

Wolke sieben? Zum Teufel damit!

Draußen im Treppenhaus hörte sie Gregor mit jemandem diskutieren, schwere Gegenstände schleiften auf dem Boden, dann begann wieder das ewige Treppensteigen, langsam hinauf, polternd hinunter. Was hatte er nur geordert? Er hatte sie gebeten, es zu ignorieren, und daran hielt sie sich. Sie würde ja auch nicht wollen, wenn er hinter ihr herschnüffelte. Obwohl es da nichts zu verbergen gab. Überhaupt nichts. Vielleicht war es ja gerade das, was sie so ärgerte. Sie hatte ihren Schutzpanzer geöffnet und er verschloss sich im gleichen Maße.

Wie von selbst gaben ihre Finger einen Suchbegriff im Computer ein, dann beugte sie sich gespannt vor: *Sie neigen heute dazu, Ihre Erwartungen an den Partner viel zu hoch zu schrauben. Schauen Sie lieber der Realität ins Auge, das ist doch auch sonst Ihre Stärke.*

Das hatte ihr gerade noch gefehlt. Weiter. Partnertest.

Sie tippte »Widderfrau – Krebsmann« und bekam, was sie schon wusste: *Eine sehr anstrengende und zu widersprüchliche Beziehung.*

Die Türglocke beendete ihren Flug in die Sterne und sie war im Grunde heilfroh darüber. Es war albern, jetzt auch schon im Internet nach zweideutigen Antworten auf unlösbare Fragen zu suchen.

Gregor war wahrscheinlich nur im Stress, er wollte sie nicht mit seinen Problemen belasten, weil sie selbst genug hatte, und heute Abend würde alles wieder so sein wie gestern. *Basta*! Nummerierte Wolken waren etwas für kleine, romantische Mädchen. Dies hier war profaner Alltag und dem sollte sie endlich Rechnung tragen.

Die Kundin, die nun schon eine Weile vor ihr stand und sie erwartungsvoll ansah, wollte zum Beispiel ein bestimmtes Buch abholen, das für sie zurückgelegt worden war, doch

Clara fiel weder der Name der Frau noch der Titel des Buches ein. Irgendwo hier auf dem chaotischen Schreibtisch lag bestimmt der Bestellschein, den sie immer ausfüllten. Aber sie fand ihn nicht.

Sie zog die Schublade auf und wühlte in den Zetteln und Lieferscheinen. Auch ein Schreiben mit einem amtlichen Stempel war darunter. Es kam vom Notariat und war erst am Vormittag eigenhändig abgegeben worden. Merkwürdig. Warum hatte Gregor ihr nicht erzählt, dass er mit dem Notariat zu tun hatte? Es musste sich um eine wichtige Urkunde handeln. Bis eben hatte sie geglaubt, alles, was in seinem Leben wichtig war, wenigstens in Grundzügen zu kennen. Und nun?

Ach, es ging sie nichts an. Sie wollte all die wundervollen Geständnisse der letzten Nacht nicht mit Misstrauen vergiften. Andererseits: Warum hatte er ihr nicht gesagt, dass er Post vom Notariat erwartete?

»Vielleicht weiß Herr Morlock Bescheid?«, fragte die Kundin. »›Flucht in die Finsternis‹. Die Erstausgabe.«

Jetzt fiel es Clara wieder ein. »Die Wahnsinnsnovelle, wie Schnitzler sie selbst genannt hat, richtig. Hier ist sie.« Sie zeigte der Frau den Band. »Er hat sie 1917 verfasst, aber erst 1931 veröffentlicht. Ich finde, ihr fehlt die Leichtigkeit anderer Erzählungen.«

»Deshalb suche ich sie. Die Geschichte ist vor allem psychologisch interessant.«

Clara verzog das Gesicht und sagte lieber nichts. Ein Hypochonder mit Mordfantasien und Verfolgungswahn meint, der einzig Normale zu sein und projiziert seinen eigenen Wahn auf seinen Bruder. Starker Tobak. Nun ja, sie war nicht hier, um ihr Urteil dazu abzugeben, sondern um das Buch zu verkaufen.

Gregor hatte den Preis mit Bleistift auf die Innenseite des Einbandes notiert. »Wären achtundfünfzig Euro in Ordnung für Sie?«

Die Frau strahlte. »Hat diese Novelle nicht große Ähnlichkeit mit Elfriede Jelineks Romanen?«, plapperte sie, während sie zahlte.

Clara musste sich zu einem neutralen Lächeln zwingen, denn sie konnte auch mit dieser Autorin nicht viel anfangen, weder mit ihrem Stil noch mit dem Inhalt ihrer Werke, und hatte nie verstanden, warum ausgerechnet sie 2004 den Nobelpreis erhalten hatte.

Aber das war jetzt zweitrangig. Je länger sie hier saß und über merkwürdige Paketlieferungen, abgeschlossene Zimmer, mysteriöse Telefonate und versteckte Amtsschreiben nachdachte, umso wütender wurde sie. Verdammt, hier stimmte etwas nicht, und er sollte ihr endlich sagen, was los war!

Energisch schloss sie den Laden ab und stapfte nach hinten, um nach ihm zu rufen. Hier und jetzt sollte er ihr sagen, woran sie war, ob er es ehrlich mit ihr meinte und was es mit diesen Heimlichkeiten auf sich hatte!

Doch kaum hatte sie die Tür zum Treppenhaus geöffnet, begann ihr Handy zu klingeln.

Zweiunddreißig

Auf der Intensivstation war es ungewöhnlich still, aber vielleicht kam es Clara auch nur so vor, weil sie sich einzig auf den flatternden Atem im Krankenbett konzentrierte. Irgendwann verlor sie jegliches Gefühl für Zeit und Raum. Niemand kam mehr ins Zimmer gehuscht, um die Apparate zu kontrollieren, man hatte ihre Mutter vom Großteil der Schläuche befreit, nur Pulsschlag und Blutdruck wurden noch gemessen.

Erinnerungen stiegen noch einmal an die Oberfläche, aber die strenge Kühle in ihrem Elternhaus verblasste ebenso wie die unschönen Szenen der Kindheit und ihre schon fast vergessene hilflose Einsamkeit. Es war nicht mehr von Belang.

Was zählte, war, ihrer Mutter mit festem Handgriff zu signalisieren, dass sie sie nicht allein ließ, dass sie sie aber loslassen konnte, wenn es an der Zeit war.

»Ich bin hier«, flüsterte Clara. »Hab keine Angst. Bald hast du es geschafft.«

Mehr fiel ihr nicht ein, und so streichelte sie stumm die knochige Hand, hoffnungslos und dennoch offen für die nahende Erlösung, dankbar, in der Lage zu sein, ihre Mutter gehen zu lassen. Auch die Sehnsucht nach einer letzten Aussprache verschwand. Es war alles gesagt.

Niemals hätte sie sich vorstellen können, wie intim eine solche Situation sein konnte und wie dankbar sie sein würde, sich in Ruhe und Frieden darauf vorbereiten zu dürfen, dass es kein Zurück mehr geben würde. Sie hatte sich auf Schmerz und Enttäuschung über all die unausgesprochenen Entschuldigungen und Gefühle eingestellt, aber nicht darauf, dass sie einmal in tiefer innerlicher Besinnlichkeit an diesem Bett sitzen und die Hand ihrer Mutter halten würde, die immer kälter wurde. Man sah der Sterbenden an, dass sie fror, aber nichts und niemand konnte sie mehr wärmen.

Eine Schwester erschien, wischte der Sterbenden den Mund aus und zeigte Clara, wie sie ihrer Mutter auch allein kleine Erleichterungen verschaffen konnte, dann zog sie sich mit einer aufmunternden, wissenden kleinen Kopfbewegung zurück, die Clara in ihrer Sparsamkeit signalisierte, dass auch sie nicht allein war und dass jemand mit ihr fühlte.

Sie behielt die Apparate im Blick. Der Blutdruck war in den vergangenen Stunden deutlich gefallen und das konnte nur bedeuten, dass es nicht mehr lange dauern würde.

Sie legte ihre Stirn auf die reglose kühle Hand und wartete, überrascht, dass keine Tränen kamen, keine Reue, kein Selbstmitleid, keine Trauer. Lediglich Ruhe machte sich breit, als sei sie der Sterbenden ganz nah, ja, als teile sie deren Vorbereitung auf das Licht. So hatte sie sich einen friedlichen Tod immer vorgestellt: eine Reise auf einem Fluss durch einen Tunnel, umgeben von kleinen, warmen Schwimmkerzen, die einem großen hellen Licht am weit entfernten Ende des Tunnels entgegenschwammen.

Irgendwann stieß ihre Mutter ein leises Seufzen aus, als sei sie aufgewacht, im gleichen Augenblick erklang ein gleichmäßiger Ton und die Zickzacklinien auf den Monitoren verflachten zu einer Geraden, die in die Unendlichkeit führte.

Die Tür sprang auf, die Schwester machte sich an den Apparaten zu schaffen, strich ihrer Mutter über die Augen, sah auf die Uhr und flüsterte: »Ich hole den Arzt.«

Es war Dr. Hoffmann, dessen Augen vor Müdigkeit ganz klein und rot angelaufen waren, der jedoch nichts von seiner ruhigen Kompetenz eingebüßt hatte, mit der er nun die notwendigen Untersuchungen durchführte.

»Sollen wir den Seelsorger holen?«, fragte er und akzeptierte mit kurzer Verbeugung, dass Clara den Kopf schüttelte. »Sie können bleiben, solange Sie wollen. Nehmen Sie in Ruhe Abschied«, murmelte er und legte seine Hand auf ihre Schulter.

Clara war wie gelähmt. Ihr Vater fiel ihr ein, und es grauste ihr davor, ihm die Botschaft überbringen zu müssen. Natürlich rechnete er mit dem Schlimmsten, schließlich war er Realist, aber es würde ihm sehr schwerfallen, sich der unumkehrbaren Tatsache endgültig zu stellen. Hoffentlich überstand er das.

»Können Sie mir bitte für meinen Vater eine Beruhigungstablette mitgeben? Es ist schon spät und ich möchte ihn gleich informieren. Er ist über neunzig und hat es …«

»Leider nein, das darf ich nicht. Aber an der Pforte sagt man Ihnen sicher, welche Apotheke Nachtdienst hat«, unterbrach Dr. Hoffmann sie abwesend und füllte nebenher ein Dokument aus.

Clara schnappte nach Luft. Wie konnte ein Arzt so herzlos sein und ihrem Vater eine einzelne, rezeptfreie Pille verweigern und sie stattdessen mitten in der Nacht in die Stadt jagen? Wahrscheinlich konnte er die Tablette nirgends abrechnen. War es schon so weit gekommen mit den Medizinern, dass sie vor lauter Budgetberechnung vergaßen, Mitleid zu haben?

Ach, es war kurz vor Mitternacht, Dr. Hoffmann war müde und sie auch. Streit am Totenbett war das Letzte, was sie beide gebrauchen konnten.

Noch einmal sah sie zu ihrer toten Mutter, mit der sie nun nichts mehr verband, dann schleppte sie sich aus dem Raum.

»Wollen Sie ihre Sachen gleich mitnehmen?«

Wie Nadelstiche bohrten sich die Worte der Schwester durch den Nebel, bis Clara endlich den blauen Plastiksack wahrnahm, der neben der Tür lag.

»Tut mir leid. Ich habe nichts anderes gefunden. Sie hatte keine Reisetasche dabei. Den Schmuck haben Sie schon bekommen, steht auf dem Formblatt. Würden Sie den Rest gegenzeichnen?«

Immer noch starrte Clara auf die Mülltüte und versuchte, die unsichtbare Watte aus ihren Ohren zu bekommen. Mechanisch unterschrieb sie, was man ihr hinhielt, packte den Beutel und verließ die Klinik. Es regnete und ein kräftiger Wind blies über die freie Fläche. Gab es etwas Trostloseres als den leeren Parkplatz eines Krankenhauses bei Nacht?

Minutenlang ließ sie sich den Regen ins Gesicht fallen. Ihre Gedanken begleiteten ihre Mutter hinauf durch die dicken Wolken, und für einen Augenblick meinte sie, den Mond erahnen zu können.

Als das bestellte Taxi kam, bat sie den Fahrer, den russischen Sender abzustellen und sie nach Hause zu bringen, doch während sie die Tür der Villa aufschloss und in die dunkle, kalte Diele trat, stellte sie sich vor, wie sie nun ihren Vater wecken musste, um ihm die gefürchtete Gewissheit zu überbringen. Unmöglich! Nicht jetzt! Sie musste doch selbst erst einmal zur Besinnung kommen. Niemals hätte sie es für möglich gehalten, dass der Tod ihrer Mutter sie so mitnehmen würde. Sie brauchte selber Trost, ehe sie ihren Vater trösten konnte. Leise ließ sie den Müllsack los und ging zu Fuß hinunter in die Stadt.

Obwohl Weihnachten vorbei war, war die Festdekoration noch eingeschaltet und glitzerte und schwankte im Wind, ansonsten waren die Straßen wie ausgestorben. Nur aus ein paar Gaststätten in der Fußgängerzone fielen Lichter aufs nasse Pflaster; das Gelächter und Stimmengewirr der letzten Gäste war in ihrer Normalität beruhigend. Das Leben ging weiter, nur für sie hatte es sich vorübergehend verlangsamt.

Als sie das Antiquariat erreichte, zweifelte sie an ihrem Impuls. Wäre es nicht besser und pietätvoller, erst einmal allein ins Reine zu kommen, ihre widersprüchlichen Gefühle zu sortieren, anstatt sich in seine Arme zu werfen? Sollte sie ihn wirklich wecken und sich bei ihm ausheulen? Aber wofür waren innere Verbundenheit und Liebe sonst da, wenn nicht genau für solche Momente?

Sie hätte ihn anrufen sollen, kam es ihr. Beklommen spähte sie durch die Schaufenster und war erleichtert, einen Lichtstreifen durch den Vorhang schimmern zu sehen, ein Zeichen, dass er noch wach war. Sie klopfte, doch nichts rührte sich. Sollte sie den Schlüssel benutzen? Irgendwie war ihr nicht wohl bei dem Gedanken.

Noch einmal hob sie die Hand, um lauter zu klopfen, da teilte sich der Vorhang, doch es war nicht Gregor, der hervortrat, sondern eine sehr junge blonde Frau, die Clara bekannt vorkam. Die Russin mit der Pelzmütze! Aber warum befand sie sich um diese Uhrzeit im Laden? Schon sprang das Misstrauen sie wieder an und ließ sie ein Stück vom Fenster zurückweichen.

Nun erschien auch Gregor, ohne seinen Rollkragenpullover, nur im kurzärmeligen T-Shirt, und es erschreckte sie, wie tief sie gerade der Anblick seiner vernarbten Arme verletzte.

Wie ein Dieb zog sie sich noch weiter in eine dunkle Ecke, ärgerte sich aber sofort darüber. Sie hatte doch nichts zu verbergen! Aber sie konnte nicht anders. Wie gelähmt beobachtete sie, wie die beiden sich umarmten, wie die Frau über Gregors Arme strich und ihm einen Kuss auf die Wange gab, sich auf Zehenspitzen stellte – nein! Das konnte und wollte sie nicht länger ansehen! Was war sie nur für ein verdammtes dummes Schaf gewesen! Alles war also nur ein grausamer, schrecklicher, unvernünftiger, undenkbarer Irrtum gewesen.

Plötzlich machten die mysteriösen Anrufe Sinn: Das war sie gewesen! Wahrscheinlich hatte Gregor gestern nur Mitleid mit ihr gehabt. Und sie hatte sich benommen wie ein ertrinkendes Schulmädchen oder wie ein unnützes, verdorrendes ältliches Weib. Peinlich! Wahrscheinlich hatte er ständig heimlich auf die Uhr geschielt und ... ja, richtig! Wahrscheinlich hatte er nur gewartet, bis sie endlich eingeschlafen war und er mit dieser Frau telefonieren konnte. Geflüstert hatte er und es hatte zärtlich geklungen. Und sie? Sie hatte dezent weggehört, weil sie es nicht hatte wahrhaben wollen. Dummheit war gar kein Ausdruck für das, was sie sich da erlaubt hatte!

Die Melodie des Glockenspiels erklang. Sie wollte nicht entdeckt werden, auf keinen Fall! Entsetzt drehte sich Clara auf dem Absatz um und jagte, so schnell sie konnte, in die entgegengesetzte Richtung. Weg, nur weg von hier!

Bei der Eisarena, auf der der Regen einen kleinen, trostlosen See gebildet hatte, stellte sie sich an die Balustrade und starrte auf die Fläche, auf die dicke Regentropfen platschten und die sich spiegelnde Weihnachtsbeleuchtung der Umgebung in zitternde Bruchstücke zerhackten.

Es war ein böser Traum, der sich endlos wiederholte: Sie war für die Liebe nicht geeignet, diese Lektion sollte sie allmählich gelernt haben.

Hinter ihr polterte etwas.

»Sch-schöne Frauen sollten nicht traurig sein«, nuschelte ein zerzauster bärtiger Mann, der sich ihr mit einer Flasche in der Hand schwankend näherte. Sein Parka hatte schon bessere Tage gesehen, und seine Haut schon länger keine Seife. »Sch-schon gar nicht Frauen mit s-solchen Haaren. Auch 'n Schluck?«

Clara schüttelte den Kopf und der Stadtstreicher lachte dumpf.

»Wie aufgeribbelte Wolle. Lauter kleine Sterne glitzern da drauf. Komm, M-mädchen, lass dich trösten. Nimm 'nen Schluck. Der beruhigt. Liebeskummer lohnt sich nicht, my daaaarling, yeh, yeh ...«

»Lassen Sie mich bitte in Ruhe.«

»Sch-schon gut, sch-schon gut ... Sch-schade um die Tränen in der Na-aacht, dum, dum ...«

Der Mann machte ein paar unbeholfene Tanzschritte, lachte und trollte sich langsam stadtauswärts.

Clara sah ihm nach. Bald würde es ihr ähnlich gehen. Wo sollte sie denn bleiben, wenn ihr Vater im Heim war? Gott! Was zu viel war, war zu viel. Am liebsten wäre sie dem Fremden nachgelaufen und hätte tatsächlich einen Schluck genommen.

Doch dann rief sie sich zur Ordnung. Ihre Mutter war tot und ihr Vater musste informiert werden. Für mehr war jetzt nicht die richtige Zeit, schon gar nicht für Selbstmitleid. Morgen sah die Welt bestimmt anders aus. Wenn sie es richtig bedachte, hatte sie vorhin falsch reagiert. Sie hätte nicht weglaufen dürfen. Weglaufen war nie richtig. Gleich morgen würde sie Gregor zur Rede stellen. Das hätte sie auch mit Jan tun müssen und mit Gerhard und mit Helmut. Immer war sie in der Vergangenheit ausgewichen, wenn die Liebe starb. Warum eigentlich? Warum schrie und kämpfte sie nicht und forderte Klarheit oder wenigstens eine Erklärung? Warum zog sie sich beim ersten Anzeichen eines Scheiterns aus einer Beziehung zurück? Darüber musste sie dringend nachdenken, wenn sie wieder Luft dazu hatte. Jetzt aber ging ihr Vater vor. Sie würde sich zurück in die Villa schleichen, ihn schlafen lassen und morgen nach dem Frühstück die Herzmittel bereitlegen und ihn erst dann scheibchenweise mit dem Todesfall vertraut machen.

Morgen, ja, morgen! Einen Tag vor Silvester.

Erneut näherte sich jemand und sie stemmte entnervt die Fäuste in die Hüfte. Dieser verdammte Stadtstreicher begann sie zu ärgern!

Aber es war nicht der zerlumpte Mann, der sich nun leise neben sie an die Balustrade stellte, sondern ein zierlicher alter Herr mit Schnurrbart, weißem Seidenschal und Baseballkappe, von der der Regen tropfte.

»Herr Berwein, so ein Zufall!«

»Oh, meine Liebe, das ist ganz und gar kein Zufall. Ich muss Ihnen gestehen, dass ich Ihnen gefolgt bin. Ich kann schlecht schlafen und stand am Fenster, als Sie vorhin vor dem Antiquariat waren. Ich ... na ja ... ich dachte, Sie sollten jetzt nicht allein sein.«

Was sollte sie darauf antworten? Dass sie kein Mitleid brauchte? Das stimmte nur bedingt. Schweigend wandte sie sich wieder der trostlosen Eis-Wasserfläche zu.

Er schwieg ebenfalls, und dafür war sie ihm dankbar.

»Brauchen Sie Hilfe?«, fragte er irgendwann ganz leise.

Sie schüttelte den Kopf.

»Nicht immer ist alles so, wie es zunächst den Anschein hat!«

Das gab ihr den Rest. »Meine Mutter ist gerade gestorben, ich weiß nicht, wie ich das meinem herzkranken Vater beibringen soll, und dann ... auch noch ... das ...«

Verzweifelt biss sie sich auf die Lippen. Sie wollte nicht heulen, nicht hier, nicht jetzt, überhaupt nicht!

»Sie brauchen einen Tee«, stellte Herr Berwein nüchtern fest und berührte sachte ihren Ärmel. »Und ich auch. Würden Sie mir die Ehre geben und mich in meine Wohnung begleiten?«

Dreiunddreißig

Das schnelle Staccato, in dem ihre Schritte auf den Straßen zwischen den majestätischen, denkmalgeschützten Häuserreihen hallten, erinnerte Clara an eine ihrer Lieblingsarien aus der Traviata: » *Gran dio morir si giovine* «, viel zu fröhlich und schnell für den traurigen Anlass. Sonst gab es kaum weitere Geräusche, keine Autos, keine Stimmen. In den Fensterfronten war Dunkelheit eingezogen und auch die Beleuchtung der Baden-Badener Gaslaternen war bereits zurückgedreht worden. Stumm trottete Herr Berwein neben ihr und Clara war froh darüber. Sie wollte nicht reden, nicht jetzt. Sie brauchte eine Auszeit und die bot Herr Berwein ihr. Keinen Augenblick kamen ihr Bedenken. Misstrauen würde diesem stillen, würdigen alten Herrn unrecht tun.

Als sie sich den dunklen Schaufenstern des Antiquariats näherten, zwang sie sich vorbeizusehen. Sie wollte und konnte nicht darüber nachdenken, was sie entdeckt hatte, nicht jetzt jedenfalls. Auch Herr Berwein bemühte sich leise murmelnd, sie abzulenken, während er im stattlichen Mehrfamilienhaus gegenüber eine uralte Holztür aufschloss und sie in ein herrschaftliches Treppenhaus mit Mosaikboden, Marmorstufen und verschnörkeltem schmiedeeisernem Treppengeländer geleitete.

»Nur ein Stockwerk, dann haben wir es geschafft. Die Wohnung ist kein Luxus, aber immerhin ein Dach über dem Kopf und zentral gelegen. Ich habe mir früher etwas anderes erträumt, doch das Leben hat es eben so mit mir vorgehabt. Das muss man annehmen. Es macht keinen Sinn, sich dagegen aufzulehnen, sonst verbittert man nur. «

Umständlich schloss er die Wohnung auf, und als sie in seine Welt eintrat, vergaß Clara für einen Augenblick Trauer, Wut und Sorgen. Wie eine Tapete bedeckten unzählige Schwarz-Weiß-Fotografien und Pferdebilder die Wände und ließen kaum ein Fleckchen frei. Auf allen Aufnahmen war ein erschöpftes Gesicht zu sehen mit hochgereckten Armen, Helm, Peitsche und Renndress.

»Sie waren Jockey?«

Berwein nickte. »Schwarzer oder Kräutertee?«

»Kräuter bitte. Aber das habe ich nicht gewusst.«

»Woher auch. Ich gehe damit nicht hausieren. War mir schon peinlich, als die Kollegen aus Krefeld mich vor sieben Jahren in den Club der Tausend aufnahmen. Goldene Ehrennadel für mehr als tausend Siege, pah, was habe ich denn davon? Dass die Knochen kaputt sind und die Rente nicht reicht, interessiert niemanden. Dabei sind das die Dinge, die mir zu schaffen machen. Was kann ich schon mit all den Abzeichen und Pokalen ...«

»Tausend Siege?«

»Tausendfünfhunderteinunddreißig, um genau zu sein. Dazu zweiunddreißig Championate und acht Derbysiege. Und ich lebe immer noch, könnte man fast sagen, nicht wahr?«

Clara ging zur Schrankwand, in der unzählige Pokale glänzten. »Das – das ist ja absolut großartig«, flüsterte sie.

»Ach, Bockmist.« Berwein fasste sich an die Hüfte, als er sich zu ihr umdrehte. »Ich bin bald achtzig. Was bleibt denn von der Zeit? Nur die Erinnerungen, Fotos und diese Eimer, die man ständig polieren muss. Ich habe keine Angehörigen, keine Freunde, die den Stress mitgemacht hätten, keine Ehepartnerin, keine Familie. Und auch kein Geld, aber daran bin ich selbst schuld. Ich wollte das Geld vermehren, schnell und einfach – nun, und was liegt näher, als sein Glück nach Ende der Laufbahn auf der Rennbahn zu versuchen. Als Aktiver darf man nicht wetten, aber als Pensionär glaubt man dann, alles zu wissen und unter Kontrolle zu haben. Völliger Blödsinn war das. Jetzt sitze ich hier, in einer winzigen Zweizimmerwohnung ohne ein bisschen Grün um mich herum. Die Rente reicht gerade so zum Leben und ab und zu für eine Fahrkarte nach Iffezheim. Manchmal holen mich die jungen Kollegen und nehmen mich mit zu den Rennen oder in die Ställe, aber die meiste Zeit sitze ich hier mit den Erinnerungen, die immer erbärmlicher stinken, je älter sie werden. Ach, entschuldigen Sie, jetzt sind mit mir die Gäule durchgegangen. Ich wollte Sie nicht erschrecken. Sie haben genug eigene Probleme. Setzen Sie sich, der Tee ist gleich fertig.«

Clara nahm in einem abgeschabten Ohrensessel Platz und reckte den Hals. Von hier hatte man die Fensterfront des Antiquariats im Blick, ob man es wollte oder nicht. Sie wollte nicht! Also setzte sie sich auf das kleine Kunstledersofa gegenüber. Ja, so war es besser.

»Hatten Sie ein Lieblingspferd?«

Berwein lächelte, wobei sich sein hageres Gesicht in abertausende feine Falten legte. »Alle, auf denen ich gewonnen habe.«

»Es muss doch ein erfülltes Leben gewesen sein. All die Siege, die Atmosphäre bei den Rennen, die glamourösen Rennstallbesitzer ...«

»Jetzt geht die Fantasie einer Schriftstellerin mit Ihnen durch. In erster Linie war das Leben entbehrungsreich. Ich war zum Glück von Natur aus klein und zierlich, aber trotzdem musste ich zeit meines Lebens streng aufs Gewicht achten. Dazu die ständigen Ortswechsel. Nirgends zuhause sein ... Da habe ich Ihren Vater schon sehr beneidet.«

»Woher kennen Sie ihn?«

»Meinen Sie, Jockeys interessierten sich nicht für Musik? Ich kann mich noch gut an die Liederabende der Gesangschule erinnern.«

Clara setzte sich aufrecht. »Haben Sie auch meine Mutter singen gehört?«

»Oh, das weiß ich nicht. Wie hieß sie mit Mädchennamen?«

»Von Hohenstein. Katharina Charlotte von Hohenstein.«

Für Carlotta, schoss es Clara plötzlich durch den Sinn. War Carlotta die Abkürzung für ihre Vornamen? War der Roman etwa ihr gewidmet?

Berwein verzog sein dünnes, faltiges Gesicht. »Tut mir leid. Der Name sagt mir leider nichts.«

»Und Giacomo Agostini?«

»Von dem habe ich erst dieser Tage im Antiquariat gehört. Ich habe früher nicht viel gelesen, lieber auf dem Gaul gesessen. Ich bin ein richtiger Banause. Es geht mir heute noch so, dass ich ganz kribbelig werde, wenn ich ein Buch vor mir habe. Eher gehe ich spazieren. Zu mehr reicht es leider nicht mehr mit den Knien und der Hüfte.«

»Das stimmt doch gar nicht.«

Berwein goss Tee nach und lächelte. »Doch, leider schon.«

»Aber das Konversations...«

»Erinnern Sie mich bloß nicht daran. Meine schwärzeste Stunde. Aber ich will nicht von mir reden. Sie sollten ...«

»Nein, nein, Ablenkung tut mir gut. Was war mit dem Lexikon? Wir trauen uns gar nicht, es zu verkaufen, weil Sie es so regelmäßig besuchen kommen.«

»Wirklich? Das ist nett. Herr Morlock ist ein feiner Kerl. Hören Sie, die junge Frau heute Abend ...«

»Bitte nicht jetzt. Erzählen Sie mir lieber, warum Sie die Bücher immerzu besuchen, aber nicht haben wollen.«

Berwein schnaufte. »Das ist eine lange Geschichte, die über zehn Jahre alt ist. Damals wähnte ich mich auf Freiersfüßen. Die Dame meines Herzens war knapp sechzig und sehr kultiviert. Wir lernten uns beim Tanztee im Kurhaus kennen und ich wusste auf den ersten Blick, dies war die Frau, auf die ich siebzig Jahre gewartet hatte. Sie interessierte sich natürlich weniger für Pferde als vielmehr für Festspielhaus, Theater, Lesungen und Bücher, Bücher, Bücher ... Ich sah schon, dass es nicht so richtig zusammenpasste, aber ich wollte unbedingt mit dieser Frau glücklich werden. Um ihr zu imponieren, heuchelte ich riesiges Interesse an ihren Hobbys und tat so, als verstünde ich etwas von Kultur. Einmal sprachen wir darüber, dass in Zeiten des Internets vielleicht irgendwann Lexika unnötig würden und ich tat so, als bedauerte ich es zutiefst. Ein paar Tage später schenkte sie mir das komplette Meyers Konversationslexikon. Sie hatte es bei Morlock gesehen und mir sofort liefern lassen. Es passe zu mir, sagte sie, die gesuchte sechste Auflage, Jugendstil-Prachtausgabe, sehr gut erhalten, von 1908. Ich stand da wie ein Idiot und versuchte, Freude zu heucheln.«

»Und dann?«

»Nun, ein paar Tage später habe ich die Bände heimlich zurückgebracht, um sie zu Geld zu machen. Morlock senior war sehr fair mit dem Preis.«

»Helmut? Das glaube ich nicht.«

»Nun ja, zwanzig Prozent Abschlag, das ging doch, oder?«

Clara schnaubte. Typisch Helmut.

»Wie lange hatten Sie sie in Besitz?«

»Nicht mal zwei Wochen.«

»Warum haben Sie sie nicht einfach nur verpfändet?«

»Es hätte nicht so viel eingebracht. Es musste schnell gehen und das Antiquariat liegt ja gleich gegenüber.«

»Sie hätte doch auch Ihre Pokale versetzen können.«

»Ach die, die haben doch nur ideellen Wert. Wer kauft die denn! Es ist ja nicht so, dass sie aus purem Gold und Silber bestehen. Mit dem Lexikon wusste ich, was ich bekommen kann, außerdem redete ich mir ein, ich könnte es jederzeit wieder zurückholen, wenn ich das Geld bei der Pferdewette erst verdoppelt oder verdreifacht hatte.«

»Sie haben das Geld für das Lexikon verwettet?«

»›My fair Lady‹ sollte laufen, es war todsicher, dass sie gewann. Verfassung, Jockey, Geläuf – alles stimmte! Mit dem Gewinn wollte ich nicht nur gleich die Bücher zurückholen, sondern vor allem meiner Herzensdame einen besonders schönen Ring kaufen, mit einem prächtigen Smaragd, der zu ihr und ihrem Flair passte.«

»Aber es wäre alles aufgeflogen, wenn sie Sie besucht hätte!«

»Genau. Im Nachhinein war das eine große Dummheit! Ich verließ mich darauf, dass sie es, bis auf ein Mal ganz am Anfang, nicht tat. Meine Behausung war nicht ganz ihr Stil, außerdem war ihre Wohnung an der Lichtentaler Allee erheblich komfortabler und wir trafen uns immer bei ihr. Ohne Ausnahme.«

»Hatten Sie Glück?«

»Absolut nicht. Auf der Zielgeraden begann ›My fair Lady‹ zu lahmen und damit zerplatzte mein Traum vom Geld. Ich mache es kurz: Ausgerechnet für den nächsten Tag meldete sich meine Herzensdame zu einem Besuch bei mir an. Sie habe mir etwas sehr Wichtiges mitzuteilen und ich könne nicht zu ihr in ihre Wohnung kommen, mehr wollte sie am Telefon nicht verraten. Ich geriet in Panik, bat Herrn Morlock, mir die Bände auszuleihen, nur für ein paar Stunden am Nachmittag, aber er wollte nicht.«

»Das glaube ich sofort!«

»Ich schlug ihr vor, mich mit ihr im Café zu treffen oder zu einem Spaziergang, aber sie bestand auf einem Treffen unter vier Augen in meiner Wohnung, nicht in der Öffentlichkeit. Als sie klingelte, ließ ich sie nicht in die Wohnung, denn sie hätte ja sofort entdeckt, dass die Bücher weg waren. Ich schämte mich so dafür. Ich wollte ihr nicht sagen müssen, dass ich sie für eine Wette verscherbelt hatte. Wir sprachen kurz im Treppenhaus, ich vertröstete sie auf den nächsten Tag, denn dann wollte ich mich mit einem ehemaligen Kollegen treffen, der mir das Geld vielleicht ausgelegt hätte. Es war ihr anzusehen, dass ich ihr mit meiner für sie unverständlichen Zurückweisung sehr wehtat. Sie sagte nicht, was sie auf dem

Herzen gehabt hatte, sondern ging traurig weg. Morgen, habe ich ihr nachgerufen, morgen komme ich dich besuchen. Ich habe einfach nicht gemerkt, in welchen Nöten sie steckte.«

Clara bohrte sich etwas in die Brust und entzündete dabei das altbekannte Feuer, automatisch fächelte sie sich Luft zu, konnte aber die Augen nicht von dem kleinen Mann wenden.

Er stützte sein Kinn in die Hände und stöhnte. »Am nächsten Tag versuchte ich, sie zu erreichen, um ihr alles zu beichten. Es ist nicht gut, eine Beziehung auf einer Lüge aufzubauen, und sei sie noch so winzig.«

Clara nickte heftig.

»Aber sie war weg. Die Läden ihrer Wohnung waren geschlossen, das Telefon abgestellt. Die Nachbarn sagten mir, ihr Ehemann aus der Schweiz sei zwei Tage zuvor gekommen und sie seien in der Frühe abgereist. Das war das Schlimmste für mich. Sie war noch verheiratet gewesen, wenngleich sie in Scheidung lebte, wie ich nun erfuhr. Ich war wie vor den Kopf gestoßen. Das hatte sie mir nicht gesagt, im Grunde war sie also ähnlich unehrlich mit mir gewesen wie ich mit ihr. Zuerst dachte ich, alles würde sich einrenken lassen. Wochenlang schlich ich um ihre Wohnung, denn eine andere Adresse hatte ich nicht. Man zeigt sich ja nicht gegenseitig das Melderegister, wenn man sich ineinander verliebt. Man hofft einfach oder geht davon aus, dass man keine Geheimnisse voreinander hat. Ja, ich weiß, ich habe gut reden. Ich war ja selbst genauso unehrlich gewesen, und das nur, um mich besser darzustellen.« Berwein sackte in sich zusammen. »Monate später erhielt ich ihre Todesanzeige. Ihr Ehemann hatte sie mir auf ihren Wunsch aus der Schweiz geschickt, zusammen mit einem sehr liebevollen Brief, in dem sie mich bat, das Lexikon in Ehren und Erinnerung zu halten.«

»Ach herrje.«

»Bitte nicht bedauern. Wir haben mit unserer gegenseitigen Unehrlichkeit beide Schuld auf uns geladen. Ich hätte ihr sagen müssen, dass ich ein Kulturbanause bin, und sie hätte mich aufklären müssen, dass sie todkrank war und in Scheidung lebte. Wer weiß, vielleicht ...«

Er brach ab und schenkte Tee nach. »Seitdem möchte ich die Bücher natürlich erst recht nicht hier in der Wohnung haben, wo sie mich jede Minute an mein idiotisches Benehmen erinnern würden, ich könnte es aber auch nicht ertragen, wenn sie in fremde Hände kämen. Tod ohne Aussprache ist sehr schwer zu tragen für den, der zurückbleibt. So besuche ich sie eben, sie sind wie mein, nun ja, Grabmal der Liebe vielleicht – wenn sich das nicht zu schwülstig anhört. Lachen Sie jetzt bitte nicht über mich alten, sentimentalen Trottel.«

»Aber nein! Es tut mir so leid um Sie beide. Liebe ist so kostbar und selten.«

»Genau das wollte ich ausdrücken. Man muss sie pflegen, man muss sich dem anderen aber auch ganz und gar öffnen und ihn alles ansehen lassen, auch die eigenen Schwächen. Er wird sie schon verstehen und verzeihen, wenn es denn Liebe ist. Das weiß ich jetzt. Zu spät. Leider. Aus diesem Grund wollte ich Sie vorhin bitten, nicht wegzulaufen, sondern dem jungen Morlock eine Chance zu geben, alles zu erklären. Bestimmt ist alles ganz harmlos.«

Clara kniff die Lippen zusammen. Das hatte sie nicht hören wollen.

»Versprechen Sie mir das?«, flüsterte Berwein und sah sie flehend an.

Doch sie konnte es nicht, nicht heute, nicht jetzt, trotz allem Trost, den sie dank ihm und seiner Geschichte erfahren hatte.

Vierunddreißig

Wie eine verlorene Maus stand Paps in seinem zu großen Schlafanzug auf dem obersten Treppenabsatz und blinzelte ihr, schwer auf seine Krücken gestützt, durch seine dicken Brillengläser müde und ängstlich entgegen.

»Kind, da bist du ja«, begrüßte er sie freundlich, doch das Sprechen fiel ihm schwer und er musste sich mehrfach räuspern. »Wie geht es deiner Mutter? Und wo kommt der blaue Müllsack dort unten her?«

Mehrere Stufen auf einmal nehmend stürmte Clara ihm entgegen, denn sie wollte ihn fest im Arm halten, wenn sie ihm die schlimme Nachricht überbrachte. Schonend beibringen – schoss es ihr durch den Kopf – das ging doch gar nicht. Wie kann man denn Tod schonend in Worte kleiden? Egal, wie sie es anstellte, es würde ein Schock für ihn sein.

Paps plapperte ohne Pause, als wüsste er, was auf ihn zukam und als wollte er so lange wie möglich hinausschieben, was er nicht hören wollte.

»Gregor war gestern Abend hier und hat mir berichtet, dass du in die Klinik musstest. Ich wollte unten bleiben, doch das hat er nicht zugelassen, sondern mich ins Bett gebracht. Aber ich habe nicht schlafen können.«

Endlich hatte Clara ihn erreicht. Seine Arme und die Krücken zitterten, er war blass vor Anstrengung. Wahrscheinlich hatte er eine halbe Ewigkeit so gestanden und auf sie gewartet, und sie hatte nichts Besseres zu tun gehabt, als stundenlang Tee zu trinken und sich alte Geschichten anzuhören. Sie führte ihn behutsam zum Bett, ließ ihn sich setzen und streichelte ihm über den mageren, gebeugten Rücken. Jeden einzelnen Wirbel, jede Rippe konnte sie spüren.

»Wo sind deine Herzmittel?«

Er deutete mit dem unrasierten Kinn zum Nachttisch. »Ist es ... schlimm?«, flüsterte er.

Clara sah zur Decke und blinzelte eine Träne weg. »Es ging ganz friedlich zu Ende«, war alles, was es noch zu sagen gab.

Er nickte und starrte auf den abgetretenen Bettvorleger. Grün und gelb meliert lag er dort, seit Clara denken konnte, und nun schien es fast nichts Interesseres zu geben als dieses eintönige Muster. Man konnte sich regelrecht an ihm festsaugen.

»Fried-lich, fried-lich ...«, tickte der Wecker.

Minutenlang saßen sie so da, dann quälte sich ein Hustenreiz durch seinen ausgemergelten Körper.

»Im Bad sind Beruhigungsmittel, davon hätte ich gern zwei. Und würdest du mir bitte einen Tee aufsetzen, mein Kind?«, keuchte er zwischen zwei Anfällen.

Clara brachte ihm alles mit fliegender Eile.

Er räusperte sich noch einmal ausgiebig und tastete dann nach ihrer Hand, die er unbeholfen tätschelte. »Du warst bei ihr. Das war gut. So stelle ich mir das auch vor. Dass jemand bis zum Schluss meine Hand hält. Es hat deiner Mutter den Weg bestimmt erleichtert. Sie hat dich so geliebt.«

Diesmal widersprach Clara nicht, aber ihr war kalt. Sie sehnte sich nach einem warmen Bad, ihrem Bett oder wenigstens einer tröstenden Umarmung, doch sie blieb bei ihm, auch nachdem er eingeschlafen war und leise schnarchte.

Endlich konnte sie in ihr Zimmer schleichen und unter die Decke kriechen. An Schlaf war nicht zu denken, sie wurde auch nicht warm. Zwanghaft versuchte sie, ihre Sehnsucht nach Gregor zu unterdrücken. Sie musste den Bestatter anrufen, einen Termin für die Beerdigung festlegen, herausfinden, ob es entfernte Verwandte gab; Freunde hatten ihre Eltern nicht gehabt.

Endlich gab sie sich geschlagen und stand wieder auf, wie gerädert, immer noch eiskalt und verzagt.

Ihr Vater rief auch bald nach ihr. Auf der Bettkante sitzend hielt er ihr eine auseinandergefaltete Medikamentenschachtel hin, auf deren unbeschriftete Innenseite er etwas gekritzelt hatte.

»Vielleicht passt das für die Traueranzeige.«

Da klingelte es zweimal kurz, dann wurde die Haustür aufgeschlossen. Zeit fürs Frühstück.

»Ich bin zurück, Gregor, wir brauchen dich nicht«, rief sie hinunter.

Paps sah sie verwundert an. »Ich bitte dich, geh zu ihm. Er ist ein so guter Junge.«

Sie schüttelte den Kopf und biss die Zähne zusammen, als Gregor hereinkam und einen Schwall Winterluft und Brötchenduft mit sich brachte. Das Bild der jungen blonden Frau schob sich zwischen sie.

Ihre Hände fanden an den Hüften Halt, während sie Gregor mit aller Wut, zu der sie noch fähig war – oder war es Enttäuschung? –, anblitzte.

Unsicher verlangsamte er seine Schritte, blieb stehen und runzelte die Stirn. »Was ist los? Ist sie tot?«, flüsterte er dann und öffnete seine Arme.

»Gregor, gut, dass Sie hier sind! Mein Mädchen braucht Trost, und ich bin leider zu schwach …«, piepste es in ihrem Rücken.

»Nicht jetzt«, unterbrach sie ihn. »Das ist gut gemeint, Paps, aber wir brauchen Gregor nicht.«

Seine Wangen färbten sich brennend rot. »Wie meinst du das? Was hast du?«

»Bella«, flüsterte ihr Vater in ihrem Rücken und zupfte an ihrem Rock. »Was tust du?«

Sie beugte sich zu ihm und strich über seine Bettdecke, dann drehte sie sich zu Gregor um, der sie mit hängenden Armen beobachtete.

»Wir melden uns bei dir, wenn wir Hilfe brauchen«, sagte sie und erschrak vor ihrer eigenen eisigen Stimme.

Seine Augen wurden dunkel. »Deine Mutter ist gestorben und du siehst aus, als würdest du gleich zusammenklappen. Komm, lass dich in den Arm nehmen.«

»Ich komm zurecht, danke. Du hast sicher Wichtigeres zu tun.«

Er packte ihren Arm. »Wichtigeres? He, was ist los? Habe ich etwas falsch gemacht? So sag doch!«

»Ich bin nicht dumm, merk dir das.«

Jetzt klang sie genau wie ihre Mutter, eigentlich noch vollkommener. Hatte die sich auch so zerrissen gefühlt, wenn sie ihre kleine Tochter mit Kälte überschüttete, obwohl sie sie eigentlich liebte, wie Paps behauptete?

»Bella!«, wisperte Paps im Hintergrund, so wie er früher »Katharina« geflüstert hatte.

Zögerlich ließ Gregor sie los. »Ich versteh das nicht«, stammelte er.

Clara schnaubte und ihre Rüstung zog sich dabei enger um sie und beschützte sie. »Dann tust du mir leid«, sagte sie. »Und jetzt lass uns bitte allein.«

»Ich soll gehen? Aber warum?«

Sie nahm die leere Teetasse ihres Vaters und ging an ihm vorbei die Treppe hinunter in die Küche, wobei sie jede Berührung und jeden Blickkontakt vermied. Sie wollte nicht über ihre Beobachtung in der Nacht sprechen. Es würde über ihre Kraft gehen. Es hatte keinen Sinn, über etwas Endgültiges zu streiten. Sie wollte es ohne Diskussionen, Lügen, halbherzige Entschuldigungen hinter sich bringen. Jedes falsche Wort würde sie viel zu sehr verletzen.

Gregor folgte ihr fassungslos. »Bitte Bella! Ich finde das unerträglich, wenn ...«

»Unerträglich? Du? Und was war das heute Nacht? Oder vielmehr – wer?«

Jetzt war es ihr doch herausgerutscht. Ergeben wartete sie auf seine Reaktion.

»Wovon redest du?«

»Ich habe die Frau mit eigenen Augen gesehen, um Mitternacht, in deiner Umarmung.«

»Du spionierst mir nach?«

Clara wurde es heiß. »Ist das alles, was du zu sagen hast? Oh verdammt! Ich habe dir erst vorgestern ... Du weißt, wie sehr du mich ... Ach Mist. Ich muss dir gar nichts erklären. Warum hast du mir nicht gesagt, dass du eine Freundin hast? Warum stehe ich vor deinem Fenster wie eine bekloppte alte Schachtel, die gerade aussortiert wird? Und warum tust du so, als sei nichts geschehen?«

»Bella, bitte. Ich kann dir alles erklären.«

»Ich kann dir alles erklären«, äffte sie ihn nach. »Hast du eine Vorstellung, wie oft ich diesen Satz schon gehört habe? Ich brauche keine Erklärungen. Ich habe es mit eigenen Augen gesehen. Ich will nicht immer und immer wieder betrogen werden. Es ist aus, Gregor, aus! Kannst du bitte gehen, ehe ich noch mehr schlimme Dinge sage?«

Er wurde weiß im Gesicht und seine Augen verwandelten sich in Kohlestücke. »Du hast alles missverstanden. Du willst gar nicht zuhören, nicht wahr? Du willst recht behalten mit deinem Misstrauen und mit deinen Vorurteilen. Du willst dich darin suhlen, immer wieder verraten worden zu sein. Du gibst niemandem eine Chance. Niemandem. Das – das ist unerträglich. Überleg doch, was du sagst. Hör mir wenigstens zu!«

Das Flimmern vor ihren Augen verstärkte sich. Mit viel zu leisem Klirren zerbrach die Teetasse, als sie sie auf den Boden fallen ließ. »Warum gehst du nicht einfach, wenn ich so unerträglich bin!«

Sie wusste genau, dass sie theatralisch war und übertrieb. Sie wollte doch gar nicht, dass er ging. Sie wollte festgehalten werden, bis sich dieser heillose Jähzorn wieder beruhigt hatte. Aber sie konnte nicht aus ihrer Haut, die schon längst keine schützende Rüstung mehr war, sondern ein viel zu enger Panzer. Sie schlang die Arme um sich und schaute stumm an ihm vorbei.

»Gut«, sagte Gregor schließlich leise. »Wie du willst. Aber du kannst jederzeit kommen. Ich liebe dich, bitte glaube mir das. Vertrau mir doch!«

Vertrauen?

Liebe?

Gab es nicht.

Nur Lüge und Betrug. Immer wieder.

Fünfunddreißig

Wenn das Licht erlischt, bleibt die Trauer. Wenn die Trauer geht, bleibt die Erinnerung an das Licht. Meine über alles geliebte Frau seit sechsundfünfzig Jahren, Mutter und Königin der Familie und der Rosen, Katharina Charlotte Funke, geb. von Hohenstein, durfte heute nach langer Krankheit, begleitet in Liebe, sanft einschlafen.

Clara bewunderte ihren Vater für diese Zeilen, die er reichlich krakelig auf die zerdrückte Tablettenschachtel hingeworfen hatte. Sechsundfünfzig Jahre, las sie noch einmal. Das konnte nicht immer leicht für ihn gewesen sein. Ob Mutter früher sanfter gewesen war? Vielleicht sogar liebevoll? Aber wenn man liebte, dann vergrub man sich doch nicht unter Rosendornen.

Andererseits – tat sie nicht gerade dasselbe? Warum hatte sie Gregor nicht einmal angehört? Vielleicht hatte Herr Berwein ja recht und es war alles anders, als es den Anschein hatte. Aber hätte Gregor dann nicht anders reagiert als ihr seinerseits vorzuwerfen, sie würde ihm nachspionieren? So benahm sich doch nur jemand, der sich ertappt fühlte! Ach, das brachte ja alles nichts, wohingegen ihre Erledigungsliste immer länger und unangenehmer wurde, so unangenehm, dass sie sich außerstande fühlte, heute, einen Tag nach Mutters Tod, auch nur einen einzigen Punkt abzuarbeiten. Jetzt gab es keine Ausreden mehr, jetzt musste sie sich Seniorenhäuser ansehen, über Finanzierungen reden, sich nach Zuschüssen erkundigen, falls ihr Vater kein Pflegegeld bekam. Morgen, morgen, morgen, schrieb sie hinter die Punkte und selten war ihr das Wort trostloser vorgekommen. Noch dazu schlug ihr die Stille im Haus gewaltig aufs Gemüt.

Irgendwann hatte sie genug. Sie mummelte sich dick ein und machte einen langen Spaziergang über den Höhen der

Stadt, heilfroh, dass niemand ihr begegnete, von zwei, drei Hundebesitzern einmal abgesehen. Es tat gut, einfach einen Fuß vor den anderen zu setzen. Sie ließ sich von der ruhigen Winterstimmung am Merkurberg gefangen nehmen, die die breiten Waldwege und sanft abfallenden Streuobstwiesen mit dünnem Schleier aus Raureif bedeckte. Unten im Tal lag Baden-Baden mit den neogotisch spitzen Zwillingstürmen der grauen Stadtkirche, dem Zipfelmützenturm der katholischen Stiftskirche, der goldenen Kuppel der russischen Kirche, dem trutzigen Gemäuer des neuen Schlosses, das oberhalb des italienisch anmutenden Florentinerbergs thronte. Nur schwer auszumachen waren die anderen Sehenswürdigkeiten der Stadt wie der schlicht unterteilte weiße Kubus des Burda-Museums, das langgestreckte Kurhaus mit dem Casino und der markante Säulengang der Trinkhalle. Auch der hellblaue Quader des Festspielhauses, der an manchen Tagen wie ein riesiger Würfel dalag, verschwand heute fast im Dunst. Sie verbot sich eine Zeitlang, an Vater, Gregor, Mutter, Villa oder Zukunft zu denken, und als sie zurückkam, war zwar immer noch nichts geklärt, aber die Welt sah nicht mehr ganz so unüberwindlich und bedrohlich aus wie noch vor zwei Stunden.

»Joe anrufen« stand gleich hinter dem Bestatter, aber sie erreichte nur seinen Anrufbeantworter, der ihr mitteilte, dass die Familie Oesterle erst im neuen Jahr wieder im Lande sein würde.

Es dämmerte bereits, als sich ihr Vater bemerkbar machte und in die Bibliothek begleitet werden wollte. Obwohl er sonst erstaunlich gut zu Fuß war, erschöpfte ihn heute das Herabsteigen der Treppe sichtlich, er verkroch sich in seinen Ohrensessel und streckte die Füße steif nach dem Feuer aus, um das er Clara gebeten hatte. Merkwürdigerweise hatte ein kleiner Holzstapel neben dem Kamin gelegen, wahrscheinlich hatte ihn Gregor gestern mitgebracht. Ganz energisch schob sie jeden Gedanken an ihn beiseite.

Nach dem Abendessen machte ihr Vater das gewohnte Fingerbreit-Zeichen und sie holte erleichtert eine besonders gute Flasche Rotwein aus dem Keller. Der Plattenspieler blieb stumm, wortlos sahen sie den Flammen zu. Was sollten sie auch reden. Es wusste jeder auch ohne Worte, was der andere fühlte. So dachte Clara jedenfalls, bis ihr Vater sich zu Wort meldete.

»Was wirst du nun mit dem Manuskript anfangen?«, fragte er und hustete ausgiebig.

Clara verschluckte sich. »Was hast du gerade gesagt?«

»Du hast mich richtig verstanden, Bella.« Er fasste sich an die Brust und holte rasselnd Luft, dann schwenkte er das Weinglas und nahm einen winzigen Schluck, spülte ihn im Mund hin und her und schloss die Augen dabei. »Dieser Tropfen hätte deiner Mutter auch geschmeckt«, sagte er dann mit einem feinen Lächeln.

»Paps, ich glaube, ich bringe dich ins Bett. Du brauchst Ruhe. Die letzten Tage waren anstrengend, und die nächsten werden auch nicht besser.«

Doch er schüttelte energisch den Kopf. »Es wird Zeit, dass wir reden. Bitte sei doch so nett und leg noch einmal Holz auf. Haben wir genug Wein oben? Ich würde dir gern eine Geschichte erzählen, und es wäre schön, wenn wir nicht unterbrochen würden.«

»Das strengt dich doch viel zu sehr an.«

»Ach bitte, tu mir den Gefallen, ja?«

Was blieb ihr anderes übrig als zu gehorchen. Wenn es Paps beruhigte, dann sollte alles so sein, wie er es wünschte.

»Setz dich, Kind«, sagte er. »Und nun antworte mir bitte: Hast du das Manuskript gefunden?«

Ein neuer Hustenanfall erschütterte ihn und wieder fasste er sich an die Brust.

»Paps, das wird zu viel für dich.«

»Aber nein. Du weißt, wovon ich rede, nicht wahr?«

»Schon. Aber ich kann es nicht entziffern. Es ist auf Italienisch.«

»Was hast du damit gemacht?«

»Im Moment liegt es oben in meinem Zimmer. Ich habe es Gregor gezeigt und er meinte, es könnte vielleicht wertvoll sein, aber ich weiß trotzdem nicht, was ich tun soll. Es muss doch einen Grund gegeben haben, warum sie es so viele Jahre versteckt hat. Ich hätte mir wirklich gewünscht, sie hätte es mir sagen können.«

»Sie hätte nicht darüber gesprochen.«

Clara konnte ein Schmunzeln nicht unterdrücken. »Ja, wahrscheinlich hätte sie mich angeblafft, weil ich in ihren Sachen herumgeschnüffelt habe. Ich kann sie direkt hören. Deshalb habe ich es bislang liegen lassen.«

»Du weißt, wer es verfasst hat?«

»Agostini, ja. Aber das wirft neue Fragen auf.«

Er nickte leicht. »Lass mir einen Augenblick, damit ich die richtigen Worte finde.«

Rumpelnd fiel im Kamin ein dickes Holzscheit zusammen und verursachte hinter dem Glas einen Funkenregen, doch Clara nahm das nur am Rande wahr. Aufgeregt schenkte sie Wein nach. Er hatte also all die Zeit von dem Manuskript gewusst? Das war eine völlig neue Wendung!

Die verdammte Feuermaschine in ihrem Innern sprang wieder einmal an. Ächzend schnappte sie nach Luft, verließ den stickigen Raum und lief durch die Küche ins Freie, wo sie sich gegen die Hausmauer lehnte. Die eisige Luft tat gut wie nach einem langen Saunadurchgang. Unten im Tal krachte ein verfrühter Feuerwerkskörper.

Richtig, morgen war Silvester. Abschied vom alten Jahr, Vorsätze fürs neue, die Welt in Feierlaune.

Die Hitzewelle ebbte ab und brachte die Kälte zurück. Fröstelnd ging sie wieder hinein. Ihr Vater hatte inzwischen ein Fotoalbum auf dem Schoß und sah elend aus.

»Willst du dich nicht lieber hinlegen?«, fragte sie ihn besorgt.

»Dazu ist später noch Zeit«, erwiderte er ernst und winkte sie mit seiner steifen Hand zu sich. »Komm, setz dich. Ich möchte dir etwas zeigen.«

Wie vor vielen Jahrzehnten zog sie sich ihren kleinen Schemel an seinen Sessel und kauerte sich dicht an ihn, während er das Album aufschlug und auf die gezackten Schwarz-Weiß-Aufnahmen aus den fünfziger Jahren tippte. Sie dokumentierten trotz des kleinen Formats, welch eine Schönheit ihre Mutter einst gewesen war – und dass sie früher tatsächlich lachen konnte. Das erste Foto zeigte sie auf dem ungewöhnlich menschenleeren Leopoldsplatz, der damals noch Verkehrsknotenpunkt der Stadt gewesen war. Sie stand auf einem Podest, auf dem sonst wohl Polizisten die Autoströme regelten. Ihr Kleid betonte ihre Wespentaille, das ausgeschnittene Oberteil lag eng an, der Rock bauschte sich über den damals üblichen Petticoat-Lagen, ihre Füße steckten in zierlichen Pumps statt in den groben Gartenstiefeln, mit deren Anblick Clara aufgewachsen war. Hier stand eine zauberhafte, feenhafte blonde junge Frau wie aus einem Modejournal, sprühend vor Leben, Lachen, Glück und Hoffnung. Übermütig hatte sie die Arme ausgebreitet, als dirigiere sie den imaginären hupenden, stockenden Verkehrsfluss inmitten einer unsichtbaren Rushhour.

»Das habe ich an einem Sonntag im Mai morgens um sechs geknipst. Sie war immer schon Frühaufsteherin gewesen.«

»In welchem Jahr?«

»1952. Am Abend vorher hatte sie ihren ersten öffentlichen Auftritt gehabt. Ich habe im Kurhaus meine Meisterklasse vorgestellt und sie war der Star des Abends gewesen. Eine wunderschöne, klare Sopranstimme. Alle waren begeistert, nur ihre Eltern nicht. Die waren sogar dagegen, dass sie weiter Stunden nahm. Sängerin war kein Beruf, den sie sich für ihre einzige Tochter gewünscht hätten. Nun, du kennst deine Mutter ja: Widerstand war zwecklos. Natürlich hat sie ihre Eltern um den Finger gewickelt, aber wir mussten einen Kompromiss schließen. Keine Soloauftritte mehr und nur noch Privatstunden bei ihnen zuhause. Tja, und so kamen wir uns ganz allmählich näher. Ihre Eltern luden mich zum Sonntagsessen ein und erlaubten mir, Katharina ins Kino auszuführen oder auch nach Karlsruhe in die Opernaufführungen. Sie war jung und unverdorben, nicht einmal volljährig. Ich war recht bald bis über beide Ohren in sie verliebt, aber ich hatte Angst, sie könnte sich mit mir altem Esel langweilen. Ich konnte ja nur über Musik reden und bestimmt war ihr das auf die Dauer zu wenig. Dennoch hatte es den Anschein, als genösse sie die gemeinsamen Ausflüge ebenso wie ich.« Er seufzte leise und wurde wieder von quälendem Husten geplagt.

Clara holte sein Spray, verkniff sich aber, ihm weiter gute Ratschläge zu erteilen. Wer über neunzig und bei klarem Verstand war, der musste selbst wissen, was er sich zumuten konnte. Alte Erinnerungen aufzufrischen war ihm heute offenbar ein Bedürfnis, das man nur zu gut verstehen konnte.

»Hier«, flüsterte er tonlos. »Einen Monat später. Schau dir das an.«

Die Fotos zeigten ihre Mutter vor mächtigen Hainbuchenhecken und in allen möglichen Posen neben und vor endlosen blühenden Rosenrabatten.

Paps strich mit einem wehmütigen Lächeln über die Bilder. »1952 wurde in der Gönneranlage das erste Rosenfest nach dem Krieg gefeiert. Fünfundzwanzigtausend Rosen waren gepflanzt worden und die schönste Rose von Baden-Baden wurde gekürt. Ein international anerkanntes Ereignis. Die Wahl findet heute immer noch in Baden-Baden statt, allerdings auf diesem Versuchsfeld oberhalb der Stadt, am Beutig. Die gute alte Gönneranlage ist für solche Zwecke ja leider zu klein geworden. Sieh genau hin. Fällt dir etwas auf?«

Clara bemühte sich, etwas Außergewöhnliches zu entdecken, sah aber nur ein gelangweiltes junges Mädchengesicht.

»Es sieht so aus, als würde sich deine Mutter keinen Deut um Blumen gleich welcher Art scheren, nicht wahr? Im nächsten Jahr hingegen schien sie wie verrückt nach Rosen zu sein und das hat sich bis zum Schluss nicht geändert.« Seine Hand zitterte, als sie über die nächste Bilderserie strich. »Hier, das war das Rosenfest im nächsten Jahr. Die gesamte Lichtentaler Allee, der Kurgarten und die Kolonnaden waren mit gelben, roten, blauen und grünen Lampions illuminiert, sogar das Wasser der Oos war bunt, Bäume und Felsen waren angestrahlt, die Brücken über die Oos leuchteten rot, mehrere Kapellen spielten unermüdlich bis in den frühen Morgen ... ach ja. Sehr romantisch. Um nicht zu sagen: viel zu romantisch«, sagte er und griff zum Glas. »Zu diesem Zeitpunkt nämlich hatte Giacomo Agostini meiner Katharina bereits den Kopf verdreht.«

Clara platzte fast vor Ungeduld, aber sie wusste, dass es keinen Zweck hatte, ihn anzutreiben. Jetzt ging es nach seinem Rhythmus und natürlich probierte er den nächsten Schluck Rotwein erst gründlich, bevor er das Glas endlich wegstellte und sich räusperte.

»Ich kann mich noch gut an den Abend erinnern, an dem die beiden sich vermutlich zum ersten Mal gesehen haben«, murmelte er schließlich. »Es war Mai, eine Hitzewelle mit unangenehmer Schwüle lähmte die Stadt wie sonst nur im Hochsommer. Es war unerträglich stickig, obwohl es schon Abend war. Die Festgäste hatten Reinhold Schneiders Stück ›Las Casas vor Karl V.‹ gesehen, es folgte im Kurhaus ein Stehempfang mit dem Auftritt Giacomo Agostinis, der eine flammende Festrede auf seinen Kollegen hielt.«

»Auf Italienisch?«

»Aber nein. Er war Südtiroler, zwar italienischer Herkunft, aber er sprach gut deutsch. Er redete von Unterdrückung und Rassenwahn und von den Waffen des Wortes, die ein Schriftsteller dagegen gewaltlos ins Feld führen kann. Gerade die jungen Leute bejubelten seinen Vortrag und etliche Mädchen himmelten ihn an, deine Mutter eingeschlossen.«

»Wirklich? Kann ich mir bei ihr überhaupt nicht vorstellen.«

»Sie war früher anders, leichter und fröhlicher.« Er trank wieder einen kleinen Schluck und dachte einen Moment nach, ehe er fortfuhr. »Ich konnte es ihr nicht verübeln, denn er sah gut aus. Relativ groß, schwarze Locken, schwarze Augen, scharf geschnittene Gesichtszüge und gekleidet mit der saloppen Eleganz, die Italienern nun einmal zu eigen ist. Er war witzig, trotz des ernsten Themas, man merkte ihm an, dass er das Leben und die Frauen liebte und immer für einen Scherz zu haben war. Sein Vortrag wurde umrahmt vom Auftritt meiner Gesangschule. Katharina im Hintergrund, wie ihren Eltern versprochen.«

»Und trotzdem ...?«

»Nun, ich konnte nicht widerstehen. Es war diese Stimmung, der Applaus, ›Zugabe, Zugabe‹, riefen ein paar Gäste, und ich ließ mich hinreißen, winkte Katharina nach vorn und ließ sie ein Solo vortragen. ›Mein Herr Marquis‹ aus der ›Fledermaus‹ von Johann Strauß, kein schwieriges Stück, doch eines, mit dem wir der Öffentlichkeit zeigen konnten, welch eine herrliche Stimme sie hatte. Es war mir bewusst, dass ich damit gegen den Willen ihrer Eltern verstieß, aber was war das im Vergleich zu dieser Stimme. Die Koloraturen perlten hell und klar aus ihr heraus, so dass alle im Saal sehr ergriffen waren, als sie endete. Agostini sprang auf, rief ›*Bravo, bravo, da capo*‹ und kletterte auf die Bühne, um ihr wohl hundertmal die Hand zu küssen. Ja, so war das.«

Paps machte sich an seinen Schallplatten zu schaffen und zog schließlich eine dicke, abgewetzte Kassette hervor.

»Hilfst du mir bitte?«

»Oh, die Sammlung mit Rita Streich.«

»Ja, so ähnlich wie die ›Wiener Nachtigall‹ klang auch deine Mutter. Legst du bitte die Fledermaus auf?«

»Die magst du doch gar nicht.«

»Ist das ein Wunder? Schließlich war diese Operette schuld, dass dieser Mann auf Katharina aufmerksam wurde.« Er drehte das Weinglas und zog sich wieder in seinen Schneckenhaussessel zurück. »Rita Streich kann man immer hören, findest du nicht auch?«, sagte er. »Aber mach bitte den Ton etwas leiser, es soll nur eine Untermalung sein. Zurück zu jenem Abend. Agostini wich Katharina kaum mehr von der Seite. Zuerst war ich stolz: Ein weltberühmter Schriftsteller hofierte meine Katharina. Dann aber merkte ich, wie er immer aufdringlicher wurde, und so bereitete ich dem Treiben ein Ende und brachte Katharina nach Hause. Es war ohnehin fast Mitternacht, eine Stunde später als vereinbart, und ihre Eltern erwarteten uns bereits. Ich hatte den Eindruck, Katharina sei verstimmt wegen meines Aufbruchs, denn in den nächsten Tagen benahm sie sich mir gegenüber ausgesprochen kühl. Sogar die Singstunden ließ sie ausfallen, obwohl sie sich auf sie doch immer gefreut hatte. Zunächst dachte ich mir nichts dabei, aber im Laufe der nächsten ein, zwei Wochen wurde ich ungeduldig. Es sah ihr nicht ähnlich, Stunden zu schwänzen.«

»Ich dachte, du musstest die Stunden bei ihr zuhause geben?«

»So war es nur am Anfang gewesen, später sahen ihre Eltern ein, dass in der Musikschule der klangvollere Flügel stand und somit bessere Bedingungen gegeben waren. Außerdem wussten sie, dass sie mir vertrauen konnten. Niemals wäre ich Katharina zu nahe getreten. Sie war achtzehn, ging noch zur Schule. Ich war siebzehn Jahre älter und ihr Gesangslehrer.«

»Ich dachte, ihr wart damals verlobt gewesen.«

»Na hör mal! Natürlich habe ich mit dem Gedanken gespielt, um ihre Hand anzuhalten, aber ich wollte damit bis zu ihrem einundzwanzigsten Geburtstag warten. Ich liebte sie, trug aber auch die Verantwortung. Ich hatte Bedenken, egoistisch zu sein, wenn ich um sie warb und sie dadurch vielleicht unter Druck setzte. Ich war doch viel zu alt für sie. Sie sollte alles in Ruhe entscheiden können, wenn sie reif genug dafür war.«

Clara schluckte. Das mit dem Alter kam ihr bekannt vor. »Aber ihr habt noch im selben Jahr geheiratet.«

Paps kippte den Rest des Glases hinunter. »Ja«, sagte er knapp. »So war das. Schenkst du mir bitte noch ein wenig ein?«

Auch Holz musste nachgelegt werden. Funken stoben wie Sternschnuppen, als sie die abgebrannten Scheite aneinanderschob. In ihrem Rücken begann Paps zu husten und sie schloss die Glasscheibe.

»Wie ging es weiter? Hat Mutter sich heimlich mit Agostini getroffen?«

»Ja. Und ich war ahnungslos. Wenn man liebt, dann hat man Vertrauen. Auch wenn Dinge anders aussehen, können sie doch harmlos sein.«

Clara schob die Lippen vor, denn sie wollte nicht an die nächtliche Szene im Antiquariat denken, nicht jetzt.

»Wann bist du ihnen auf die Schliche gekommen?«

»Auf die Schliche, Kind, wie sich das anhört! Die beiden waren sehr, sehr diskret. Du kannst dir nicht vorstellen, welch einen Skandal es bedeutet hätte, wäre etwas nach außen gedrungen. Agostini war verheiratet und Ausländer, egal, wie berühmt er war. Die Leute hatten strenge Moralvorstellungen damals.«

»Wohl eher Scheinheiligkeit und Doppelmoral.«

Er verzog den Mund. »Da gebe ich dir recht. Wie sagt man? Keiner hütet die Moral strenger als der heimliche Gesetzesbrecher. Damals war das höchste Ziel eines jungen Mädchens, geheiratet zu werden und unberührt in die Ehe einzugehen. Das kann man sich heute nicht mehr vorstellen, nicht wahr? Alles war reglementiert, man durfte als Frau in der Öffentlichkeit nicht rauchen, es war schon sehr gewagt, Jeans anzuziehen. Nur nicht auffallen, nur immer mit der Masse konform gehen. Ein einengender Mief. Die Jugend war deshalb stets auf der Flucht vor den Moralaposteln und hatte eine diebische Freude daran, die zahllosen Verbote heimlich zu übertreten. Ich weiß nicht, wie und wo Katharina es fertiggebracht hat, sich mit Agostini zu treffen, denn er wohnte bei einer Pensionswirtin, Damenbesuche waren streng untersagt, und sie selbst lebte ebenfalls noch bei ihren Eltern.«

»Bist du sicher, dass sie eine Affäre hatten? Vielleicht haben sie sich einfach nur ...«

»Ganz sicher«, unterbrach Paps sie. »Ich habe es lange nicht wahrhaben wollen. Erst einen Monat später fiel mir auf, dass sie sich veränderte. Nachdem ich sie mehrfach ermahnt hatte, kam sie wieder zum Unterricht, aber sie diskutierte mit mir, anstatt einfach zu tun, was ich ihr vorschlug. Sie war rebellisch, launisch, brach in Tränen aus, während sie mich schon in der nächsten Stunde wieder bei den Händen nahm und mit mir durchs Zimmer wirbelte. Das waren Momente voller Glück und nur die wollte ich sehen. Dann erhielt ich Besuch von ihren Eltern, die sich beschwerten, dass sie zu viele Stunden nahm und darüber die Schule vernachlässigte. Ich fiel aus allen Wolken. Mir hatte sie die letzten zwei Wochen Stunden gestrichen, ihren Eltern aber die dreifache Anzahl vorgegaukelt. Mir schwante, was das bedeutete, aber ich hielt meinen Mund. Ich war der Meinung, ich sei besser als ihre Eltern in der Lage, sie vor einer Dummheit zu bewahren. Auf mich würde sie eher hören als auf die strengen Eltern mit ihren ewigen nutzlosen Verboten. Italiener sind feurig und Katharina war so süß und naiv, wenn du verstehst, was ich meine. Ich hatte Angst, dass er sie verführen würde, und bildete mir ein, ich könnte es verhindern, wenn ich nur intensiver auf sie aufpassen würde.«

»Warum hast du sie nicht einfach zur Rede gestellt?«

»Eine Affäre mit einem verheirateten Mann zu haben, war in den fünfziger Jahren gesellschaftlich untragbar. Eine Frau, die so etwas tat, wurde als Flittchen abgestempelt, man mied ihre Gegenwart, tuschelte hinter ihrem Rücken, nahm ihre Familie quasi in Sippenhaft. Allein in einen solchen Verdacht zu geraten, war bereits unehrenhaft. Ich hätte sie damit also tief verletzt. Außerdem – was sollte sie mir antworten? Bestätigte sie meinen Verdacht, stellte sie sich selbst ins Abseits und würde sich so schämen, dass sie mir nie mehr unverkrampft begegnen könnte. War meine Vorhaltung aus der Luft gegriffen, dann brüskierte ich sie erst recht, weil ich ihr Unkeuschheit zutraute, und wir würden uns nie mehr offen in die Augen sehen können. So waren die Zeiten damals. Und ich war zerrissen. Ich wusste nicht, was ich tun sollte. Ich wusste nicht einmal, ob ich die Wahrheit wissen wollte. Ich war nur beseelt von dem Wunsch, sie von einem Fehler abzuhalten.«

Clara hob ihr Glas und ließ es im Feuerschein funkeln. Wie hätte sie wohl an seiner Stelle reagiert? Ähnlich wie gestern bei Gregor wahrscheinlich. Sie hätte einen Wutanfall bekommen und sich dann verkrochen. War sie vor lauter Angst, enttäuscht zu werden, nicht mehr in der Lage, solche Gefühle zuzulassen und für die Liebe etwas zu wagen? Wie groß konnte eigentlich der Einsatz sein, den man für die Liebe zeigen sollte? Paps hatte an der Seite seiner geliebten Frau leben dürfen, aber wahrscheinlich nie das erhalten, was er verdient gehabt hätte. Lohnte sich Liebe überhaupt? Nein, nicht, wenn sie einseitig war.

»Warum hast du nicht abgewartet?«

»Ich konnte Katharina doch nicht ins Unglück laufen lassen. Ein verheirateter Italiener! Scheidung war damals bei uns verpönt, in Italien vollkommen unmöglich, eine Todsünde. Nein, nein, ich musste es verhindern. Aber die beiden waren sehr, sehr vorsichtig. Ich hatte zudem nicht unbegrenzt Zeit, obwohl ich viele Stunden an meine Aushilfen delegierte. Ich brauchte einen Beweis, einen winzigen Ansatzpunkt, den ich vorbringen konnte, um sie möglichst taktvoll zur Vernunft zu bringen. Ich war verrückt vor Sorge und, ja, ich muss gestehen, auch vor Eifersucht, obwohl ich dazu ja keinerlei Recht hatte. Wir waren nicht verlobt, ich hatte mich ihr noch nicht einmal offenbart.«

Ein neuer Hustenanfall unterbrach seine Ausführungen. Clara versuchte, ihm Erleichterung zu verschaffen, musste aber schließlich tatenlos warten, bis er sich von selbst beruhigt hatte. Ein paar Mal hielt sie ihm das Asthmaspray hin, aber er schüttelte den Kopf und hob die Hand als Zeichen, dass es gleich wieder vorbei sein würde. Sein zäher Lebenswille war bewundernswert. Dann ging es tatsächlich wieder besser und er nippte am Wein, bevor er weiterredete.

»Schließlich sah ich die beiden in *Knebel's* Eisdiele, die gerade am Leopoldsplatz neu eröffnet hatte. Sie turtelten hinten im Wintergarten und dachten wahrscheinlich, die Milchglasscheiben würden sie schützen. Aber dem war nicht so und mir wurde schlecht vor Angst, aber auch vor Zorn. Da hatte ich so lange Rücksicht genommen, weil ich dachte, ich sei zu alt für sie, und nun poussierte sie quasi öffentlich mit einem Mann, der noch fast acht Jahre älter war als ich. Am liebsten hätte ich mich mit ihm duelliert, wenn das damals noch Mode gewesen wäre. Doch wie gesagt, ich wollte auf keinen Fall Aufsehen erregen und Katharina schaden. Also zog ich mich zurück. In einer der nächsten Gesangsstunden riet ich ihr, vorsichtiger in ihrem Umgang zu sein, was sie allerdings gar nicht verstehen wollte, natürlich. Unangenehme Dinge sprach man nicht wie heute offen aus, sondern tippte sie nur mit Gesten und vagen Andeutungen an. So wollte man dem anderen die Möglichkeit lassen, sich gesichtswahrend aus der Affäre ziehen zu können. Kurz, was nicht beim Namen genannt wurde, existierte nicht.«

»Bin ich froh, dass ich nicht damals gelebt habe.«

»Ich auch.« Paps lachte leise und hielt sich sein Taschentuch vor den Mund, weil Lachen automatisch den nächsten Hustenanfall auslöste. »Du wärst damals mit deiner impulsiven Art in große Schwierigkeiten geraten. Deine Mutter hingegen begann ein sehr geschicktes Doppelleben, indem sie nun plötzlich jede Einladung, die ich aussprach, annahm. Fast war es, als würde sie mir damit beweisen wollen, dass es nichts gab, worüber ich mir Sorgen zu machen brauchte. Wären da nicht meine Zweifel gewesen, hätten wir eine glückliche Zeit miteinander verlebt. Mit Einwilligung ihrer Eltern besuchten wir die kulturellen Zerstreuungen jener Tage, so zum Beispiel die Bühnenschau des Orchesters Kurt Edelhagen, die Veranstaltung ›Triumph der guten

Laune‹ mit Bully Buhlan und Helmut Zacharias im Theater, wir nahmen sogar mit anderen Baden-Badenern an dem Protest gegen die Einverleibung unserer Stadt durch den Landkreis Rastatt teil. Wir sahen uns im Kino ›Zwölf Uhr mittags‹ an, begrüßten Pinkas Braun als neuen Schauspieler am Stadttheater, bestaunten das erste Parkhaus der Stadt am Stadtbahnhof – ach ja ... Manchmal bildete ich mir ein, sie begleitete mich, weil sie für mich dasselbe empfand wie ich für sie. Aber schon wenn ich ihr im Kino den Arm um die Schulter legen wollte, rückte sie von mir ab, und wenn sich unsere Hände zufällig berührten, zuckte sie zusammen. Das waren die Momente, in denen mir klar wurde, dass ich für sie nur den Anstandswauwau abgab, das perfekte Alibi. Sie ließ sich auch nicht mehr bis nach Hause begleiten und ich ahnte, dass sie, sobald wir uns an der Straßenecke verabschiedet hatten, in die Arme des Italieners eilen würde.«

»Warum hast du das mitgemacht?«

»Weil ich sie geliebt habe, ganz einfach. Im Nachhinein war klar, dass ich einen Fehler gemacht habe. Vielleicht hätte ich, wäre ich energischer gewesen, die Katastrophe verhindern können ...«

Paps schwieg eine Weile, dann fuhr er fort: »Der Tag der Katastrophe hätte nicht schöner sein können. Für Oktober war es ungewöhnlich warm und alle hatten, vielleicht ein letztes Mal in diesem Jahr, lächelnd ihre Sommerkleidung herausgeholt. An den Hängen rund um die Stadt hatten sich die Bäume einen gelben Blättermantel übergeworfen, der in der Sonne wie pures Gold leuchtete. Dazu ein tiefblauer Himmel, rote Hausdächer, dunkelgrüne Tannen – alles an dem prächtigen Farbenspiel war schön, jedoch unpassend für das, was dann geschah.

Es war Mittwoch und ich hatte nachmittags ein paar freie Stunden, die ich für einen Besuch im Café *König* nutzte, froh darüber, dass es warm genug war, den kleinen Schwarzen im Freien zu trinken. Die junge Linde spendete genügend Schatten, ich hatte einen freien Platz unterhalb der großen Fensterfront eingenommen und versuchte, auf den Eisenstühlen eine bequeme Position zu finden, da eilte Agostini an mir vorbei ins Café. Er trug einen großen Briefumschlag, so dick wie ein Päckchen, unter dem Arm. Ich versteckte mich hinter meiner Zeitung, und tatsächlich, wenig später folgte Katharina.«

Paps hielt sein Glas hoch und blinzelte. Es dauerte eine Weile, bis Clara bemerkte, dass er nicht mit dem Farbspiel des Weins beschäftigt war, sondern versuchte, seine verdächtig glänzenden Augen am Überlaufen zu hindern. Sanft kuschelte sie sich an ihn und streichelte seine hohle stoppelige Wange, was ein kaum hörbares schabendes Geräusch verursachte.

Er drehte den Kopf weg und machte sich lang, um das Plattenregal zu erreichen. Offenbar fand er nicht, was er suchte, und so ließ er sich mit einem leisen Schmerzenslaut in den Sessel zurückgleiten.

»Siehst du irgendwo die Aufnahmen von René Carol?«

Clara musste sich zusammennehmen, um nicht laut zu stöhnen. Sie wollte endlich wissen, was passiert war und hatte keine Lust, sich von den Hits des Jahres 1953 berieseln zu lassen. René Carol war allerdings immer noch besser als »*Bella Bimba*« von Bibi Johns oder Peter Alexanders »Die süßesten Früchte«. Auch diese Schlager hörte ihr Vater oft und gern, was für sie schon früher zum Davonlaufen gewesen war.

Als die ersten Töne von »Rote Rosen, rote Lippen, roter Wein« erklangen, dirigierte Paps selig mit.

»Katharina hat das Lied geliebt. Sie sang, summte und pfiff es in jenem Sommer so oft, dass ich sie aufzog, weil sie wie eine Schallplatte klang, die einen Sprung hatte«, sagte er leise und lächelte verloren.

Hoffentlich wollte er jetzt nicht das ganze Repertoire jener Jahre durchgehen. Doch als der Arm des antiquierten

Plattenspielers sich hob und in die Ausgangsposition zurückfuhr, sammelte er sich kurz und sank in seinem Sessel zusammen.

»Du wolltest erzählen, was geschehen ist.«

»Ich konnte die beiden weder hören noch sehen, aber vielleicht zwanzig Minuten später stürzte Katharina verstört an mir vorbei. Sie hielt den Umschlag an die Brust gepresst, den ich vorher bei Agostini gesehen hatte, und rannte über die Straße, ohne nach links oder rechts zu sehen. Ich sprang hoch, aber ich musste noch zahlen, und als ich ihr schließlich folgen wollte, war sie bereits verschwunden. Ich machte mir Sorgen um sie und nahm mir vor, sie am Abend mit einer Kinoeinladung zu überraschen. Im Metropol wurde seit einer Woche ›Moulin Rouge‹ mit Zsa Zsa Gabor gegeben, ein Farbfilm, eine kleine Sensation damals.«

Ächzend erhob er sich und drückte seinen Rücken durch, dann umklammerte er seine Krücken und machte sich mit kleinen, unsicher schlurfenden Schritten auf den Weg ins Gästebad. Er brauchte eine Zeitlang, bis er die Türschwelle seitwärts überwunden hatte, und Clara war versucht, ihm zu helfen, aber sie wusste ja, dass er so selbständig wie möglich sein und bleiben wollte. Wie ein kleines Kind war er stolz auf die Dinge, die er noch selbst erledigen konnte. Der Gang zur Toilette gehörte dazu.

Nach einer halben Ewigkeit war er zurück und ließ sich in den Sessel fallen.

»Es ist gleich Mitternacht, und du siehst schrecklich müde aus.«

Er schüttelte den Kopf. »Ich könnte nicht schlafen. Lass mich nur einen kleinen Moment ausruhen.« Ein neuer Hustenanfall schüttelte ihn und er griff sich an die Brust. »Bitte, hol das Nitro-Pflaster, es liegt auf dem Nachttisch.«

In Alarmstimmung tat Clara wie geheißen. Eigentlich musste er in der Nacht eine Einnahmepause einlegen, damit sich der Körper nicht an den Wirkstoff gewöhnte. Aber heute sollte das egal sein, Hauptsache, es tat ihm gut. Ganz vorsichtig drückte sie ihm das Pflaster auf die eingefallene Brust, auf der sich jeder Knochen abzeichnete, und er legte währenddessen seine Hand auf ihren Kopf, schloss die Augen und atmete schon wenig später tief und ruhig ein und aus. Geistesabwesend strich er ihr dabei über die Haare, während er weiterredete.

»Ich kehrte in die Musikschule zurück, war aber nicht richtig bei der Sache. Immer wieder ging ich zum Fenster und spähte hinaus. Ich spürte regelrecht, wie das Unheil näher kam. Der dritte Schüler des Nachmittags berichtete aufgeregt von einem Verkehrsunfall, von dem er gehört hatte, und mir wurde es ganz schlecht vor Angst. Natürlich redete ich mir ein, Katharina würde schon nichts passiert sein, aber alles in mir drängte mich nachzusehen, mich zu überzeugen, dass alles in Ordnung war. Telefone waren damals nicht verbreitet, den nächsten Apparat gab es an der Ecke beim Apotheker. Während der nächsten Klavierstunde hielt eine Vespa unter dem Fenster, eine junge Frau in Schwesterntracht sprang ab und winkte aufgeregt zu meinem Fenster empor. Ich erkannte Bärbel, eine meiner Gesangschülerinnen, die im städtischen Krankenhaus arbeitete. Ich weiß nicht, wie ich die Treppe herunterkam, ich wusste gar nichts mehr, nur, dass mich meine Ahnungen nicht getrogen hatten. Es war etwas mit Katharina passiert.«

»Der Verkehrsunfall!«

»Richtig. In der Klinik wollte man mich nicht zu ihr lassen, und so gab ich mich als ihr Verlobter aus. Ein Arzt erklärte mir, dass sie direkt vor ein Auto gelaufen sei. Zum Glück seien ihre Verletzungen nicht lebensbedrohlich, sagte er, dann musterte er mich scharf und flüsterte, auch *sonst* sei alles in Ordnung. Ich konnte nicht lange darüber nachdenken, was er damit gemeint haben könnte, denn er berichtete, dass sie sehr unruhig sei. Sie sei nicht ganz bei Bewusstsein, rufe aber immer wieder, sie müsse unbedingt auf den Merkurturm. Ich möge sie doch beruhigen. Als ich endlich zu ihr durfte, war sie gerade eingeschlafen, und ich brachte es nicht übers Herz, sie zu wecken. Schwester Bärbel gab mir einen zusammengefalteten Brief, den Katharina bei ihrer Einlieferung umklammert gehabt hatte, ebenso den dicken Umschlag, der den Unfall relativ unbeschadet überstanden hatte, nur etwas eingerissen war er. Ich sah hinein und entdeckte ein handschriftliches Manuskript, blätterte es kurz durch, konnte es aber nicht entziffern, außer dass es ›Carlotta‹, also meiner Katharina Charlotte, gewidmet war. Ich schob die Papiere zurück und bat Bärbel, sie gut zu verwahren, bis es Katharina wieder besserging. Man dürfe ihr auf keinen Fall verraten, dass ich den Umschlag zu Gesicht bekommen hätte. Bärbel blinzelte mir zu wie eine Verschwörerin und ich wusste, ich konnte mich auf sie verlassen.« Er seufzte kurz. »Wenig später ist sie sowieso weggezogen. Wir haben nie mehr von ihr gehört. Den Brief, den Katharina so fest umklammert hatte, nahm ich allerdings an mich, denn auch er trug Agostinis Handschrift, und für mich stand intuitiv fest, dass niemand Fremdes ihn zu Gesicht bekommen sollte. Nun, von Rechts wegen war er auch für meine Augen nicht bestimmt gewesen und ich kämpfte lange mit mir, ob ich ihn wirklich lesen sollte. Es war nicht recht, Bella, und ich schäme mich auch dafür. Vielleicht wäre alles anders gekommen, wenn ich ihn ungelesen vernichtet hätte. Aber dann überwog der Drang, wissen zu wollen, was der Schuft meiner Katharina angetan hatte.«

Paps wurde noch ein Stück kleiner in seiner Strickjacke, trank einen Schluck Wein und lehnte sich an Clara.

»Es quält mich bis heute, dass ich den Brief gelesen habe. Er müsse am nächsten Tag zurück in die Heimat fahren, schrieb Agostini darin. Es sei ja bekannt, dass er verheiratet sei, er habe jedoch verschwiegen, dass er auch eine kleine Tochter habe, von der er sich niemals trennen würde. Es sei eine zauberhafte Zeit in Baden-Baden gewesen, die er niemals vergessen werde. Sein Herz werde immer in dieser Stadt bleiben und der Merkurturm werde das Symbol seiner großen Liebe sein und bleiben. Die Lichter, die die Turmsilhouette jeden Abend anstrahlten, seien wie ein Leuchtfeuer seiner ewigen Verbundenheit. Und so weiter.«

Er stöhnte leise und als er fortfuhr, legte er seine Stirn in Falten.

»Zuerst wollte ich den Brief wegwerfen, so wütend war ich. Das war doch keine Art, Katharina derartig schmalzig abzuservieren, dachte ich. Nicht einmal eine persönliche Anrede hatte Agostini gewählt. Das hatte sie nicht verdient. Später habe ich ihn noch einmal gelesen und mir wurde klar, dass Katharina ihn auf dem Merkurberg treffen wollte. Ich versuchte, ihn in seiner Pension zu erreichen, um ihn über den Unfall zu informieren, aber er war ausgegangen. Ich ließ den Brief auf sein Zimmer bringen, denn ich wollte ihn auf keinen Fall behalten, ihn aber auch nicht eigenmächtig vernichten oder womöglich zulassen, dass er in die Hände von Katharinas Eltern fiel. Dann machte ich mich auf den Weg zum Berg.«

Clara unterbrach ihn verwirrt. »Warum?«

»Ach Kind, du Armes, du weißt nicht allzu viel von Liebe, nicht wahr? Alles in mir brannte. Ich wollte ihn zur Rechenschaft ziehen, ihn verprügeln, ihm die Meinung sagen, ihn zum Hierbleiben bewegen, ihn zwingen, Katharina glücklich zu machen.«

»Ich verstehe dich immer noch nicht.«

»Ich wollte, dass der Mensch, der mir am meisten auf der Welt bedeutete, nicht mehr verzweifelt war. Liebe heißt doch nicht, dass man alles gegeneinander aufwiegt. Ich habe nie Bedingungen an meine Liebe zu Katharina geknüpft. Warum auch? Das kann doch nicht der Sinn von Liebe sein. Es ist natürlich schön, wenn die eigenen Gefühle erwidert werden, aber man kann nichts erzwingen. Man kann nur dafür sorgen, dass es demjenigen gutgeht, für den man so viel empfindet. Siehst du das nicht so?«

Clara wusste nicht, was sie sagen sollte. Nie hatte jemand je so selbstlos für sie empfunden, und auch sie selbst hatte eigentlich immer gleichermaßen geben und nehmen wollen. Ihre Mutter hatte ihrem Vater die kalte Schulter gezeigt und trotzdem war er bei ihr geblieben, sechsundfünfzig Jahre lang. Aber Paps war eben etwas ganz Besonderes und sie hatte einen solchen Menschen sonst nirgendwo getroffen.

Und was war mit Gregor?, fragte eine kleine Stimme ganz tief in ihr. Hatte er nicht ganz ähnlich wie Paps reagiert, als sie ihn wegschickte?

»Gregor, mein Gott«, entfuhr es ihr.

Paps verstand es falsch und strich ihr sanft über den Kopf. »Er ist ein guter Junge, Bella. Es wird alles gut.«

»Ich glaube, ich habe es ziemlich vermurkst.«

»Geh zu ihm und er wird dich mit offenen Armen empfangen. Ich jedenfalls würde es tun. Du bist ein ganz außergewöhnlicher, liebenswerter Mensch, vergiss das nie. Nun ja, an deinem Temperament könntest du allerdings noch ein wenig arbeiten.«

Es war wie früher, ein paar Worte nur, und schon hatte Paps sie auf andere Gedanken gebracht. Doch dann ging ihr auf, was er gesagt hatte, bevor sie ihn unterbrochen hatte. Er war auf den Merkur gegangen? Wütend, verzweifelt und eifersüchtig? War also er die Person gewesen, die der Zeuge mit Agostini kurz vor dessen Fall hatte ringen sehen? Hatte er … hatte ihr eigener Vater ihn gestoßen?

Siebenunddreißig

Wollte sie das wirklich wissen? War es nicht besser, er würde schweigen, wie er es sechsundfünfzig Jahre lang getan hatte? Würgendes Husten holte sie in die Gegenwart zurück.

»Mehr musst du mir nicht erzählen, Paps. Ich habe schon vor ein paar Tagen einiges über Agostinis Tod erfahren.«

»Was genau?«

»Dass ein Zeuge euch gesehen hat und dass man zunächst, nun ja, einen gewissen Verdacht hatte ...«

»Bella! Du glaubst doch nicht im Ernst, dass ich etwas mit seinem Tod zu tun gehabt hätte!«

Noch nie hatte Clara ihren Vater so laut erlebt.

»Ich habe mit jemandem von der Polizei geredet.«

»Polizei ...?« Er rang nach Luft. »Du meinst, die Polizei hatte mich unter Verdacht? Gib mir noch einen Schluck, bitte.«

»Es gab einen Zeugen, der zwei Personen auf dem Turm gesehen hat, sogar ein Gerangel hatte er bemerkt, und wenig später war Agostini tot. Doch dann wurde ein Abschiedsbrief entdeckt und man schloss den Fall als Selbstmord ab. Und nun sagst du, der Brief sei für Mutter bestimmt gewesen, er war also gar kein ... Aber dann ...« Erschrocken hörte sie auf.

Er hob die Hand. »Zieh bitte keine falschen Schlüsse. Hör bis zum Ende zu. Ja, ich habe ihn oben auf dem Turm getroffen. Es dämmerte und wir waren allein. Ich sagte ihm, was geschehen war, was ich davon hielt, und klärte ihn über Katharinas Zustand auf. Er war ehrlich verzweifelt, als er erfuhr, was er angerichtet hatte, aber er konnte und wollte sich nicht von Frau und Kind in Italien trennen. Andererseits war ihm bewusst, dass Katharina die gesellschaftliche Ächtung erwartete. Es war eine Schande ...«

»Das stimmt nicht. Sie hatten es doch geschickt geheim gehalten. Sie wurde sogar eine angesehene Rosenzüchterin und niemand redete je schlecht oder verächtlich über sie.«

Paps seufzte tief. »Ach, mach es mir doch nicht so schwer. Lass mich dir bitte erst erklären, wie er starb.«

»Ist doch unwichtig. Er ist tot. *Basta.*«

»Nein, nein, du musst es wissen.«

Clara sah ihren Vater erstaunt an. So kannte sie ihn gar nicht. Er war sonst so sanftmütig und nun schlug er mit der Hand auf die Sessellehne, um seinen Worten Nachdruck zu verleihen. Besser, sie ließ ihn ausreden, ehe er sich noch mehr aufregte.

»Ich bat ihn, sich wenigstens finanziell um Katharina zu kümmern, da brach er regelrecht zusammen. Er beichtete mir, dass er fast alles, was er mit Schreiben verdient hatte, in das marode Weingut seiner Familie gesteckt und den Rest im Sommer in der Spielbank verloren hatte.«

»Warum sollte er Mutter unterstützen? Ich versteh überhaupt nichts mehr.«

Paps machte sich umständlich an der Wolldecke zu schaffen, die ihm von den Knien zu rutschen drohte. Dann bat er sie um einen alten Lebkuchen, den er andächtig mümmelte, als sei er froh, Zeit schinden zu können. Clara blieb nichts übrig als abzuwarten, dabei ging es schon auf ein Uhr zu und sie war hundemüde. Aber es würde zwecklos sein, ihn jetzt zum Schlafengehen zu überreden. Er würde seine Geschichte zu Ende erzählen. So war er eben. Und etwas Wein musste sie ihm auch nachschenken.

Selbst dann druckste er noch eine Weile herum, ehe er fortfuhr: »Du weißt, wie Italiener sind. Er schilderte mir seine Situation mit Händen und Füßen. Vielleicht hat der Zeuge das als Rangelei interpretiert. Wir haben uns nicht geschlagen, glaub mir. Ich habe ihn nicht angerührt. Wir einigten uns darauf, dass er Katharina vor seiner Abreise im Krankenhaus besuchen sollte. Er sollte mit ihr noch einmal reden, darauf bestand ich. Er durfte nicht einfach verschwinden und sie sitzenlassen. Er versprach es mir und bat mich, ihn allein zu lassen. Es wurde schon dunkel und so verließ ich ihn, begab mich nach Hause. Erst am nächsten Tag erfuhr ich, dass er vom Turm gestürzt war.«

»Unfall oder Selbstmord?«

»Ich fürchte, wir werden es nie erfahren, und vielleicht ist es besser so.«

Seine Hand lag wieder auf ihren Haaren. Sie versuchte sich vorzustellen, wie ihre Mutter am nächsten Tag vom Tod ihres heimlichen Geliebten erfahren hatte. Hatte sie das so sehr mitgenommen, dass sie ab diesem Zeitpunkt hartherzig und kalt geworden war? Kaum vorstellbar. Nein, da war mehr, wenn man ihren Vater betrachtete, wie er an der Wolldecke zupfte, dann an der Jacke, dann wieder seufzte und sein Glas leerte. Dann trommelten seine Finger auf seinen Knien, schneller als gewöhnlich, sie wirbelten wie Turbulenzen von Rachmaninow und sprangen in Kadenzen über den flauschigen Stoff der Decke.

»Hast du sie über dein Gespräch mit Agostini informiert?«

»Um Gottes willen, nein! Sie hat nie erfahren, dass ich alles wusste.«

»Wie bitte? Ihr habt nie über ihn gesprochen?«

»Nie.«

»Aber ...«

»Was sollte ich denn tun, Kind? Sie hätte sich schrecklich geschämt und hätte meinen Antrag niemals angenommen. Sie hätte sich doch immer vorgestellt, ich hätte sie nur aus Mitleid geheiratet und um ihr die Schande zu ersparen. Nein, nein, kein Sterbenswort habe ich ihr gesagt.«

Schande! Da war dieser Begriff wieder, der so gar nicht in die Situation passte. Niemand hatte von dem Verhältnis gewusst, warum also dieses Wort? Schande – merkwürdig. Eigentlich benutzte man den Ausdruck damals doch eher, wenn ...

Clara blieben die Gedanken stehen. Um Gottes willen, was reimte sie sich da zusammen, das konnte nicht sein!

»Wann habt ihr geheiratet?«, fragte sie schnell und hatte das Gefühl, keine Luft mehr zu bekommen.

Der Glutofen in ihrer Brust lief wieder über. Es war viel zu warm hier, Paps mit seinem Asthma musste doch auch an der stickigen Luft leiden. Warum hatte sie nicht längst ein Fenster geöffnet?

Paps klopfte ihr auf die Schulter. »Sie hat meinen Antrag noch im Krankenhaus angenommen und vier Wochen später standen wir vor dem Traualtar.« Er machte eine Pause, dann hob er seine Hand. »Rechnest du nach? Richtig: Fünf Monate später wurdest du geboren und zwar keinen Tag zu früh.«

Da war sie also, die Wahrheit.

Clara zwinkerte, weil sie nicht mehr richtig sehen konnte. Genauso wenig wie hören, atmen, denken. Die Welt drehte sich, dann blieb sie stehen und sah aus wie immer, aber sie war nicht mehr die Gleiche. Alles hatte sich verändert.

Paps hatte seine Hand immer noch auf ihrer Schulter und klopfte sie verständnisvoll, aber es war nicht mehr die Hand ihres Vaters. Sie saß nicht mehr im Haus ihres Vaters, sie lehnte sich nicht mehr an den Sessel ihres Vaters. Es war nicht mehr ihr Vater, um den sie sich Sorgen machte, und sie war nicht mehr seine Tochter.

Nein, nein, nein. Sie hatte sich verhört. Er hatte ihr etwas ganz anderes mitteilen wollen. Sie musste sich verhört haben. Doch er redete weiter und weiter, auch wenn sie seinen Worten gar nicht mehr folgen wollte.

»Du wirst immer meine Tochter bleiben, Bella. Du warst es von dem Augenblick im Krankenhaus an, in dem der Arzt diese Andeutung machte und ich ihn sofort verstand. Nein, das stimmt nicht ganz. Du warst es seit dem Tag, an dem Katharina einwilligte, mich zu heiraten. Ja, seitdem erwartete ich eine Tochter und ich habe mich auf dich gefreut, wie es jeder Vater tut. Als ich dich zum ersten Mal sah, war ich dir verfallen. Ich hätte dich nie mehr hergegeben. Ich habe nicht eine einzige Sekunde daran gedacht, dass ich nicht dein leiblicher Vater war, denn vom ersten Schrei an hatten wir beide ein festes Band geknüpft, nicht wahr?«

Seine Hand klopfte und streichelte sie, aber Clara konnte sich nicht rühren, sondern nur jedes Wort hin- und herdrehen und entscheiden, ob es in die Schublade »fremder Mann« oder »Paps« gehörte. Sie wusste es nicht und so türmten sich die Worte in ihrem Kopf, bis sie hinter ihren Schläfen und hinter ihren Augen und unter der Schädeldecke pochten, bohrten, hämmerten. Es war kein Wort mehr richtig zu verstehen, alles hatte sich zu einem Knäuel von Stacheldraht zusammengezogen, das sich in ihrem Kopf ausdehnte, längst vergessene Wunden aufkratzte und neue eingrub.

Paps als Vater zu verlieren war ungleich schmerzhafter als alles, was sie je erlebt hatte, denn es bedeutete, dass ihr ganzes Leben falsch programmiert gewesen war. Warum hatte ihr niemand auch nur die kleinste Andeutung gemacht? Stattdessen hatten beide, Mutter und dieser Mann hier, zugelassen, dass sie sich fremd, einsam und unverstanden fühlte. Sie hatten den Schlüssel für alle Erklärungen in der Hand gehabt und ihn nicht benutzt, sondern die Tür zu Glück und Verstehen verschlossen gehalten.

Sie war die Tochter eines berühmten Schriftstellers, eines Italieners! Daher also kamen diese schrecklichen Haare, der Jähzorn, vor dem sie sich selbst so oft fürchtete, und ihre Liebe zum Schreiben, die vor allem die Mutter strikt unterdrückt hatte. Und ach, Italien. Jetzt begriff sie endlich, warum sie sich so sehr nach diesem Land sehnte. Warum hatte sie sich nur niemals über die Schranken hinweggesetzt, die ihre Mutter in ihrer Kindheit gezogen hatte? Bei Gott, sie hätte längst hinreisen sollen. Es war ihr Vaterland! Und ihre Eltern hatten ihr den Zutritt verwehrt, ach, im Grunde hatten sie sie aus der Realität ausgesperrt. Noch einmal spürte Clara tiefer Trauer nach, die sie überschwemmte, dann kam der Zorn.

»Kannst du dir vorstellen, wie es ist, wenn man sich als Kind wie in einer fremden Familie fühlt und nicht weiß, dass dieses Gefühl im Grunde richtig ist? Alles, was ich dachte und wollte, war falsch. Ich sollte nicht schreiben, durfte nie nach Italien, musste meine Haare bändigen und mein Gemüt sowieso. An allem wurde herumgenörgelt und ich dachte immer, es läge an mir. Dabei hatte es mit mir persönlich gar nichts zu tun, sondern nur mit meiner Abstammung. Mutter hatte immer ihren Fehltritt in mir gesehen, nur deshalb war sie so unbarmherzig. Mein Gott, ich konnte doch nichts dafür, ich war bloß ein Kind!«

Paps murmelte etwas, das sie nicht verstand, und sie versuchte auch gar nicht hinzuhören, denn dieser Mann war nicht ihr Vater. Dieser Mann hatte ihre Mutter nur geheiratet, um ihr eine Schande zu ersparen, und er hatte sie als Beiwerk dazugenommen. Gut, er hatte sich stets bemüht, die Strenge der Mutter abzumildern, aber das war es nicht, was ein Vater tun sollte. Ein Vater sollte seinem Kind die Wahrheit sagen, es ohne Lüge aufziehen, ihm alle Chancen geben und alle Talente erkennen und fördern und es nicht von einer vereisten Mutter unterdrücken lassen.

Wie viele Kämpfe, Strafen, Ausbrüche und verzweifelte Stunden hätte wenigstens er ihr ersparen können! Im Nachhinein war es leicht zu sagen, er habe sie geliebt. Hatte er es ihr gezeigt? Hatte er für sie gekämpft? Ihr ihren wahren Platz im Leben gezeigt? Nein. Er hatte zugelassen, dass ein kleines Mädchen in einem kalten Haus ohne Lachen aufwuchs. Er hatte seine Frau bis zum Schluss nicht gehindert, sich über sie und ihre Leidenschaft zum Schreiben lustig zu machen.

Und warum?

»Warum!?«, schrie sie.

Rasselnd holte er Luft, um zu antworten, aber dann hustete er nur. Was wollte er? Mitleid? Das ging nicht. Sie tat sich selber leid, da war kein Platz mehr für ihn. Im Augenblick jedenfalls nicht.

»Bella«, stieß er heiser hervor. »Du bist meine Tochter, vergiss das nie. Erinnere dich an unsere gemeinsame Zeit, vor allem hier in diesem Raum. Ich habe alles getan, was in meiner Macht stand, um die Verzweiflung deiner Mutter bei deinem Anblick auszugleichen. Sie konnte sich selbst nicht verzeihen, das war das Schlimme. Es hat sie schier zerrissen.

Heutzutage wäre unser Versteckspiel unmöglich, aber damals gab es für sie keinen Ausweg, als den Schein zu wahren. Natürlich muss ihr klar gewesen sein, dass ich rechnen konnte und sehr wohl wusste, dass du keine Frühgeburt warst. Es war, als würde die Wahrheit nicht ans Licht kommen, wenn man sie nur nicht aussprach. Also spielten wir unser Spiel und hielten damit unsere Ehe in der Balance. Versuche bitte, ihr zu verzeihen. Jetzt, wo du ihre ganze Geschichte kennst, wird es dir vielleicht möglich sein.«

Clara schüttelte den Kopf. »Ich kann nicht!«, presste sie hervor.

Er legte seine Hände übereinander wie nach getaner Arbeit, ruhig, endgültig, und sah sie flehend an. »Ich habe oft überlegt, ob ich dir eine Andeutung machen sollte, vielleicht gerade nur so viel, dass du es selbst herausfindest. Ich konnte es dir nicht selbst sagen, sonst hätte ich deiner Mutter die Illusion des schönen Scheins geraubt. Nicht nur du hast unter der Situation gelitten, Bella, auch deine Mutter und ich haben mit einer Lüge gelebt beziehungsweise mit der Last des Unausgesprochenen. Anfangs hoffte ich, sie würde sich mir offenbaren, aber sie hat es nicht geschafft. Später, als du auf der Welt warst, war es unmöglich, das Rad zurückzudrehen.«

»Was wäre denn geschehen, wenn du ihr noch im Krankenhaus gesagt hättest, dass du Bescheid weißt und sie trotzdem liebst und heiraten möchtest?«

»Sie hätte mir nicht geglaubt, sondern gedacht, ich würde es aus Mitleid tun. Sie hätte der Heirat nicht zugestimmt.«

»Und später?«

»Habe ich es nicht übers Herz gebracht, ihr ins Gesicht zu sagen, dass ich weiß, dass sie – hm, nun ja, mit der Unwahrheit lebt. So etwas kann man einem Menschen nicht antun, den man liebt. Es war doch so, dass unsere Ehe außerordentlich zerbrechlich war. Vielleicht hat Katharina sogar geahnt, dass ich etwas vermutete, jedenfalls hat sie mich oft von der Seite angesehen, wenn ich dir hier meine Bildbände zeigte oder italienische Opern vorspielte. Ich wollte damit deine Wurzeln erhalten, gleichzeitig musste ich aber aufpassen, dass ich deine Mutter nicht zu sehr plagte.«

»Deshalb unsere heimlichen Stunden hier?«

»So ist es. Ich gestehe, dass ich fürchtete, auch nur das kleinste Ungleichgewicht könnte unsere Ehe zerstören. Es war schon sehr gewagt, als ich mich mit meinem Wunschnamen für dich durchsetzte. Katharina wollte dich Inge nennen.«

»Ich hatte von klein auf das Gefühl, dass etwas nicht stimmte. Sie hat mich nie bei meinem Namen genannt, nur ›Kind‹ und ›Mädchen‹.«

»Ja, das hat mir auch sehr wehgetan. Es war nicht gegen dich persönlich gerichtet, glaube mir. Ich vermute, sie hat es getan, um sich und mich für die Namenswahl zu bestrafen.«

»Aber so eine Ehe ist doch nicht glücklich, wenn man sich gegenseitig austrickst und bestraft.«

»Für mich hat jeder Tag aufs Neue die Hoffnung gebracht, dass sie ihren inneren Zorn aufgibt. Ich dachte, ich hätte genügend Liebe für zwei in mir und irgendwann würde sie es spüren und nachgeben können. Dass sie das Vergangene einfach zurücklassen und die Gegenwart annehmen könnte, das habe ich ihr so sehr gewünscht.«

»Aber sie hat dich nicht gut behandelt.«

»Oh, sicher habe ich daran auch selbst Schuld. Vielleicht war ich zu gutmütig und nachgiebig und das schafft natürlich die Voraussetzung für Ungleichgewicht. Ich hätte mich dagegenstellen sollen und Respekt einfordern, aber ich hatte Angst, sie würde mich dann verlassen. Sie konnte nicht aus ihrer Haut und sie tat mir sehr leid deswegen. Sie war tief, tief verletzt. Wusstest du eigentlich, dass deine Großeltern hier in der Stadt wohnten? Drüben am Fremersberg? Sie haben sie verstoßen. Nein, uns. Ich vermute, der Arzt im Krankenhaus hat auch ihnen vom Zustand ihrer Tochter berichtet und sie haben die falschen Schlüsse gezogen, die ich nie richtigstellen konnte. Mich, den Lehrer, der ihrer Überzeugung nach mit ihrer minderjährigen Tochter Unzucht getrieben hatte, hätten sie am liebsten angezeigt, aber dann wäre die Schande an die Öffentlichkeit gekommen. So haben sie der Heirat zwar zugestimmt, uns aber nie mehr sehen wollen.«

»Mich auch nicht?«

»Nein. Sie haben auch zu Lebzeiten fast alle Besitztümer verschenkt, damit Katharina nichts erbte.«

»Das ist ja schrecklich.«

Er trank sein Glas aus, ließ sich nachschenken und schwenkte den Wein nachdenklich, bevor er weitersprach.

»Schrecklich, ja, so kannst du das nennen. Sie zog sich ganz tief in sich zurück, um dem Schrecken irgendwie auszuweichen, und ich dachte, ich dürfte nichts anderes tun als vor dem Schneckenhaus zu sitzen und sie ganz langsam mit viel Liebe herauszulocken. Es ist mir leider nicht gelungen. Nun, vielleicht kannst du nachvollziehen, warum ich auch dir nie die Wahrheit gesagt habe. Bei deinem Temperament wärst du sofort auf deine Mutter losgegangen. Das wollte ich auf keinen Fall. Ich musste sie beschützen, das hatte ich mir geschworen. Es hätte auch dein Verhältnis zu deiner Mutter nicht verändert, Bella. Es hätte dich nicht glücklicher gemacht, deine Mutter jedoch in noch tiefere Verzweiflung gestürzt. Ich habe dir gegenüber immer ein schlechtes Gewissen gehabt und ich hätte dir die heutige Situation gern erspart, nicht nur, um dich vor Kummer zu bewahren, sondern auch ...« Seine Stimme wurde leise. »... aus Eigennutz. Ich, nun ja ... ich, ich wäre schrecklich gern bis zum letzten Tag dein Vater geblieben.«

Das Feuer fiel in sich zusammen und Clara bückte sich, um das letzte Holzscheit nachzulegen. Jede Bewegung schmerzte wie bei einer alten Frau und sie fror, obwohl der Raum überheizt war.

Sie blieb mit dem Rücken zum Kamin stehen, und je länger sie ihren Vater betrachtete, umso wärmer wurde ihr. Dieser kleine Mann in seiner ollen Krümeljacke, dem die Kassenbrille wieder einmal von der großen Nase zu rutschen drohte, der den Kopf eingezogen hatte, als warte er darauf, ausgeschimpft zu werden, der sie getröstet hatte, wenn ihre Mutter sie ungerecht behandelt hatte, dem sie ihre heimlichen Schreibversuche vorgelesen hatte, mit dem zusammen sie von Italien geträumt hatte – dieser Mann würde doch immer ihr Vater bleiben. Daran konnte ihre genetische Abstammung nichts ändern. Sie hatten, wie er selbst gesagt hatte, ein festes, inniges Band geknüpft, das nichts und niemand trennen konnte. Ihm vertraute sie und ihn bewunderte sie für seinen Mut, ihr nun, nachdem seine über alles geliebte Frau gestorben war, endlich die Wahrheit zu gestehen. Erst mit dem Tod hatte seine Loyalität geendet. Was für eine Liebe.

Langsam löste sie sich von der warmen Wand im Rücken und ging zu ihm, setzte sich wieder neben ihn und drückte ihm einen dicken Kuss auf die stachelige Wange.

»Danke, Paps. Jetzt weiß ich endlich, dass es gar nicht meine Schuld war, es nie gewesen ist. Ich bin vollkommen in

Ordnung, ich bin gar nicht missraten. Mutter hat sich doch nur selbst bestraft, wenn sie so eklig zu mir war. Irgendwie tut sie mir jetzt noch mehr leid als vorher.«

Paps seufzte erleichtert, legte seine Hand wieder auf ihren Kopf und alles fühlte sich gut an.

Breit lächelnd beugte er sich vor und griff nach seinem Glas, doch durch eine ungeschickte Bewegung fiel es um. Der Rotwein ergoss sich über das Schachspiel und Clara sprang auf, um etwas zum Aufwischen zu holen, obwohl Paps »Macht doch nichts« stammelte.

In der Küche griff sie nach dem Nächstbesten, einem Geschirrtuch, als sie im Kaminzimmer einen dumpfen Schlag hörte. Panisch rannte sie los, aber sie kam zu spät: Paps lag vor seinem Sessel auf dem Teppich und regte sich nicht mehr.

Achtunddreißig

Wie in Trance nahm Clara die Sanitäter wahr, die sich um ihren Vater bemühten, folgte dem Blaulicht so schnell, wie es mit ihrem klapprigen Auto nur eben ging, verlor an einer roten Ampel wertvolle Zeit und erreichte die Klinik, als der Krankenwagen schon leer und die Tür zur Notambulanz geschlossen war. Verzweifelt hämmerte sie gegen die Glasscheibe, bis die Sanitäter mit der leeren Trage erschienen und sie mit mitleidigen Blicken hineinschlüpfen ließen.

Man ließ sie anstandslos zu ihrem Vater, der in einem gefliesten Saal mit nacktem Oberkörper auf einem Behandlungstisch aus Edelstahl lag. Die Saugnäpfe für das EKG klebten wie hässliche Geschwüre auf seiner mageren Brust. Er hatte eine Gänsehaut und blickte, ohne zu zwinkern, direkt in das gleißend helle Licht der Operationslampe über sich. Niemand sonst war im Raum, aber nebenan war jemand zu hören.

Mit einem »Hallo?« machte sich Clara bemerkbar, ein Stuhl rollte an die offene Tür und eine junge Frau im Arztkittel sah fragend ums Eck.

»Ja?«

»Was ist mit meinem Vater?«

»Ich suche gerade nach einem freien Bett. Heute ist hier die Hölle los.«

Clara streichelte die raue Wange und lauschte dem rasselnden Atem.

»Ihm ist kalt. Haben Sie eine Decke für ihn?«

»Später.«

Clara wollte ihn nicht so liegen lassen, aber sie traute sich auch nicht, Ärger zu machen. Vielleicht war das normal. Wahrscheinlich versorgte ihn gleich jemand, gab ihm zu trinken und verabreichte ihm endlich die lebensrettenden

Medikamente. Sie beugte sich über ihn und hörte nicht auf, sein schmales Greisengesicht zu streicheln.

»Du warst immer mein Vater und wirst es immer bleiben«, flüsterte sie ihm in sein großes Ohr, war sich aber nicht sicher, ob er sie verstand.

Langsam verdrehten sich seine Augen und wurden milchig. Das war eindeutig nicht in Ordnung.

»Verdammt noch mal! Jetzt helfen Sie ihm doch! Er stirbt, sehen Sie das nicht?!«, schrie sie.

Wieder rollte der Stuhl, lauter und schneller diesmal, dann scheppterte er gegen eine Wand.

»Scheiße!«, brüllte die Ärztin. »Weg hier! Raus!«

Wie durch Zauberhand rannten Menschen herbei, schoben Apparate vor sich her und riefen sich Befehle zu. Clara wurde zur Tür geschubst, dann stand sie draußen, im Wartebereich.

Hier herrschte trotz der nächtlichen Stunde Hochbetrieb. Ein junger Vater schritt mit einem wie am Spieß schreienden Säugling im Arm wippend auf und ab, gefolgt von der besorgten Mutter, die dem Kind Schnuller, Fläschchen und Schlafhasen reichte, ohne es beruhigen zu können. Eine unförmig dicke Frau saß mit ausgestreckten Beinen und durchgedrücktem Rücken auf einem Stuhl und hielt sich stöhnend die Bauchgegend, ein junger Mann presste ein Taschentuch mit rostroten Flecken gegen seine Oberlippe, während ein anderer einen nassen Waschlappen an sein Auge hielt. Krankenschwestern eilten vorbei. Sobald sich eine Tür zu einem Behandlungsraum öffnete, hoben sich die Köpfe erwartungsvoll. Auch Clara zuckte jedes Mal zusammen, wenn sich eine solche Tür öffnete, voller Angst und ohne Hoffnung.

Sie konnte nichts denken und nichts spüren, weder Hunger noch Durst noch Schmerz. Nur Kälte, eisige Kälte, als sei sie in einen halb zugefrorenen Tümpel gestürzt und anschließend einem Blizzard ausgesetzt gewesen. Erst als immer mehr Wartende die Köpfe zu ihr drehten und die kreidebleiche Frau neben ihr vorsichtig abrückte, merkte sie, wie laut sie mit den Zähnen klapperte.

Sie stand auf und ging zum Wasserspender neben dem kleinen Kiosk, der noch geschlossen war. Durchs Fenster konnte sie im Regal ihre Lieblingszeitung sehen und lehnte ihre Stirn an die kühle Scheibe. Seit Tagen hatte sie kein Horoskop mehr gelesen und sie fragte sich, ob sie, hätten die Sterne ihr den Tod ihrer Mutter, den Zustand ihres Vaters und Gregors Verrat vorhergesagt, irgendetwas anders gemacht hätte. Was brachte es überhaupt, schwammige Weissagungen des Tages zu lesen? Hatte die Astrologie sie mit einer einzigen, noch so winzigen Andeutung jemals darauf vorbereitet, dass ihr Leben von Anbeginn auf einer Lüge basiert hatte? Nein! Kein Wort über einen zweiten Vater, über einen Irrweg oder eine Täuschung, nichts. Reiner Mumpitz! Sie sollte aufhören, an diese Kaffeesatzleserei zu glauben. Vielleicht würde ihr Vater wieder gesund, wenn sie nie mehr ein Horoskop anrührte. Vielleicht ...

»Frau Funke?«

Clara hielt die Luft an. Alles würde sie dem Schicksal versprechen, wenn Paps weiterleben würde! Sogar mit Gregor würde sie sich aussprechen.

Die Ärztin, die von Nahem gar nicht so jung war, wie sie auf den ersten Blick gewirkt hatte, spähte angestrengt auf ihre weißen Schuhspitzen und Clara ging auf, dass sie alle Hoffnungen begraben musste. Doch dann hob die Frau den Kopf und ihre Miene glich keineswegs einem Sterbeengel, sondern sie schien sich ein Lachen kaum verkneifen zu können.

»Alles klar mit Ihrem Vater. Sie können ihn gegen Mittag abholen, wenn er ausgeschlafen hat«, gluckste sie und hielt sich die Hand vor den Mund.

»W-wie bitte? Was hat er denn?«

Jetzt kicherte die Ärztin wie ein Mädchen. »Zwei Komma eins Promille – sagen Sie, hat er heute Nacht Silvester vorgefeiert?«

Es dauerte, bis Clara verstanden hatte, was die Frau gerade gesagt hatte.

»Sie – Sie meinen, er war nur beschickert? Aber ich schwöre, er hat vom Wein immer nur einen Fingerbreit ...«

Die Ärztin biss sich auf die Lippen. »Kommt drauf an, wie viele Finger er nimmt«, lachte sie. »Ich bin jedenfalls heilfroh. Ich kann das nicht haben, wenn mir jemand unter den Händen wegstirbt. Schon gar nicht am Silvestermorgen. Gutes neues Jahr also. Ach ja: Heute würde ich ihm an Ihrer Stelle Kamillentee geben, so viele Fingerbreit, wie er möchte.«

Das Haus begrüßte sie dunkel und kühl. Die braunen Holzdecken drückten aufs Gemüt, niemand war hier, der auf sie wartete. Ohne Bewohner war dies nur ein großer, alter, leerer, seelenloser kalter Kasten. Nachdenklich braute Clara sich einen Espresso und starrte hinaus zum Friedhof, auf dem ihre Mutter in ein paar Tagen die letzte Ruhestätte finden würde. Über dem Gelände färbte sich der Wolkenhimmel langsam orangerot und war durchsetzt mit dunkelroten Streifen. Ein großartiges Spektakel, das sie gern mit jemandem geteilt hätte. Ach, zur Hölle! Frauen über fünfzig sollten nicht allein sein, wenn sie es nicht ausdrücklich selbst wollten!

Sie gab sich einen Ruck und nahm das Telefon.

Gregor war nach dem vierten Klingeln am Apparat. »Wie kommst du zurecht? Kann ich dir helfen?«, fragte er ohne Umwege.

»Sehen wir uns heute Abend?«

Das Herz klopfte Clara bis zum Hals, als sie auf seine Antwort wartete. Sie schloss die Augen und rief das Schicksal an. Kein Horoskop mehr! Dann musste Gregor ja sagen. Es war Silvester, verdammt. Wenn an der Sache mit der Russin nichts dran war, dann konnte er nichts vorhaben.

Die Pause am anderen Ende dehnte sich wie Kaugummi.

»Äh, das ist jetzt so eine Sache.«

Clara hatte das Gefühl, der Boden würde ihr unter den Füßen weggezogen. Sein Zögern ließ nur eine Schlussfolgerung zu.

»Natürlich. Dumm von mir. Entschuldige die Störung.«

»Nein, halt, nicht auflegen. Ich möchte, dass du weißt, dass ich mir nichts sehnlicher wünsche, als den heutigen Abend mit dir zu verbringen. Vertrau mir bitte. Ich mache das alles nur für dich. Äh, es ist nur so, dass ich, nun ja ... ich muss gleich dringend verreisen. Ich erkläre dir alles, wenn ich zurück bin. Versprochen.«

Immer wieder dasselbe Spiel, die gleichen Ausreden.

Leise drückte sie das Gespräch weg und meinte, seine sanfte, aber verzweifelte Stimme immer noch zu hören, obwohl der Apparat längst tot war.

An Schlaf war nicht zu denken. Sie versuchte es erst gar nicht, sondern traf sich mit dem Bestatter, halb erleichtert, dass es nun doch nicht um ein Doppelbegräbnis gehen würde, dann holte sie ihren Vater ab, der sich kleinlaut nach Hause chauffieren ließ und nichts dagegen hatte, den Rest des Nachmittags in seinem Schlafzimmer zu verbringen. Abends gab es tatsächlich Kamillentee zum Kartoffelsalat und sie verfolgten – begleitet vom Telefon, das jede Stunde klingelte und das sie ignorierten – einsilbig das Fernsehprogramm, über das sie sich ohne große Worte ärgerten, obwohl sie im Grunde gar nicht das Programm meinten.

»Zwei Komma eins?«, wisperte Paps kurz vor Mitternacht. »Ich habe doch nur zwei oder drei Fingerbreit getrunken. Ich bin kein Trinker, glaub mir das.«

Tapfer leerte er seine Tasse, ohne die Miene zu verziehen.

»Manchmal schmeckt Tee auch gut«, stellte er fest, bohrte dann aber mit dem Zeigefinger in seiner Krümeljacke herum, bis er sich ein Herz fasste.

»Meinst du, wir könnten um Mitternacht trotzdem mit etwas anderem anstoßen?«

Clara musste lachen. Zeit ihres Lebens hatte er abends, und nur abends, seine Ration Wein gehabt, erst seit Neuestem trank er auch zum Mittagessen ein Glas. Na und? Selbst wenn es noch mehr wäre, selbst wenn er sich ungesund ernähren oder plötzlich dem Nikotin verfallen würde – sollte sie ihn deshalb bevormunden? Auf die Gesundheitsrisiken hinweisen? Bei Gott, er war über neunzig! Er war bei klarem Verstand und durfte sein Leben doch gestalten, wie er wollte. Gerade jetzt, wo seine Frau erst zwei Tage tot war. Er würde garantiert nicht noch einmal über die Stränge schlagen; das wäre ihm zu peinlich. Und wenn er meinte, dass ihm jetzt etwas Spritziges guttat, dann sollte er seinen berühmten Fingerbreit bekommen.

Sie persönlich hätte allerdings gut und gern auf Sekt verzichten können, denn es gab nichts, worauf sie anstoßen wollte, keine glänzenden Ausblicke auf das neue Jahr, keine Hoffnungen auf die Liebe oder weswegen man sonst um Mitternacht die Gläser erklingen ließ. Im Keller fand sie eine Flasche Champagner, ließ ihn aber liegen. Champagner trank man, wenn es wirklich etwas zu feiern gab. *Prosecco* tat es auch. Zum Glück war der Keller so kalt, dass die Flasche die richtige Temperatur hatte.

Auf halber Treppe blieb sie stehen. Was war nur mit ihr los? Wo blieben ihre Tatkraft, ihre Energie, ihre angeborene italienische Zuversicht und Leichtigkeit? Sie hatte Pech in der Liebe – na und? Gab es – abgesehen vom Tod ihrer Mutter, der ja im Grunde eine Erlösung gewesen war, und der finanziellen Misere – sonst Grund zum Klagen?

Nein! Der Verlag wollte ihr Manuskript haben, ihre Bücher verkauften sich fantastisch und sie hatte die wunderbare, spannende Aufgabe, das Manuskript ihres berühmten leiblichen Vaters an die Öffentlichkeit zu bringen. Das Leben war doch gar nicht so schlecht! Gut, sie mussten umziehen, aber das war kein Weltuntergang. Sie würde eine kleine, von der Lehrerpension und den Agostini-Tantiemen bezahlbare Wohnung finden und Paps selber versorgen, solange es ging. *Basta*.

Und wenn um Mitternacht das Telefon klingeln sollte, dann würde sie auch endlich abheben und sich anhören, was Gregor ihr zu sagen hatte. Sie wollte nicht so enden wie ihre Mutter. Genau das war es doch, was das Leben sie all die Jahre hatte lehren wollen: Sie sollte dem Schicksal und der Liebe eine Chance geben, und wenn der erste Anlauf misslang, dann sollte es eben einen zweiten oder dritten geben. Mehr als die Hälfte ihres Lebens war vorbei, wann wollte sie damit anfangen, wenn nicht jetzt?

Sie hatte lange genug ansehen müssen, was man im Leben falsch machen konnte. Das fing mit Verschweigen, Unehrlichkeit und Geheimnissen an und hörte mit Einsamkeit und Freudlosigkeit auf. Nein, dazu hatte sie dieses Leben nicht geschenkt bekommen. Sie würde auch nicht darauf warten, dass das neue Jahr etwas Großartiges für sie bereithalten würde oder die Sterne Erfolg verhießen, nein, sie selbst trug die Verantwortung für ihr Glück, sie ganz allein. Keine sehr neue Erkenntnis, aber eine wichtige Lektion.

Entschlossen stieg sie zurück in den Keller und öffnete den Champagner im Laufen, denn schon fingen die Kirchenglocken an zu läuten und erste Feuerwerkskörper jagten durch die Luft. Und da begann auch das Telefon wieder zu klingeln.

Neununddreißig

Zur letzten Ehre der Rosenkönigin hatte sich die Natur ihr schönstes winterliches Sonntagskleid übergeworfen. Wie eine dicke Schicht Puderzucker saß Raureif auf den Wäldern und Gärten der Stadt. Eiskristalle blitzten und funkelten in der Sonne, sie hingen an den zartesten Verästelungen der Pflanzen, lagen auf Rasenflächen und Dächern und verbreiteten eine Atmosphäre unwirklicher Schönheit, und jeder weiße Atemhauch wurde zum Postkartengruß hinauf in den vergissmeinnichtblauen Himmel.

Clara zog es nach dem Frühstück hinaus in den Garten, den ihre Mutter vielleicht aus dem Zwang der Verzweiflung, aus Sehnsucht nach einer unerreichbaren Liebe, aus Kummer oder als wortloses Dankeschön an ihren treuen, einfühlsamen Ehemann angelegt hatte. Endlich war auch sie in der Lage, sich bei ihrem längst überfälligen Gang über die im verharschten Schnee knirschenden Wege und Treppen an der Struktur der Anlage zu erfreuen, die zu dieser Jahreszeit ebenso viel Charme versprühte wie an einem warmen Junitag, wenn die Rosen ihre ganze Pracht entfaltet hatten. Heute verbreitete keine Blütenfülle einen Duft- und Farbenrausch, sondern entblößten akkurat geschnittene niedrige Buchshecken, Brunnen, Trockenmauern, Gartenhäuser und Pavillons, Rosenbögen, Obelisken und Ranksäulen das Gerüst des Gartens, und mit Bedacht platzierte Gräsergruppen, Trauerstämmchen, Büsche sowie der zugefrorene Teich erfüllten ihn mit weißem Leben.

Staunend entdeckte Clara die Welt, die ihre Mutter geschaffen und hinterlassen hatte. All die Mühe hatte einen Sinn gehabt, das Resultat war überwältigend. Sie persönlich wäre niemals in der Lage, die Wege, Hecken und Rosen auch nur annähernd befriedigend zu pflegen. Vielleicht war es wirklich ein Segen, wenn Joe das Haus übernahm und seine Frau das Vermächtnis der Mutter hegte. Es war ja nicht damit getan, einen Gärtner anzuheuern, der sich einmal pro Woche ums Gröbste kümmerte; dieser Garten verlangte permanente Aufmerksamkeit und Liebe.

Ja, hier war sie, die Liebe ihrer Mutter, die sie selbst so vermisst hatte. Hier hatte ihre Mutter sie vergraben, nein, aller Welt ganz offen bewiesen, wie sehr sie lieben konnte. Den Rosen hatte sie es zeigen können, den Menschen nicht mehr. Dies war ihre persönliche Therapie gegen die Verzweiflung gewesen, etwas anderes, gar ein Gang zum Arzt oder ins Sanatorium war ihr ja damals gesellschaftlich nahezu unmöglich gewesen; so hatte sie statt Pillen den Spaten genommen und statt Therapiestunden die Beete umgestaltet.

Vor dem viktorianischen Gewächshaus, das auf einer tief in den Hang getriebenen Ebene errichtet worden war und das Herz des Gartens bildete, blieb Clara stehen. Riesige Oleanderbüsche überwinterten hier, sie wusste noch, welch eine Plage es bedeutete, wenn die schweren Terrakottakübel treppauf, treppab im Herbst ins Glasquartier und im Frühjahr wieder hinaus in die Sonne wechselten. Ganz abgesehen davon, dass sie auch im Winter gegossen und gepflegt werden mussten, weil sie sonst von Ungeziefer befallen wurden oder eingingen.

Nachdenklich kehrte Clara um. Der Garten war absolut nicht ihre Welt, aber immerhin hasste sie ihn nicht mehr. Endlich war sie in der Lage, ihn loszulassen und in gute Hände zu geben, ebenso wie das riesige, verlassene Haus, in dem sie immer nur gefroren hatte.

Paps rief nach ihr. »Ich finde den Hochzeitsanzug nicht«, jammerte er. »Wann beginnt die Trauerfeier?«

»In zwei Stunden, du hast noch Zeit.«

»Aber ich finde ihn nicht!« Auf seine Krücken gestützt, stand er in langen, verbeulten Unterhosen, dicken Socken und einem viel zu großen weißen Hemd vor dem geöffneten

Schlafzimmerschrank und sah hinein wie ein überfordertes Kind. Clara musste sich beherrschen, um den kleinen dünnen Mann nicht aus lauter Liebe zu erdrücken.

Sie holte einen Anzug nach dem anderen heraus, viele waren es nicht, beige für den Sommer, grau für Frühling und Herbst, dunkel für die Feiertage im Winter.

»Den hier«, schlug sie vor und legte ihm seinen alten dunkelblauen Anzug aufs Bett, den er in ihrer Jugend in der Oper getragen hatte.

»Ich möchte aber meinen Hochzeitsanzug anziehen.«

Allmählich tauchte in Clara das Bild eines mottenzerfressenen Ungetüms mit weiten Aufschlaghosen und schlabberndem Jackett auf. »Der ist bestimmt längst entsorgt!«

»Zur Goldenen Hochzeit habe ich ihn noch gesehen. Damals war es leider zu warm für ihn gewesen. Er muss irgendwo sein. Sieh doch bitte einmal auf der Seite deiner Mutter nach. Ah, da ist er ja, ganz rechts.«

Clara zog das Teil heraus, es bestand aus schwarzem filzartigem Stoff, der so schwer war, dass Paps ihn unmöglich tragen konnte, ohne in die Knie zu gehen. Glücklich legte er die Krücken beiseite und versuchte, das Jackett überzustreifen. Clara hielt ihn dabei fest, sonst wäre er garantiert in der Jacke verschwunden. Auch die Hosenbeine waren entschieden zu lang.

»Na so etwas. Sieh dir das an, Bella, ich bin geschrumpft!«, staunte Paps. »Änderst du mir das bitte schnell?«

»Wir müssen gleich los. Nimm doch den dunkelblauen.«

»Der ist auch schön. Aber ich möchte den Hochzeitsanzug anhaben, wenn ich meine Frau zu Grabe trage. Das gehört sich so.«

Oh je, er meinte es ernst. Hoffentlich sah kein Trauergast genau hin. Sie hatte nun wahrlich weder Zeit noch Talent, aus diesem Alptraum etwas Tragbares zu schneidern. Sie wusste nicht einmal, ob es überhaupt Nadel und Faden in diesem Haushalt gab. Sie konnte auf die Schnelle nur Beine und Ärmel um zehn Zentimeter einschlagen und festtackern oder mit Sicherheitsnadeln befestigen und das Stümperwerk unter seinem Wintermantel verschwinden lassen. Hauptsache, er verlangte nicht auch noch dieses stachelige Monstrum, das im Fach rechts oben lag. Es sah aus wie ein vertrockneter Kampfkater.

»Und meine gute Pelzmütze«, bat Paps in dem Moment auch schon und zeigte mit der Krücke genau auf dieses Teil. »Deine Mutter hat sie übrigens Fridolin genannt.«

Glücklicherweise nahm er seinen Fridolin ab, als sie den Friedhof erreichten. Sie hatte einen Rollstuhl besorgt und ihn unter großer Mühe die Anhöhe heraufgeschoben. Jetzt stand sie zweifelnd vor der letzten Hürde, dem Treppenaufgang zur Kapelle, neben dem sich eine Rampe befand. Zwei bleiche Männer in schwarzer Uniform standen am Fuß der Treppe und rauchten. Sie wollte wirklich nicht mehr abergläubisch sein, aber niemals im Leben würde sie Totengräber bitten, sich ihres Vaters anzunehmen, und so stemmte sie sich seufzend gegen den Rollstuhl. Es würde schon gehen. Irgendwie.

»Das ist zu beschwerlich für dich, ich kann doch laufen«, rief Paps und zappelte herum, als wollte er während der Fahrt aussteigen.

»Geht schon«, keuchte sie. »Bleib bloß sitzen.«

Schritte erklangen hinter ihr, schon vernahm sie den vertrauten Geruch nach Sandelholz und sah zwei kräftige Hände, die die Griffe des Rollstuhls übernahmen.

»Du gestattest?«, fragte Gregor kühl und sah an ihr vorbei.

Claras Herz begann zu flattern. Er blieb auf Distanz, obwohl er jeden Tag treu angerufen hatte. Sie hatten es bisher nicht geschafft, mehr als Regularien und Belanglosigkeiten auszutauschen, leider.

Nächste Woche würde sich das ändern, nahm sie sich vor. Dann würde sie wieder im Antiquariat arbeiten, gegen Bezahlung, hatten sie vereinbart, und dort war es erheblich einfacher, wieder normal miteinander umzugehen. Im Übrigen war sie ihm sogar in gewisser Weise dankbar, dass er sie in Ruhe ließ. Sie wollte gar nicht wissen, wer die andere war. Es würde ihr das Herz zerreißen.

Weiter kam sie nicht mit ihren Überlegungen, denn als sie durch die Tür in die Kapelle traten, blieb sie wie vom Donner gerührt stehen: Der gesamte Altarbereich war in ein weißes Rosenmeer verwandelt, aus dem der geschlossene Sarg wie eine Insel ragte, eine mit roten Rosen übersäte Insel.

Paps flüsterte: »Wie schön, danke, Bella!«, aber das hatte sie nicht bestellt! Das musste ein Irrtum sein. Das konnte doch kein Mensch bezahlen. Sie hatte alles so schlicht wie möglich halten wollen!

Hilfesuchend sah sie zu Gregor, doch der mied ihren Blick, beugte sich zu Paps und half ihm in eine der vorderen Bänke. Es waren kaum Trauergäste anwesend: Herr Berwein und Herr Kaminski, weiter hinten Joe und seine Heike, die wie ein sattes Baby lächelte. Auch Joe sah vergnügt drein, kein Wunder, die beiden waren ihrem Traumhaus ja ein ganzes Stück nähergekommen. Gestern hatte sie Joe erreicht und seinen Vorschlägen zugestimmt, im Gegenzug dafür hatte er versprochen, ihr für den Auszug Zeit zu lassen, zur Not bis Juli. Nun bereute sie ihre Entscheidung. Widerlich sahen die beiden in ihrer Selbstzufriedenheit aus und jetzt hob Joe auch noch den Daumen und zwinkerte ihr zu! Einfach widerlich! Nichts täte sie lieber als alles rückgängig zu machen. Aber dazu musste sie im Lotto gewinnen. Beziehungsweise überhaupt den Einsatz dafür übrig haben.

Da Gregor unbeteiligt den Rollstuhl wegschob, auf der anderen Seite des Gangs in eine Bankreihe rutschte und strikt geradeaus sah, als sei er verunsichert oder beleidigt, blieb ihr nichts anderes übrig, als allein neben Paps zu rücken und ihn bei der Hand zu halten, damit er nicht in seinem Anzug und dem übergroßen Wintermantel verloren ging. Sie versuchte, Gregor ein Zeichen zu machen, damit er sich neben sie setzte, vergebens, er schien jede einzelne Rose zu zählen. Nur als die Orgel ihre ersten Tonfolgen von sich gab, verzog er genau wie Paps erleichtert das Gesicht, und sie freute sich über ihre Entscheidung, keine Lieder spielen zu lassen, die die Gemeinde mitsingen konnte. Es war auch ohne Katzengesang schlimm genug, die kurze Zeremonie zu überstehen.

Am offenen Grab ließ ihr Vater zitternd die Schaufel gefrorener Erdklumpen auf den Sarg poltern und verschwand in seinem Mantel wie in einem Schatten. Hätte sie lieber Feuerbestattung wählen sollen? Legal oder nicht – wäre es nicht um einiges passender gewesen, die Asche ihrer Mutter später über deren geliebtem Rosengarten zu verstreuen, als sie in diesem Stück kalter Erde zu verscharren?

Gregor ließ sich von den Rollstuhlgriffen nicht vertreiben und so blieb ihr nichts anderes übrig, als neben ihm zu stehen, während die Trauergäste vorbeizogen. Herr Berwein sah ernst und bedeutungsvoll von ihr zu Gregor und wieder zurück, Herr Kaminski verbeugte sich formvollendet, Heike nickte kurz, dann unterbrach Joes Stimme die Totenstille.

»Noch mal Beileid, Clara«, trompetete er und strich sich über seine Glatze. »Wie haben dir die Rosen gefallen? Toller Gag, oder? Rosen für die Rosenkönigin, das passt, habe ich mir gedacht. Also dann, wir müssen weiter. Und mit eurer Villa bleibt alles wie besprochen. Juli, spätestens.«

Paps sah fragend zu ihr hoch, Gregor fragend zu ihr herunter und sie – sie hätte dem hochglänzenden Trampeltier am liebsten den Hals umgedreht.

Vierzig

Als sei die Zeit wirklich stehen geblieben, hatte sich im Antiquariat nichts verändert. Sogar Herr Berwein stand an seinem Regal, als sie hereinkam. Er war bei Band achtzehn und zwinkerte ihr zu. Clara zwinkerte zurück, obwohl ihr nicht besonders fröhlich zumute war. Das anstehende Gespräch mit Gregor lag ihr im Magen. Sie konnte nicht länger davor weglaufen und hatte schlicht Angst vor dem unvermeidlichen Geständnis über die schöne Russin. Aber war es nicht besser jetzt, bevor sie sich noch weiter in einer märchenhaften, indiskutablen Affäre verlor? Es würde doch unweigerlich so kommen, dass er sich irgendwann einer Jüngeren zuwenden würde. Dann doch besser jetzt, bevor es zu sehr wehtat.

Gregor kam ihr im Mantel entgegen. »Gut, dass du endlich da bist. Ich soll mir einen Nachlass ansehen«, begrüßte er sie in geschäftsmäßiger Hast und stopfte seine Hände in die Manteltaschen.

»Hat das nicht Zeit? Ich habe dir das Manuskript mitgebracht und wollte dich bitten, es vielleicht in einer Auktion ...«

»Leg es bitte in den Schreibtisch. Ich muss los. Kann ein, zwei Stunden dauern.« Damit zwängte er sich zwischen ihr und Herrn Berwein ins Freie.

Clara schluckte. So hatte sie sich das nicht vorgestellt. Enttäuscht nahm sie am Schreibtisch Platz, legte das Manuskript neben den Computer und machte sich daran, die zahllosen Notizzettel durchzusehen, die er ihr hinterlassen hatte. Vier bestellte Bücher waren eingetrudelt und ihre Besitzer mussten verständigt werden, die Lyrikabteilung sollte aufgeräumt werden, jemand hatte die Reihe der Insel-Bücher durcheinandergebracht, außerdem musste nach einer

Originalgraphik mit Innenansichten des Doms zu Speyer gefahndet werden. Bislang hatte Gregor nur eine Farblithographie gefunden, die zwar aus dem Jahr 1877 stammte, aber merkwürdigerweise nur 45 Euro kosten sollte. Ein dickes Fragezeichen stand hinter der Notiz und das bedeutete, dass nachgeforscht werden müsste, wie es zu dem Preis kam. Vielleicht eine schlechte Kopie? Oder Schadstellen? Jede Menge Arbeit also.

Der nächste Zettel. »Bella, vertrau mir. Ich möchte dich nicht verlieren.«

Ihr Herz machte einen Sprung.

Die Türglocke ging und spülte Herrn Kaminski herein, gut gelaunt wie immer.

»Ah, Frau Funke, auch wieder hier? Wie geht es Ihrem Vater? Kommt er zurecht? Bestimmt! Bei so einer tüchtigen Tochter! Er muss mächtig stolz auf Sie sein. Wissen Sie, dass Sie die gleichen klugen Augen haben wie er?«

Darauf erwiderte sie besser nichts!

Kaminski erwartete es auch gar nicht. »Sehen Sie hier!«, rief er und hielt ihr eine Art Polaroidfoto vor die Nase, auf dem nichts zu erkennen war außer dunklen und hellen schemenhaften Streifen.

»Ist das nicht fantastisch? Das hat mir meine Enkelin geschickt.«

»Äh ...«

»Na, nun sehen Sie doch genau hin! Das ist meine Urenkelin. Ultraschall.«

»Oh ...«

»Ich gebe zu, ich habe zuerst auch nicht viel erkennen können, aber mit etwas gutem Willen geht das schon. Ich bin aufgeregt, als würde ich selbst noch einmal Vater werden. Familie ist doch etwas Großartiges, finden Sie nicht auch? Und deshalb verrate ich Ihnen etwas!«

Er machte eine Kunstpause, sah sie erwartungsvoll an und winkte dann ab. »Da kommen Sie sowieso niemals drauf: Ich ziehe weg, in die Nähe von Tochter und Enkelin. Nach Osnabrück. Was sagen Sie nun?«

»Aber Sie haben Ihr ganzes Leben hier verbracht. Sie lieben Baden-Baden, das haben Sie mir mehrfach gesagt!«, protestierte Clara und auch Herr Berwein trat näher.

»Theophil, das geht nicht! Wir sind nur noch zu fünft. Du kannst nicht wegbleiben!«

»Papperlapapp. Wir sterben vielleicht aus, aber das Boulespiel wird immer weiterleben. Hast du nicht den Kerl gesehen, der schon dreimal zugeschaut hat? Frag den, der nimmt meinen Platz sicher gern ein.«

»Das ist nicht dasselbe. Wir sind doch nicht nur Boulespieler, sondern auch Freunde.«

»Das bleiben wir weiterhin, Ewald. Versteh mich doch: Vor lauter Arbeit habe ich versäumt, meine Tochter aufwachsen zu sehen. Meine Enkelin habe ich nur einmal im Jahr besucht, weil sie so weit weg wohnte. Aber bei meiner Urenkelin möchte ich dabei sein, wenn sie ihren ersten Zahn bekommt, ihre ersten Schritte tut, das erste Wort spricht. Ich komme mir vor, als hätte ich eine zweite oder vielmehr dritte Chance, meine Vergangenheit neu zu leben und Fehler wiedergutzumachen. Nächsten Monat geht es los. Meine Tochter hat schon einen Heimplatz gefunden.«

Clara horchte auf. »Sie ziehen in ein Heim und freuen sich auch noch darauf?«

»Natürlich. Seniorenresidenz heißt das ja heute, das hat mit einem Altenheim nicht mehr viel zu tun. Ich bekomme ein Apartment, das so groß ist, dass all meine Bücherregale hineinpassen. Das haben sie schon ausgemessen.«

»Und es macht Ihnen nichts aus, Ihre gewohnte Umgebung zu verlassen?«

»Ach, es ist ja nicht mehr meine gewohnte Umgebung, seitdem meine Juliane tot ist.«

Unter seiner Nase bildete sich ein Tropfen, den er energisch wegwischte. Dann nahm er Haltung an und setzte seine Baskenmütze auf. »Das wollte ich nur schon einmal gesagt haben. Wer weiß, wie viel Zeit ich noch finde, um vorbeizuschauen. Es gibt viel zu tun. Nächste Woche kommt meine Tochter und hilft mir beim Ausräumen. Na, vielleicht komme ich demnächst mit einem Anhänger voll Ware für Sie, wer weiß!«

»Aber Theo ...«

»Nächsten Sonntag, wie immer. An unserer Runde ändert sich bis zum letzten Tag nichts. Habe die Ehre!«

Damit war er wieder auf der Straße und seine feinen Lederschuhe blitzten in der Sonne.

»Na so was«, sagte Herr Berwein. »Niemals hätte ich gedacht, dass er wegzieht. Er hatte sogar schon sein Grab auf dem Hauptfriedhof reserviert. Eins-A-Lage, hat er immer gewitzelt.«

Clara war Herrn Kaminski an die Tür gefolgt und sah ihm nun durch die breite Fensterfront nach. Beschwingt stürmte er in Richtung Leopoldsplatz und fast erwartete sie, dass er vor Übermut hochsprang.

Familie. Mann. Kinder. Enkel.

Fremdworte.

Nicht mal einen richtigen Vater hatte sie.

Alle echten Angehörigen waren tot. Sie würde im Alter nichts und niemanden haben, zu dem sie ziehen konnte.

»Nicht traurig sein«, sagte Herr Berwein und legte seine Hand auf ihren Arm. »Das hält er nicht aus. Sie werden sehen, im Sommer ist er wieder hier. Er liebt Baden-Baden viel zu sehr. Wenn die Krokusse blühen, wird er das erste Mal anreisen, und spätestens bei den Pfingstfestspielen wird er seine Entscheidung bereuen. Es kommt nicht immer darauf an, Familie um sich zu haben. Es reicht, wenn man weiß, dass es Menschen gibt, denen man wichtig ist. Wie das zum Beispiel zwischen Ihnen und Herrn Morlock der Fall ist, nicht wahr? Es hat sich doch wieder alles eingerenkt, hoffe ich?«

Clara schüttelte den Kopf und starrte weiter aus dem Fenster.

Familie. Kinder.

Kinder hatten nicht in ihre Lebensplanung gepasst, hatte sie sich immer eingeredet. Jetzt wusste sie, dass es eine Fehlentscheidung gewesen war, eine von vielen, und sie war nicht mehr rückgängig zu machen. Sie war zu alt. Gregor aber hätte die Chance auf Kinder, wenn er nicht sie, sondern die Jüngere nahm. Sie sollte so selbstlos wie Paps sein und ihn ohne Vorwürfe oder Szenen gehen lassen, damit er glücklich werden konnte.

»Also, Herr Berwein, üben wir uns weiter in Hoffnung, nicht wahr?«, sagte sie und hörte selbst, dass ihre Fröhlichkeit übertrieben aufgesetzt klang.

Der zierliche Mann verzog das hagere Gesicht. »Ich wollte nicht indiskret sein, verzeihen Sie«, murmelte er und legte seine Hand auf die Türklinke. Doch dann zögerte er, blickte zu »seinem« Buchregal und drückte mit einem tiefen Atemzug die Schultern zurück. Mit zwei, drei Schritten war er zurück am Regal, zog Band eins heraus, schlug ihn auf, wischte unsichtbare Fusseln weg, klappte ihn wieder zu – und bewegte sich mit entschlossener Miene in Richtung Kasse.

»Ich nehme es«, sagte er mit fester Stimme.

»Wie bitte?«

»Ja, ich habe mich entschieden. Schuldgefühle kann man nicht auslagern. Also kann ich die Bücher genauso gut zu mir nehmen, wo sie hingehören und wo sie die Dame meines Herzens am liebsten gesehen hätte. Ich werde meine Pokale verkaufen, etwas werden sie hoffentlich wert sein, dann kann ich bestimmt schon bald den nächsten Band mitnehmen. Würden Sie Herrn Morlock bitten, mir die Bände zu reservieren, auch wenn es etwas länger dauern könnte?«

»Aber natürlich, dies ist sowieso Ihre Ecke, das habe ich Ihnen doch gesagt.«

Herr Berwein legte den Kopf schief und lächelte. »Sehen Sie? Freunde sind genauso wichtig wie Familie, glauben Sie mir.«

Wieder schlug die Türglocke an.

»Ich gebe Ihnen fünfzig Prozent Nachlass, das macht neunundvierzig Euro«, sagte Clara, hörte aber seine Antwort nicht mehr.

Denn da war sie wieder, die junge blonde Frau mit der weißen Pelzmütze. Dieselbe Person, die Gregor in jener Nacht in den Armen gehalten hatte.

Ein Stich fuhr ihr in die Magengrube. Ja, zugegeben, pure Eifersucht war das. Es war schwer, sich nichts anmerken zu lassen. Aber was machte die Frau denn! Sie taxierte die Wände, die Decken, die Regale, aber nicht deren Inhalt. Hinter ihr trat ein großer kräftiger Mann mit rundem Kopf, Stiernacken und flächigem Gesicht in den Laden, der einen Schreibblock und einen Zollstock in der einen und eine brennende Zigarette in der anderen Hand hielt.

»Das hier wird die Teestube«, sagte die Frau in vorzüglichem, wenn auch hartem Deutsch, ohne von Clara Notiz zu nehmen. »Dahin kommt die Theke mit Samowar, Pralinen und Kaviar, und hinter den Vorhang die Küche. Der obere Stock wird meinem künftigen Mann und mir als kleine Stadtwohnung dienen. Sehen wir uns die Räume an. Da muss einiges gemacht werden. Neues Bad, Balkon ...«

Clara stellte sich ihnen in den Weg. »Halt! Würden Sie bitte die Zigarette ausmachen? Und weiß Herr Morlock ...?«

»Aber natürlich. Warum fragen Sie?«

»Weil er der Besitzer ist.«

»Er war es. Und wer sind Sie? Seine Angestellte? Hat er Ihnen nichts gesagt? Danke, Sie müssen sich nicht bemühen, ich kenne den Weg und habe die Schlüssel.«

»Ich brauche noch die Grundrisse von Herrn Morlock. Wann findet denn die Hochzeit statt?«, fragte ihr Begleiter im Weitergehen.

»Im Mai. Eher wird Gregor die alten Bücher nicht entsorgt haben. Und oben steht auch noch alles voll.«

Ohne zu zögern gingen sie nach hinten und stiegen die Treppe in den ersten Stock hoch, wo Clara bald ihre Schritte hörte.

Sie setzte sich auf den quietschenden Bürostuhl und rührte sich erst einmal nicht. Teestube? Diesmal hatte sie nichts missverstanden. Gregor hatte ihr doch selbst gestanden, dass er seinen Beruf als Antiquar nicht liebte und wenig Geld hatte. Das Schreiben des Notariats fiel ihr ein. Das war es also gewesen: Er hatte der Frau das Haus überschrieben und diese wollte es nun nach ihren Vorstellungen umbauen. Teestube mit Samowar und Kaviar? Gute Idee. Es gab genügend Russen in der Stadt, die das Angebot nutzen würden.

Dann erst ging ihr der Rest des Gehörten auf: Gregor würde heiraten! Also doch! Und so schnell! Das hätte er ihr wirklich sagen können. Stattdessen ließ er kindische Zettel liegen, auf denen er sie bat, ihm zu vertrauen.

Sehr witzig.

Einundvierzig

Und wieder einmal lief sie davon, allen Vorsätzen zum Trotz, das Manuskript fest im Arm. Wie hatte sie sich nur wieder so zum Narren machen können, hämmerte es in ihrem Kopf. Ihr Bauchgefühl war also wenigstens am Anfang noch vollkommen in Ordnung gewesen, ihre Hemmungen ganz normal. Liebe? Gab es nicht, erst recht nicht für »Frauen im gewissen Alter«.

Sie war benutzt worden von einem jungen Bräutigam, der, kurz bevor es mit dem Traualtar ernst wurde, noch einmal ein Abenteuer haben wollte. Bei Gott, er hatte seine Rolle gut gespielt, jedes Wort hatte sie ihm geglaubt. Diese Nacht mit all diesen Zärtlichkeiten, Versprechungen und Enthüllungen war die schönste ihres Lebens gewesen. Hoffentlich würde sie irgendwann imstande sein, sich an diese Minuten im Guten zu erinnern, ohne Verbitterung. Im Augenblick schien das ein Ding der Unmöglichkeit zu sein und deshalb verbot sie es sich.

Immer wieder musste sie Leuten ausweichen, die den Weihnachtsschmuck abnahmen, auch die Eisarena wurde abgebaut und erste Faschingsartikel tauchten in den Schaufenstern auf. Vorbei die rührselige Weihnachtszeit, das Leben ging weiter und setzte lächelnde Masken auf.

In einem Tabakladen kaufte sie trotzig ihre Zeitung und schlug sie im Laufen auf.

Ihnen schwirrt so vieles im Kopf herum, doch nichts davon wollen Sie weiterverfolgen. Mit Ihrer Arbeit werden Sie so natürlich kaum vorankommen. Und auch in der Partnerschaft könnte es Probleme geben, wenn Ihr Schatz nämlich nicht so verträumt ist wie Sie, sondern nach Erlebnissen hungert.

Na klasse!

Die Zeitung landete im nächsten Papierkorb und sie machte sich an den Anstieg den Berg hinauf. Oben bohrten sich tausend kleine Nadelstiche in ihre Lunge, ihr Herz raste und sie konnte nicht länger ignorieren, dass sie sich dem Thema Sport in der Vergangenheit eindeutig zu wenig gewidmet hatte. Wenn alles vorbei war, würde sie damit anfangen. Nordic Walking sah zwar lächerlich aus, sollte aber angeblich Wunder bewirken.

Paps schlief zu Klängen des Duos Sutherland/Pavarotti. Leise zog sie Handschuhe und Mantel aus. Das Manuskript! Egal, was geschah, sie durfte ihr Vermächtnis nicht ewig von A nach B schieben und sein Schicksal in fremde Hände legen. Sie sah ja, wie das enden konnte. Sie durfte niemandem trauen außer sich selbst.

Im Wohnzimmer war es warm, denn sie hatte vergessen, die Heizung abzudrehen. Jetzt war schon alles egal. Sollte Joe sich doch um Heizöl kümmern, wenn er nicht wollte, dass in »seinem« Haus »seine« Leitungen einfroren. Es tat auf jeden Fall auch der Seele gut, wenn es warm war.

Schwer lag ihr das Päckchen mit dem Manuskript in der Hand. Im Umschlag lag noch der Notizzettel mit Adresse und Telefonnummer der Agostini-Stiftung. Jetzt oder nie!

Das Telefon funktionierte noch, trotz zweiter Mahnung. Zittrig wählte Clara die Nummer.

Nach dem vierten oder fünften Klingeln meldete sich eine weibliche Stimme; sie klang müde.

»*Pronto*?«

»Sprechen Sie deutsch?«

»*Si, si, naturalmente*. Reden Sie.«

Clara wollte nicht mit der Tür ins Haus fallen. »Ich interessiere mich für die Stiftung, aber ich habe im Internet nur die Adresse von einem Weingut und diese Telefonnummer gefunden.«

»Sie sind hier richtig, *Signora*. Ich leite die Stiftung. Wollen Sie uns ein Manuskript zur Bewertung anbieten?

Dann schicken Sie es bitte als Papierausdruck, maximal zwanzig Normseiten, Zeilenabstand eins Komma fünf. Einsendeschluss für den nächsten Schreibwettbewerb ist der 30. August. Sie haben also noch Zeit.«

»Ich, ich habe etwas anderes anzubieten. Haben Sie mit der Familie Agostini zu tun?«

»*Si*, ich bin Marcella Agostini.«

Clara wurde der Mund trocken. »Eine Verwandte von Giacomo Agostini?«

In dieser Sekunde wurde ihr klar, was das bedeutete: Sie hatte ja doch Familie! Neffen und Nichten, Tanten und Onkel, Cousins und Cousinen. Die fremde Stimme drang wie durch Watte an ihr Ohr.

»*Si, si*. Ich bin seine Tochter. Warum wollen Sie das wissen? Hallo?«

Da saß sie nun in diesem unwirklichen deutschen dunklen Eichenholzwohnzimmer, das ihr nie gefallen hatte, starrte auf den Flügel, die gestickten und gemalten Rosenbilder und das Manuskript ihres Erzeugers und alle Probleme schienen sich aufzulösen. Eine echte italienische Familie! Die fröhlichen bunten Bilder aus den Büchern tauchten vor ihrem geistigen Auge auf, schwarzhaarige gelockte Kinder mit großen Kugelaugen, dicke Mamas in schwarzen Kleidern und grauschwarz gemusterten Schürzen, in den schwieligen Händen pralle Tomaten oder einen Tontopf mit Basilikum. Dazu diese göttliche Landschaft mit ihren Hügelrundungen, Säulenzypressen, schattigen Auffahrten, morbiden Weingütern, langen Tafeln im Freien, besetzt mit fröhlichen Menschen, die das einfache Essen schätzten. Klischees bestimmt, zu schön, um wahr zu sein, aber schön genug, um sich danach so sehr zu verzehren, dass es wehtat.

Am anderen Ende der Leitung bemühte sich ihr neues Familienmitglied, Kontakt mit ihr zu halten.

»Hallo? Sind Sie noch dran? Ha-allo!« Dann knallte ein Wort, es war garantiert ein Fluch, und die Leitung war tot.

Der Telefonhörer wurde immer schwerer. Noch einmal anrufen? Was sollte sie sagen? Hallo, hier ist seine uneheliche Tochter? Deine Halbschwester? Ich habe ein Manuskript unseres Vaters gefunden? Nein, nein, nein! So einfach ging das nicht. Oder doch?

In der Bibliothek nebenan war Ruhe eingekehrt, das ganze Haus schien auf eine Entscheidung zu warten. Draußen wurde es langsam dunkel. Wie lange hatte sie hier gesessen?

Sirenen erklangen in der Stadt, weit weg, dann Martinshörner, immer mehr. Sie brachte das Manuskript nach oben in ihr Zimmer und blieb einen Moment am Fenster stehen. Es regnete heftig, trotzdem stieg unten in der Stadt Rauch auf, wahrscheinlich ein Kamin, der schlecht zog.

Gregors Ente hielt tuckernd vor der Einfahrt. Er sollte im Laden sein! Sie hatte das Geschäft Hals über Kopf verlassen, ohne es abzuschließen. Warum denn auch, wenn diese Frau, seine Braut, dort alles inspizierte. »Ich habe die Schlüssel«, hatte sie gesagt. Nun gut, dann trug sie auch die Verantwortung, wenn etwas wegkam.

Gregor sah zu ihr hinauf, winkte mit beiden Armen, rannte die Auffahrt hoch und klingelte Sturm.

Ihr Vater stand schon in der Diele. »Wer ist das?«, flüsterte er, während es nicht aufhörte zu klingeln.

»Gregor. Geh wieder rein, Paps, das wird wahrscheinlich ein unangenehmes Gespräch.«

»Aber er ist ein netter Junge!«

»Ja. Ist gut.«

Sie wartete, bis er sich zurückgezogen hatte, ehe sie öffnete. Nicht nur weil er triefend nass war, sah Gregor zum Erbarmen aus: weiße Lippen, übergroße Augen, zitternde Hände, die sich allerdings zielstrebig ihrem Gesicht näherten.

»Bella, Herr Berwein hat mir alles erzählt. Du musstest ja denken, dass Evgenia und ich ..., aber das ist kompletter

Schwachsinn! Evgenia ist Svetlanas Schwester! Sie ist vor ein paar Monaten aus Russland gekommen, weil sie eine Immobilie in Baden-Baden suchte. Ich habe ihr das Antiquariat verkauft. Ich hätte dir alles schon früher erzählt, aber es sollte eine Überraschung sein, denn das Geld war ja für dich und ...«

»Evgenia? Überraschung?« Clara konnte ihm nicht folgen. »Du bist ja ganz nass. Komm rein, in die Küche. Willst du Tee?«

»Ich muss zurück, bin schon zu lange fort. Wahrscheinlich stehen schon Kunden vor der Tür und das bei dem Regen. Herr Berwein hat mir berichtet, wie missverständlich Evgenia sich ausgedrückt hatte. In der Nacht, in der deine Mutter starb, haben wir uns über den Verkauf geeinigt. Wirklich, alles war vollkommen harmlos. Allerdings mussten wir über Silvester nach Moskau fliegen, um ihrem künftigen Mann das Projekt vorzustellen. Er zahlt schließlich alles. Ihn wird sie heiraten, nicht mich.«

»Warum hast du mir das nicht eher gesagt?«

»Weil du nichts am Telefon besprechen wolltest. Du hättest mir doch gar nicht zugehört, so aufgebracht warst du.«

Ein Handy begann zu klingeln, aufdringlich. Automatisch griff Clara zu ihrer Tasche, aber es war Gregors Apparat. Stirnrunzelnd betrachtete er das Display, zögerte, dann nahm er mit ratlosem Gesicht das Gespräch an, lauschte und taumelte mit einem entsetzten Ausruf gegen den Türrahmen.

Sie hätte nicht für möglich gehalten, dass Gregor noch weißer werden konnte, als er ohnehin schon war.

»Oh Gott«, stammelte er. »Oh mein Gott! Bin sofort da.«

Geistesabwesend sah er erst das Handy an, dann sie.

»Es brennt«, sagte er langsam. »Der Laden brennt.«

Zweiundvierzig

Beißender Qualm lag über der Innenstadt und stach ihr so in die Nase, dass sie gar nicht mehr aufhören konnte zu husten. Mit einem Taschentuch vor dem Mund rannte sie hinter Gregor her. Er war mit dem Wagen durch alle verbotenen Straßen gerast, hatte das Auto hinter einem Löschzug abgewürgt und spurtete nun mit langen Sätzen vor ihr her. Als sie ihn endlich vor dem brennenden Haus einholte, sprach er gerade mit einem Feuerwehrmann, der Schutzanzug und Sauerstoffgerät trug, gestikulierte wild in Richtung Haus, aus dessen Dach Rauch quoll. Aus einem Fenster im Obergeschoss war Feuerschein zu sehen, dort brannte es lichterloh. Gregor hob hilflos die Hände vors Gesicht.

Man hatte die Tür zum Laden eingeschlagen, dicke Schläuche wurden verlegt, Kommandos hallten durch die Straßen, die zunehmend von Neugierigen verstopft wurden. Auch Herr Berwein stand dort, mit feuchten Augen, Band eins des Konversationslexikons fest an die Brust gedrückt. Ein Funkgerät quäkte. Ein Hüne in schwarzer Uniform mit hellen Leuchtstreifen und weißem Schutzhelm wollte Clara daran hindern näher zu kommen.

»Aber ich gehöre dazu!«, rief sie aufgeregt, »Lassen Sie mich durch. Gregor!«

Er drehte den Kopf halb in ihre Richtung. Seine Augen weiteten sich, er schlug sich mit der flachen Hand an die Stirn, schrie: »Um Himmels willen, das Manuskript!« und stürzte ins Gebäude.

»Nein, Gregor, nein!«, brüllte sie und stieß den überraschten Feuerwehrmann beiseite. »Es ist nicht mehr dort!«

Doch er hörte es nicht mehr. Verzweifelt warf sie sich gegen die Mauer von Uniformierten, die ihr den Weg versperrten. Einer von ihnen packte sie hart am Arm.

»Sie können da nicht rein. Das ist Wahnsinn. Warum hat er auch überall Bücher gelagert!«

»Weil es ein Buchladen ist.«

»Doch nicht unterm Dach und im Treppenhaus, einfach überall, verdammt, Kisten über Kisten, alles ist voll damit. Die Kollegen kommen kaum durch. Alles dieselben Bücher.«

Er deutete mit dem Kopf auf die Kartons, die seine Kollegen gerade auf einen großen Haufen warfen. Ein paar Pakete waren aufgeplatzt, und die Bücher lagen auf dem nassen Pflaster. Bücher, die ihr allzu bekannt vorkamen. Sie lief los, wurde aber sofort von starken Armen zurückgerissen.

»Da können Sie nicht hin!«

Clara krallte sich an dem Mann fest. Er war zum Glück groß und stark, sonst hätte sie ihn umgeworfen, garantiert.

»Sehen Sie doch, die Trollgeschichten! Das sind alles meine Trollgeschichten! Überall, in allen Kisten!« Sie hörte selbst, dass sie wie eine Irre kreischte. »Das sind meine. Oh mein Gott! Er hat es für mich getan. Jetzt verstehe ich! Alles nur für mich! Und ich habe das nicht kapiert. Ich Idiotin!«

Der Mann schüttelte sie. »Beruhigen Sie sich. Wir bekommen alles unter Kontrolle.«

»Eben nicht!«, schrie sie. »Nichts ist unter Kontrolle. Gregor! Er ist da drin. Aber das Manuskript ist zuhause. Gregor!«

Sie versuchte sich aus seinen Händen zu winden, doch es gelang ihr nicht. Schließlich duckte sie sich, rammte ihm mit voller Wucht ein Knie in den Schritt. Der Mann stöhnte und lockerte den Griff und sie nutzte den Augenblick und rannte los.

»Nicht da rein!«, hörte sie mehrere Männer schreien, aber es war ihr egal. Gregor war dort, im Feuer, das er so fürchtete, und alles nur wegen ihr, noch dazu völlig umsonst. Sie musste ihm nach, ihn finden und herausholen. Er durfte nicht sterben.

Mehr konnte sie nicht denken.

Ein weiterer Löschwagen rollte heran, schob sich zwischen die anderen Einsatzfahrzeuge und die Mauer aus Gaffern, die sich inzwischen gebildet hatte. An einem Wagen mit Atemschutzgeräten stand ein Trupp Feuerwehrmänner und prüfte konzentriert die Ventile.

Sie musste in das Haus und niemand würde sie aufhalten! Hastig, aber auf Zehenspitzen, schlängelte sie sich zwischen den Wagen hindurch, rannte an mehreren Feuerwehrleuten vorbei, die sich von dem Geschehen abgewandt hatten, um ihren Atemschutz anzulegen und sich leise zu beratschlagen.

Ein Mann, auf dessen Jacke »Einsatzleitung« stand, drehte sich plötzlich herum, sah sie und brüllte etwas Unverständliches, das unterging, weil in diesem Augenblick die große Leiter ausgefahren wurde und alle beobachteten, wie sich die ersten Einsatzkräfte auf ihren Weg nach oben zum Dach machten.

Das war ihre Chance. Clara preschte vor, begleitet von überraschten und ärgerlichen Ausrufen und Schimpfwörtern.

»Gregor!«, schrie sie ihrerseits aus Leibeskräften, als könne sie alle anderen Geräusche übertönen.

Dann hatte sie es geschafft und flog geradezu über die Schwelle des Ladens. Kurz nach dem Eingang blieb sie voller Panik stehen. Es war heiß, aber das war zunächst auszuhalten, zumal ihre nassen Haare wie ein Helm an ihrem Kopf klebten und sie sich instinktiv den nassen Schal vor den Mund hielt. Viel schlimmer als die Hitze war die absolute Dunkelheit, in die sie sich hineintasten musste. Ihre Augen tränten und brannten mörderisch, so dass sie sie fest zusammenkniff. Todesangst sprang in ihr hoch. Das ließ sie reflexartig und gegen ihren Willen schneller und kürzer atmen, und das bedeutete, dass sie den giftigen Qualm regelrecht in sich einsog, sie konnte nicht anders, auch wenn sie wusste, dass dies ein tödlicher Fehler war. Noch ein paar Augenblicke, dann würde sie zusammenbrechen. Wenn sie nur etwas sehen könnte! Wo war Gregor? Mit ausgestreckten Armen versuchte sie sich zu orientieren. Hier, hier war der Schreibtisch. Hier musste er irgendwo sein, denn hier vermutete er das Manuskript.

»Gregor!«

Sie fand ihn nicht, um Himmels willen, sie fand ihn nicht!

»Gregor!« Wegen des Qualms konnte sie nicht laut rufen, es kam nur ein schwaches Krächzen aus ihrer Lunge und auch das fiel ihr schwer. Lieber Gott, sie erstickte! Rasende Kopfschmerzen lähmten sie, zwangen sie zu Boden.

Auf Knien robbte sie auf den Dielenbrettern weiter, dann hatte sie auch dazu keine Kraft mehr. Auf dem Bauch machte sie sich lang und versuchte, gegen diese betäubende Schwere anzukämpfen, die ihren hämmernden Kopf auf den Boden schlagen ließ. Immer noch, wenn auch schwächer werdend, tasteten ihre Hände die Umgebung ab. Ein Tischbein. Oder war es der Sessel? Ihr wurde schwindelig. Über ihr polterte es ohrenbetäubend, Funken regneten herab, zu schwach, um die Wand aus Qualm zu erhellen, dann gingen irgendwo neben ihr Fensterscheiben zu Bruch.

Sie musste zurück! Sie musste ihn aufgeben, um sich selbst zu retten.

Aber sie konnte sich nicht mehr bewegen. Alles in ihr hatte sich verkrampft.

Jemand packte ihren Fuß.

»Gregor?«

Sie konnte seinen Namen nicht mehr aussprechen oder hauchen, nur noch denken.

Zu spät. Alles zu spät.

Zurück, zurück!

Aber es ging nicht.

Jemand zog an ihrem Bein, schleifte sie weg.

Zurück.

Ein letztes Mal atmete sie den Qualm ein, dann wurde es schwarz um sie.

Als sie wieder zu sich kam, befand sie sich im Freien, sie lag auf einer Trage, eingehüllt in eine dünne Folie, die wärmer war als jedes Steppbett. Etwas wölbte sich über ihrem Mund und ihrer Nase und drückte Sauerstoff in ihren vergifteten Körper.

»Gregor!«, wimmerte sie kraftlos, aber es kam keine Antwort.

Drüben stolperten zwei Feuerwehrmänner in voller Montur Hand in Hand aus dem Laden, eingehüllt in Qualm, die Augen aufgerissen, als hätten selbst sie, trotz des schweren Atemschutzgeräts, keine Luft mehr bekommen. Ein Pfeifton begleitete sie.

»Kein Druck mehr ... ging nicht ... warten ...«, stammelte einer der beiden, während er sich den Helm vom Kopf riss und ihn zu Boden fallen ließ. Eine Geste der Hoffnungslosigkeit.

Also hatten sie die Suche nach Gregor abgebrochen.

Eine der Drehleitern wurde ausgefahren und ein mächtiger Wasserstrahl brauste aufs Dach und die umliegenden Häuser. Immer noch qualmte es, aber der Feuerschein hatte sich gelegt.

»Gregor!«

Sie konnte nicht aufhören, seinen Namen zu denken, auch wenn sie wusste, dass es vergebens war. Niemand konnte dem giftigen Rauch ohne Atemschutz länger als ein paar Augenblicke standhalten. Er war tot, hatte sein Leben für das Manuskript gegeben, das doch in Sicherheit war, und es war ihre Schuld. Wenn sie es nur rückgängig machen könnte! Wenn sie ihm nur gesagt hätte, dass es in ihrem Zimmer lag. Wenn, wenn, wenn! Es war zu viel. Sie konnte nicht weiterdenken. Ihr Kopf weigerte sich, die Wahrheit zu akzeptieren.

»Gregor«, japste sie wieder und wieder, geschüttelt von Krämpfen, die ihr die Lunge aus der Brust würgten, bis ihr jemand eine Spritze in den Arm jagte. Dann hüllte gnädige Dunkelheit sie ein, und das Letzte, was sie denken konnte, war, dass sie nie, nie, nie mehr aufwachen wollte.

Dreiundvierzig

Das Schicksal erhörte ihr Flehen nicht.

In den nächsten Tagen tauchte sie immer wieder aus dem Vergessen auf, gerade lang genug, um sich an die Katastrophe zu erinnern, dann fiel sie dankbar zurück ins Schwarz. Irgendwann wehrte sie sich gegen das Aufwachen, sie wünschte sich nicht sehnlicher, als den Verstand zu verlieren oder wenigstens diesen letzten Tag aus ihrem Gedächtnis streichen zu können, aber ihre Genesung schritt unaufhaltsam voran.

Allmählich erkannte sie ihre Umgebung. Alles war vertraut, die Apparate, die Töne, die diese von sich gaben, sogar die Schwester und der übermüdete Arzt, die ab und zu nach ihr sahen. Sie hatte mit ihrer Mutter den Platz getauscht! Das war doch nur ein böser Traum!

Aber da waren die Qualen, die ihr sagten, dass sie sich in der Wirklichkeit befand. Ihre Lunge schmerzte noch unerträglicher als ihr Kopf und schien mit jedem Tag zu schrumpfen. Obwohl gleichmäßig Sauerstoff in sie hineingepumpt wurde, war es nie genug. Man hatte sie intubiert, so dass sie nicht sprechen konnte. Aber was wollte sie schon sagen? Sie war viel zu müde, um zu denken, zu handeln, zu reden, zu essen, zu trinken oder zu schlafen. Sie war sogar zu müde, um zu sterben. Sie wollte nur eines: vergessen.

Irgendwann entfernte man ihr den Tubus und brachte sie auf die normale Krankenstation.

»Erkennen Sie mich?«, fragte Dr. Hoffmann und lächelte sie an.

Er sah irgendwie anders aus, fröhlich und ausgeschlafen. Grauenhaft.

Clara drehte den Kopf weg.

Eine nette Krankenschwester versuchte, sie aufzuheitern, dann probierte es sogar Joe. Aber sie wollte nicht reden. Sie wollte kein munteres Lächeln erwidern. Sie wollte einfach nur Ruhe haben. Unendliche Ruhe.

Es war schon schwer genug, die Nächte mit ihren Träumen von einem romantischen Weingut zu ertragen, aus dessen Tür Gregor trat und die Arme für sie ausbreitete. Sie konnte ihn nie erreichen, nie berühren, und wenn sie aufwachte, wusste sie auch warum, ohne mit jemandem darüber zu reden oder nach ihm zu fragen: Er war tot und sie war schuld daran. Warum sollte sie also lächeln, essen, reden? Es gab keinen Grund.

Dr. Hoffmann drehte resignierend die Handflächen nach oben, die Krankenschwester kehrte zur nüchternen Routine zurück und wurde irgendwann gegen die ruppige Schwester Jennifer ausgetauscht. Nur Joe, der Hochglanzjoker des Klinikpersonals, ließ sich nicht einschüchtern und saß regelmäßig an ihrem Bett, wie sie es vorher bei ihrer Mutter gemacht hatte. Er erzählte unerträgliche Belanglosigkeiten, manchmal versuchte er sie aus der Reserve zu locken und berichtete, dass er schon Kisten packte und dass ihr Vater ihr die besten Genesungswünsche ausrichtete und es ihm gutging. Das war natürlich eine Lüge. Er hatte Paps bestimmt schon ins Heim gestopft. Wahrscheinlich vegetierte er dort vor sich hin und verfiel gesundheitlich und geistig in einem Höllentempo, wie man das ja häufig in der Zeitung las.

Nein, sie wollte nichts hören.

Wenn sie Joe nur zum Schweigen bringen könnte!

Wenn er nur nicht mehr käme!

Irgendwann war es einfach zu viel. »Hau ab«, krächzte sie und kam sich wie ihre Mutter vor. »Lass mich in Ruhe!«

»Halleluja! Du redest! Ich hole den Arzt. Das muss gefeiert werden!«

Nichts verstand er. Wieder einmal. Gar nichts.

Clara verdrehte die Augen und starrte grimmig aus dem Fenster, vor dem sie nur den grauen Himmel und einen kahlen Baum sah.

»Drei Wochen liegst du schon hier. Mann, Clara, reiß dich zusammen! Dr. Hoffmann sagt, das sei rein psychisch. Kapierst du? Du könntest morgen aufstehen und nach Hause gehen, wenn du nur wolltest. Sag uns wenigstens, was dich bedrückt und ob oder wie wir dir helfen können.«

Am liebsten hätte sie sich das Kopfkissen über die Ohren gezogen, aber selbst dazu hatte sie keine Kraft.

Gregor, Gregor, das war alles, was sie denken konnte, doch es war sinnlos. So sinnlos! Niemand konnte ihr helfen. Das musste sie mit sich allein ausmachen.

»He, nicht weinen!« Ein Taschentuch tauchte vor ihrer Nase auf und Clara hätte Joe am liebsten ans Schienbein getreten für seine Aufdringlichkeit.

»Geh doch endlich«, versuchte sie ihn anzuraunzen, aber es hörte sich reichlich jämmerlich an.

Ja, das Taschentuch konnte sie jetzt gut gebrauchen. Verdammt.

»Mach dir keine Sorgen, Clara. Alles wird gut.«

Was sollte man auf so einen Schwachsinn antworten? Wortlos ließ sie ihre Tränen links und rechts ins Haar und auf das Kissen tropfen.

»Mann, Mann, Mann. Was machen wir denn jetzt mit dir?«

»Mich in Ruhe lassen, verdammt!«

»Hah, so ist es besser. Hier, ich habe tausend Papiere, die du unterschreiben musst. Und dann muss ich mit dir über deinen Vater reden ...«

Clara griff zur Klingel und drückte sie. »Ich will nichts hören, verstehst du? Ich will nicht, dass du mir von dem super Heim erzählst, in dem er apathisch auf dem Bett liegt und gefüttert wird. Ich will es nicht wissen, kapier das doch. Ich habe genug ...«

»Selbstmitleid, meine Liebe. Das ist pures Selbst-mitleid, in dem du dich wälzt. Anstatt mir dankbar zu sein ...«

»Dankbar! Wofür? Dass du die Lage ausnutzt, Paps rauswirfst, Kisten packst und das Haus beziehst?«

»Würdest du mir bitte zuhören, du dummes Stück? Wer hat was von Heim gesagt? Sag mal, geht das nicht in deinen Kopf rein, dass ich kein Bösewicht bin, sondern dass wir es gut meinen? Warum, glaubst du, ist Heike nie hier? Weil sie sich um deinen Vater kümmert, dreimal am Tag, so gut es eben geht. Obwohl er ziemlich stinkig ist, weil wir ihm kei-nen Alkohol geben. Könnte ja sonst was passieren, wenn er in der Nacht herumgeistert.«

»Mein Vater kann überhaupt nicht stinkig sein. Das ist doch gelogen. Außerdem verträgt er immer seinen Finger-breit. Es steht euch nicht zu, ihn zu bevormunden.«

»Dann komm endlich zu dir und steh auf. Hilf ihm!«

»Ich ... ich kann nicht!«

»Doch, du kannst!«

»Geht das bitte etwas leiser? Die Patientin braucht Ruhe!«

Nie war Schwester Jennifer willkommener gewesen als in diesem Augenblick.

Wütend stapfte Joe aus dem Zimmer und knallte die Tür zu.

Aber der Alptraum hörte nicht auf.

Als sie das nächste Mal die Augen öffnete, kniff sie sie vor Schreck gleich wieder zusammen. Jetzt war es also so weit, dachte sie. Niemals hätte sie sich vorstellen können, dass es so banal sein würde, tot zu sein. Kein warmes Licht, keine Engelsgesänge, kein Schweben, sondern immer noch dieses verdammte Krankenbett und der gerahmte Schwarz-wald in Pastell an der gegenüberliegenden Wand. Eigentlich hatte sich gar nichts verändert, bis auf die Person, die an ih-rem Bett saß. Das war nämlich sie.

Davon hatte sie schon gelesen: Dass man sich in Nahtod-situationen selbst sieht, von oben, als fliege man mit seiner Seele davon. Doch hier stimmte etwas nicht. Sie beobach-tete sich nämlich nicht aus der Vogelperspektive, sondern lag wirklich im Bett, sah sich aber selbst neben sich sitzen. Zwei Claras, eine im Flügelhemd, die andere in buntem Strick. Nummer eins müde, verwirrt und vollkommen erledigt, Nummer zwei hübsch geschminkt, vital und lächelnd.

Es war kein Irrtum. Es gab sie zweimal.

Wobei der fröhliche Teil ein kleines bisschen älter aus-sah als sie.

Oh Gott. Sie war in eine Zeitschleife geraten!

Aber wenn dem so wäre, dann gäbe es vielleicht die Chance, Gregor noch einmal zu treffen!

»Gregor?« Vorsichtig blinzelte sie.

Nein. Es war immer noch ihr zweites Ich, das sie nun rat-los ansah und ihr nachsprach: »Gregor? *Mamma mia*, sehe ich so aus?«

Leider kam das schwarze Vergessen nicht zurück, um sie aus dieser hoffnungslos verrückten Situation zu retten. Also riss sie sich zusammen und tastete nach der Hand dieser Frau an ihrem Bett. Sie war rau und fest und drückte kräftig zu-rück. Und der gespitzte Mund, der ihr jetzt einen Kuss auf die Wange knallte, gehörte ebenfalls zu einem Menschen aus Fleisch und Blut. Jetzt fiel es ihr wieder ein.

»Marcella?«

»Richtig, *cara*. Ich bin deine Schwester. Dein Vater hat darauf bestanden, mich zu suchen und zu verständigen und ein Freund von dir hat mich schließlich angerufen.«

»Gregor?« Claras Herz zitterte.

»Nein, sein Name ist Joe. Nett ist er. Hat mich vor zehn Minuten vom Bahnhof abgeholt und ist gleich mit mir hier-hergefahren. Wer ist Gregor?«

Clara war nicht fähig, ihre Tränen zurückzuhalten. »Er ist, er war ... ich bin schuld.«

»*No, no, no*. Nicht weinen. Das ist nicht gut. Du sollst dich nicht aufregen, hat der Arzt gesagt. Ich komme morgen wieder, dann reden wir über alles.«

»Nein, bleib ...«

Clara versuchte sich aufzurichten, um sie festzuhalten, aber sie war zu schwach dafür. Sie musste die Frau gehen lassen, und wenn sie ehrlich war, brauchte sie nun auch Zeit, um den Besuch zu verarbeiten.

Ihre Schwester – wie das klang!

Vierundvierzig

Seit fünf Uhr morgens wartete sie nun schon auf Marcella, stakste auf wackeligen Beinen herum, duschte, ließ sich beim Anziehen ihrer zu weit gewordenen Kleider helfen, die frisch gewaschen rochen und wie durch Zauberhand im Spind hingen, und saß mit ihrem Frühstück an dem kleinen Tischchen, als es endlich klopfte.

Erst erschien ein kleiner Blumenstrauß, dann ein schwarz-grauer Lockenkopf, dann ein grinsendes Clownsgesicht – und dahinter pochten zwei Krücken, und eine kleine, dünne Haselmaus tappte herein.

Gott, war sie froh, ihn zu sehen.

Marcella, bunt, laut und fröhlich, schob Paps einen Stuhl zurecht, kümmerte sich um ihn, wie sie es selbst nicht besser gekonnt hätte, dann half sie ihr beim Aufstehen und bugsierte sie zurück zum Bett. Erleichtert ließ sich Clara das Kissen aufschütteln und streckte sich aus. Es war ein bisschen viel gewesen. Aber davon wollte dieser Wirbelwind nichts wissen.

»Ich habe mit Dr. Hoffmann gesprochen. Du kannst gleich mitkommen, das ist kein Problem.« Paps strahlte. »Sie kann *Espresso* kochen. Und hat mir gestern zum *vino* schnell ein *focaccia* gebacken, einfach so. *Cucina italiana*, oh *bella Italia*.« Seine frisch rasierten hohlen Wangen waren ganz rot vor Freude.

Clara musste kichern, auch wenn ihr nicht danach zumute war. »Sie macht mit dir einen Schnellkurs in Italienisch, oder was?«

Er nickte begeistert. »Es ist so einfach. Wer Latein in der Schule hatte, kann es praktisch aus dem Ärmel schütteln. Warum habe ich das nur nicht viel früher gelernt!«

Weil deine Frau dir die Augen ausgekratzt hätte, dachte Clara, sagte aber nichts. Es tat gut, ihn fröhlich zu sehen.

Marcella grinste und knallte ihm einen Kuss auf die Stirn, ehe sie sich umdrehte und sacht an der Bettdecke zupfte. »Also, *cara mia*, steh auf! Ich habe dein Auto hier, wir nehmen dich mit.«

Das hatte sie befürchtet. Sie hatte Angst gehabt vor diesem Moment, der sie von ihrer geheimen, ungestörten, intensiven Trauer um Gregor entfernen würde. Hier war es, das Leben, das immer weiterging. Aber sie war noch nicht bereit.

»Ich kann nicht.«

»Oh doch. Und ob. Warte mal.« Marcella beugte sich zu ihr und flüsterte ihr etwas ins Ohr, dann wich sie zurück und strahlte sie erwartungsvoll an. »Na?«

»Ich habe kein Wort verstanden«, erwiderte Clara verwirrt.

»Kind, glaub ihr. Er lebt. Wir haben gestern mit seinem Arzt telefoniert. Er liegt in Reutlingen in einer Spezialklinik, aber auch er kann schon bald entlassen werden«, bestätigte ihr Vater und hüstelte.

»Ihr schwindelt mich an. Er ist tot. Ich habe selbst gesehen, wie die Feuerwehrleute ...«

»Nein, *cara*, so ist es nicht. Ich habe mich erkundigt. Er hatte in dem Rauch die Orientierung verloren. Welch ein grober Leichtsinn von euch, ohne Schutz hineinzurennen. Jedenfalls ertastete er irgendwann ein Fenster, schlug es ein – mit Pasternaks Doktor Schiwago übrigens, einem der wenigen Bücher, die auf diese Weise nicht verbrannt oder durchs Löschwasser ruiniert wurden – und so konnte er sich ins Freie retten.«

»Ist das wahr?«

Paps nickte und hüstelte, während er ihr über das Haar strich. »Du Arme. Warum hast du niemandem gesagt, dass du ihn für tot hieltest? Dann hätte man dich schon viel früher beruhigen können. Alles wird gut, du wirst sehen. Die Familie Oesterle ist übrigens sehr nett. Sie haben angeboten, das Haus zu kaufen. Ist das nicht wunderbar? Und ich fürchtete schon, ich müsste mein restliches Leben in dem kalten Kasten zubringen.«

Clara zwinkerte. »Wie bitte?«

Warum kniff sie nicht jemand? Sie halluzinierte. Gleich würde sie aufwachen und wieder in ihrem Elend liegen.

»Das Manuskript!«, fiel ihr ein.

Marcella hüpfte wie ein Springball hoch. »Ich habe davon gehört. Wo ist es? Ich würde es gern ansehen. Bei uns zuhause wurde nicht viel über unseren Vater geredet. Meine Mutter war über seinen Freitod untröstlich gewesen. Sie hatte vermutet, dass mein Vater in Deutschland eine Geliebte gehabt hatte, weil er viel zu lange dort geblieben war, anstatt sich ums Schreiben und vor allem um das Weingut seiner Eltern zu kümmern, mit dem es wirtschaftlich immer mehr bergab ging. Er war damals ein berühmter Autor gewesen, aber leider auch ein Schürzenjäger, Spieler und vor allem ein Mann, der überhaupt keine Neigung verspürte, sich um den Weinbau und die Finanzen zu kümmern. Es genügt nicht, ein bisschen Geld in einen Betrieb zu stecken, wenn man sich ansonsten nur halbherzig um ihn kümmert.«

»Er war Schriftsteller, offenbar ein begnadeter noch dazu. Das reichte doch.«

»Aber Schriftsteller müssen schreiben, und das tat er seit Jahren nicht mehr. Schaffenskrise, Schreibblockade – wie auch immer man es nennen will, es machte nicht satt. Auch die ewigen Nominierungen für den Nobelpreis nicht.«

»Ich dachte ...«

»Meine Mutter hat sich nie beklagt, aber als er tot war, hat sie verfügt, dass seine Werke nicht mehr nachgedruckt werden sollten, hat sein Schreibzimmer abgeschlossen und gesagt: ›Er ist tot. *Basta.*‹ Und dann hat sie sich darangemacht, das Weingut mit Hilfe ihrer Geschwister aufzupäppeln und das Haus für Pensionsgäste zu öffnen. Die Spendengelder aus Deutschland hat sie in der Stiftung eingebracht, wollte damit jedoch persönlich nichts zu tun haben. Erst hat ein Onkel sich darum gekümmert, dann habe ich die Stiftung übernommen, als ich einundzwanzig wurde. Leider bin ich schriftstellerisch nicht begabt. Aber ich habe mir deine Kinderbücher angesehen. Sehr niedlich. Du hast sein Talent geerbt. Schreib doch einmal etwas Richtiges! Einen großen Roman.«

»Wo hast du meine ›niedlichen Kinderbücher‹ gefunden?«

»Ein paar Kisten wurden beim Brand gerettet. Der Kinderbuchladen in der Sophienstraße hat einen Teil übernommen, um mit dem Erlös deinem Gregor zu helfen, der Rest lagert in eurer Villa. Da war ich so frei.«

Clara nahm allen Mut zusammen. »Weiß man inzwischen, wie das Feuer entstanden ist?«, fragte sie mit zittriger Stimme.

So viele Nächte hatte sie sich den Kopf darüber zerbrochen, ob sie vielleicht schuld gewesen war, weil sie den Laden unbeaufsichtigt gelassen hatte.

»Durch eine Zigarette. Die neue Eigentümerin war kurz zuvor mit einem Architekten durch das Gebäude gegangen, und der hatte im Obergeschoss seine Zigarette zwar ausgetreten, aber nicht gründlich genug, und das Papier brannte, kaum dass sie den Laden verlassen hatten, schon wie Zunder, auch wenn es noch eine Stunde dauerte, bis jemand im Haus gegenüber darauf aufmerksam wurde. Aber jetzt sag, wie lange willst du noch hier bei fader Krankenhauskost herumliegen? Kulinarisch gesehen gäbe es Alternativen, das kann ich dir versprechen.«

Paps klemmte sich hinter Marcellas Rücken eine Krücke unter den Arm und hob den Daumen seiner gesunden Hand. »Sie kocht fast so gut wie du«, raunte er und schnalzte genüsslich mit der Zunge.

Fünfundvierzig

Es war wie in den alten Bildbänden: Weinberge und blühende Apfelbäume, so weit das Auge reichte, umsäumt von den spektakulären, sich langsam rot färbenden Gipfeln der Dolomiten, von denen sie noch längst nicht alle mit Namen kannte. Und vor ihr das südländische Weingut, nach dem sie sich unbewusst ihr Leben lang gesehnt hatte. Dicke Trauben vom blühenden Blauregen hingen dicht an dicht wie eine Edelsteinkette unter den Fenstern des ersten Stockwerks, das die Pensionszimmer beherbergte. Unterhalb der sanften Hügel glitzerte der See im Tal, das bereits im Schatten lag.

Die lange Tafel mit bunten Tischtüchern stand in der noch warmen Frühlingssonne, Schüsseln, Körbe und Platten mit marinierten Paprika, Karotten, Fenchel und Spinat, knusprigem Weißbrot, dampfenden selbstgemachten Eiernudeln, Tomatensoße, Pesto, italienischen Würsten und gebratenem Zitronenhuhn, Salaten und Erdbeeren luden zum Zugreifen ein, Wasserkaraffen und Rotweinflaschen machten die Runde.

Um die zusammengewürfelten Stühle turnten schwarzhaarige Kinder herum, kreischten und spielten mit zwei bellenden Promenadenmischungen Fangen. Ein Glas ging zu Bruch und eine melodische italienische Schimpfkanonade erklang, die schon bald in unbeschwertes Lachen überging.

Selig lehnte sich Clara zurück und tastete nach der Hand Gregors, der neben ihr saß und ihr Glück perfekt machte. Blind fanden sich ihre Finger, schlangen sich ineinander, wie es wohl schon immer ihre Bestimmung gewesen sein mochte.

»Auf die Turteltauben dieser Welt«, meldete sich Marcella zu Wort und hob lächelnd das Glas. Dann wurde sie ernst, fast feierlich. »Auf den großartigen Roman unseres Vaters, den ich heute Nacht zu Ende gelesen habe und der mich zu Tränen gerührt hat. Und auf unseren neu gegründeten Verlag, Clara, in dem demnächst auch deine Bücher erscheinen werden. Dein neuer Roman ist doch bald fertig, *vero*?«

Clara nickte, während sie wieder einmal versuchte, die Köpfe ihrer neuen Familie zu zählen. Immer entwischte ihr jemand, ständig waren diese neuen Nichten, Neffen, Halbvettern und Halbcousinen, Onkels und Tanten in Bewegung. Schließlich gab sie es auf.

»Auf meine neuen Familienmitglieder – wie viele es auch immer sein mögen!«

»*Salute*«, »*Salute*«, stimmten diese sofort begeistert an, ein liebenswert chaotischer Chor.

»Aber was steht denn nun in dem Manuskript?« Gregor hielt es nicht mehr aus.

Marcella hob die Hand, als habe sie nur auf dieses Stichwort gewartet. »Es handelt keineswegs von deiner Mutter, Clara, sondern es ist ein Roman, der die Geschichte einer bitterarmen Familie in einem italienischen Bergdorf erzählt, die im vorigen Jahrhundert ihr Glück mit der Zucht besonders widerstandsfähiger Rosen zu machen versuchte. Dem Weinbau hat er ja nie viel abgewinnen können, aber die Rosen haben ihn offenbar stets fasziniert. Ratet, wie die Rose hieß, von der er schrieb!«

»Das ist einfach«, antwortete Clara mit einer ungeduldigen Handbewegung. »Seht nur, Gregor hat den besten Platz für ihren Ableger gefunden, findet ihr nicht?«

Alle Köpfe wandten sich zur Hausecke, an der sich in den letzten Strahlen der untergehenden Sonne die erstaunlich kräftigen neuen Triebe der »Carlotta« sacht im aufkommenden Abendwind wiegten.

Gläser erklangen, und einer der neuen Onkel trug ratternd etwas vor, das sich wie ein Zungenbrecher anhörte.

Alles lachte, als er fertig war und sich mit einer großen Verbeugung setzte.

»Ein Loblied auf unseren süßen *nonno* war das, den wir alle vom ersten Tag an in unser Herz geschlossen haben«, fasste Marcella zusammen. »Auf dich, *nonno Frederico*!«

Strahlend hob Paps sein leeres Glas. »Dürfte ich dann wohl um einen Schluck bitten?«, fragte er heiser.

Und die ganze Familie rief im Chor: »Aber nur einen Fingerbreit!«

Basta

Nachwort und Danksagung

Nicht alles, was in Romanen geschrieben wird, entspricht der Wahrheit, so auch in diesem Buch. Ich habe mir die schriftstellerische Freiheit genommen, die Stadt Baden-Baden mit dem Besuch eines weltberühmten Dichters, Giacomo Agostini, zu beehren, den es natürlich nie gegeben hat. Ebenso wenig wie eine Rosenkönigin, obwohl die sich in der Rosenstadt bestimmt wohlgefühlt hätte. Somit ist auch der wunderbare Rosengarten unterhalb des Merkurberges einzig meiner Fantasie entsprungen. Das schöne Gebäude der *Alten Hofapotheke* habe ich als Antiquariat Morlock zweckentfremdet. Gleichwohl braucht man nur ein paar Schritte weiterzugehen, um den Ort zu finden, der mir als Vorlage diente. Vieles andere aber, besonders über die Ära der 1950er Jahre, habe ich mit größtmöglicher Sorgfalt aus dem Archiv der Stadt zusammengetragen.

Mein besonderer Dank gilt:

An erster Stelle meinem Mann Rainer, der an dieses Buch von Anfang an geglaubt hat und mich mehrmals davor bewahrte, die Idee und später die ersten Entwürfe zu verwerfen oder gar in die Papiertonne zu befördern.

Rolf Bandl danke ich für seine Erzählung spätabends an meinem Küchentisch, die meine Fantasie beflügelte und den Kern dieses Romans bildet.

Jörg Bierwirth verdanke ich die sehr plastische Schilderung der Brandszene.

Christopher Pfleiderer hat mich einige Male in sein Antiquariat am Baldreit schlüpfen lassen und mir seinen wundervollen Beruf nahegebracht.

Meiner Lektorin Bettina Kimpel danke ich für ihre sensible und liebevolle Begleitung und die langen, aufschlussreichen und aufmunternden Telefonate.

Dr. Christel Steinmetz hat sich für diesen Roman, der eigentlich nicht ihr Metier ist, auf ganz besondere Art eingesetzt und mich damit sehr gerührt.

Meinen treuen Lesern und Leserinnen möchte ich ganz besonders danken, dass sie meinen kleinen Kurswechsel vom Krimi zum Roman begeistert aufgenommen haben, ebenso danke ich vor allem auch dem Buchhandel in und um Baden-Baden für seine großartige Unterstützung.

Nicht zuletzt geht mein Dank an meinen lieben Freundeskreis, der es immer wieder bewundernswert geduldig erträgt, wenn ich in meine »unnahbaren« Schreibphasen abtauche.

Ebenso wenig vergessen möchte ich meine virtuellen und realen Freunde bei Facebook, dem Forum der Büchereule (hier besonders Andrea Kammann) und dem Gartenforum, die mir immer wieder Mut gemacht haben und mich jeden Tag aufs Neue auf meinem schriftstellerischen Weg bestätigen.